okamaの楽しいキャラづくり

okama・著　季刊エス編集部・編

happy
character
making
by okama

はじめに

可愛い美少女からゆる～いチビキャラ、インパクトのあるコスチュームや
乗り物、動物まで幅広く生み出しているokamaさん。
本書『okamaの楽しいキャラづくり』は、雑誌「季刊エス」でokamaさんが8年間連載していた、
キャラクターデザイン講座を再構成・加筆修正した1冊です。
デザインの面白さや奥深さを、たっぷりのイラストで楽しくイメージすることができる、
キャラクターづくりのメイキング＆デザイン集となっております。

この本はおおむね、次のページから続く「“百合”をテーマにしたデザイン」で紹介するような、
「“STEP3”のキャラクター」を生み出すための過程を収録していきます。

okamaさんのデザインの大きな魅力は、
見たことのない新鮮な視点や
思いもよらぬ組み合わせで描かれていることです。
その唯一無二のデザインは、漫画・イラスト・
アニメ・ゲームの世界で欠かせません。
生み出す過程や考え方を見られることは、
とても興味深いものです。
案外テキトウだったり、
意外と理屈があったりします。
okamaさんの頭の中でどのようなアクションが
起きているのか、覗いてみましょう。

※絵についている説明文はokamaさんによるものです。
各章の見出しなど、季刊エス編集部が書いたものもあります。

STEP 1

観察＆分析

start!

okamaさんが「百合」をテーマにキャラクターをデザインする過程を見ていきましょう。
まず、そのもの（写真）を観察して絵に描き起こしました。
デザインに活用できそうなパーツは、形や枚数などの特徴を細かく描き出しておきます。

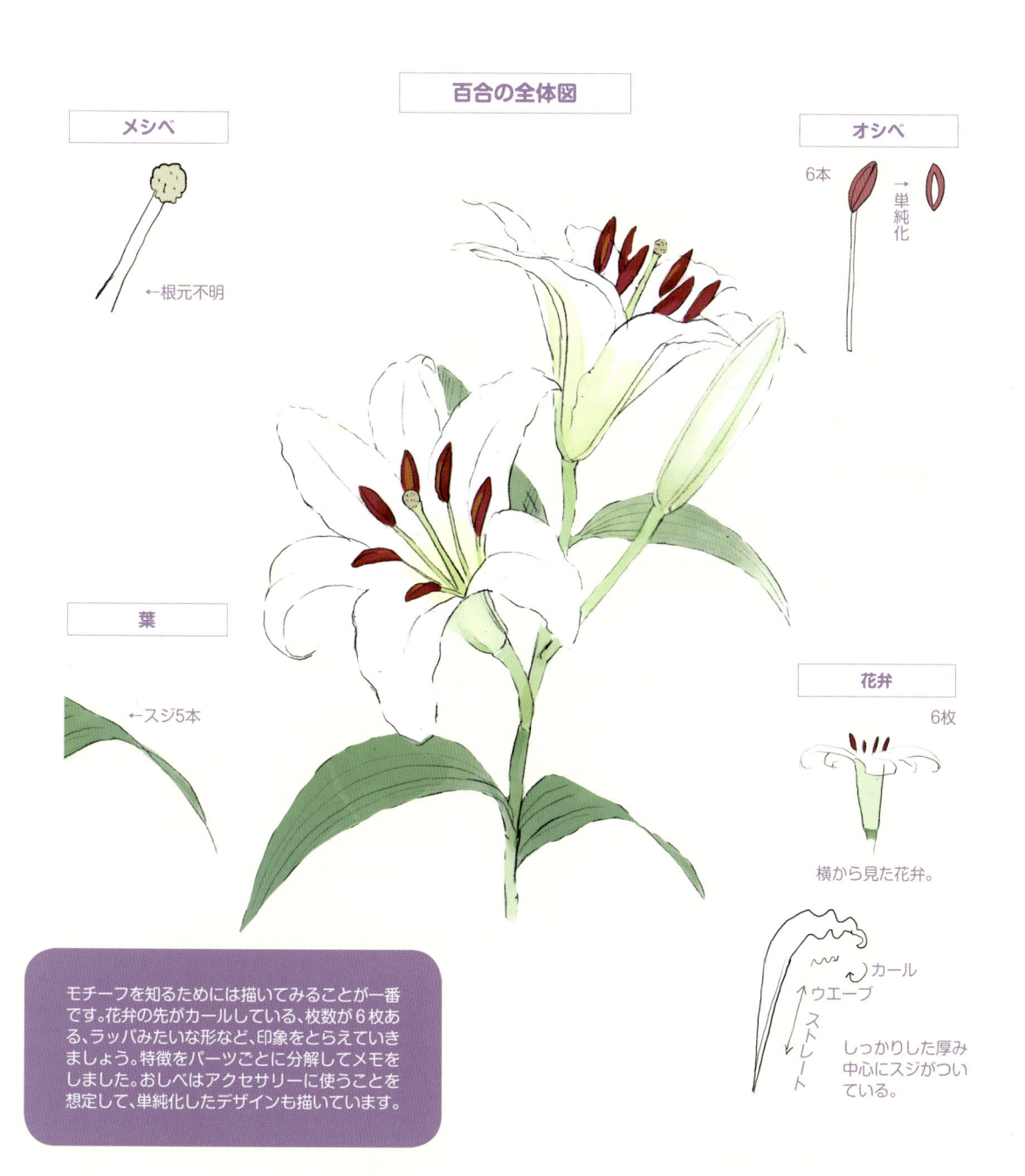

百合の全体図

メシベ

オシベ

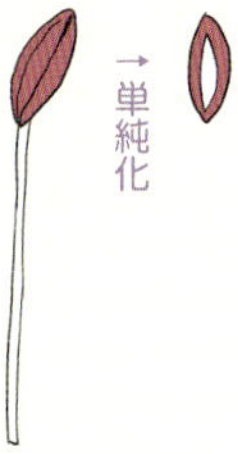

葉

花弁

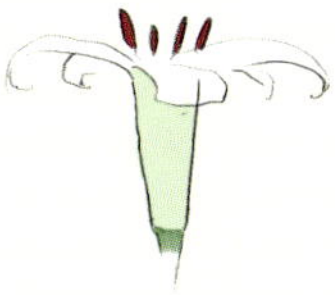

横から見た花弁。

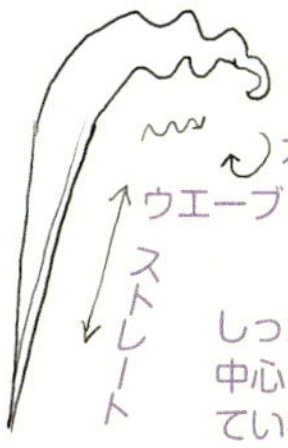

モチーフを知るためには描いてみることが一番です。花弁の先がカールしている、枚数が6枚ある、ラッパみたいな形など、印象をとらえていきましょう。特徴をパーツごとに分解してメモをしました。おしべはアクセサリーに使うことを想定して、単純化したデザインも描いています。

STEP 2

特徴を加える

観察した百合の花やパーツを使って、
制服にデザインを加えてみました。

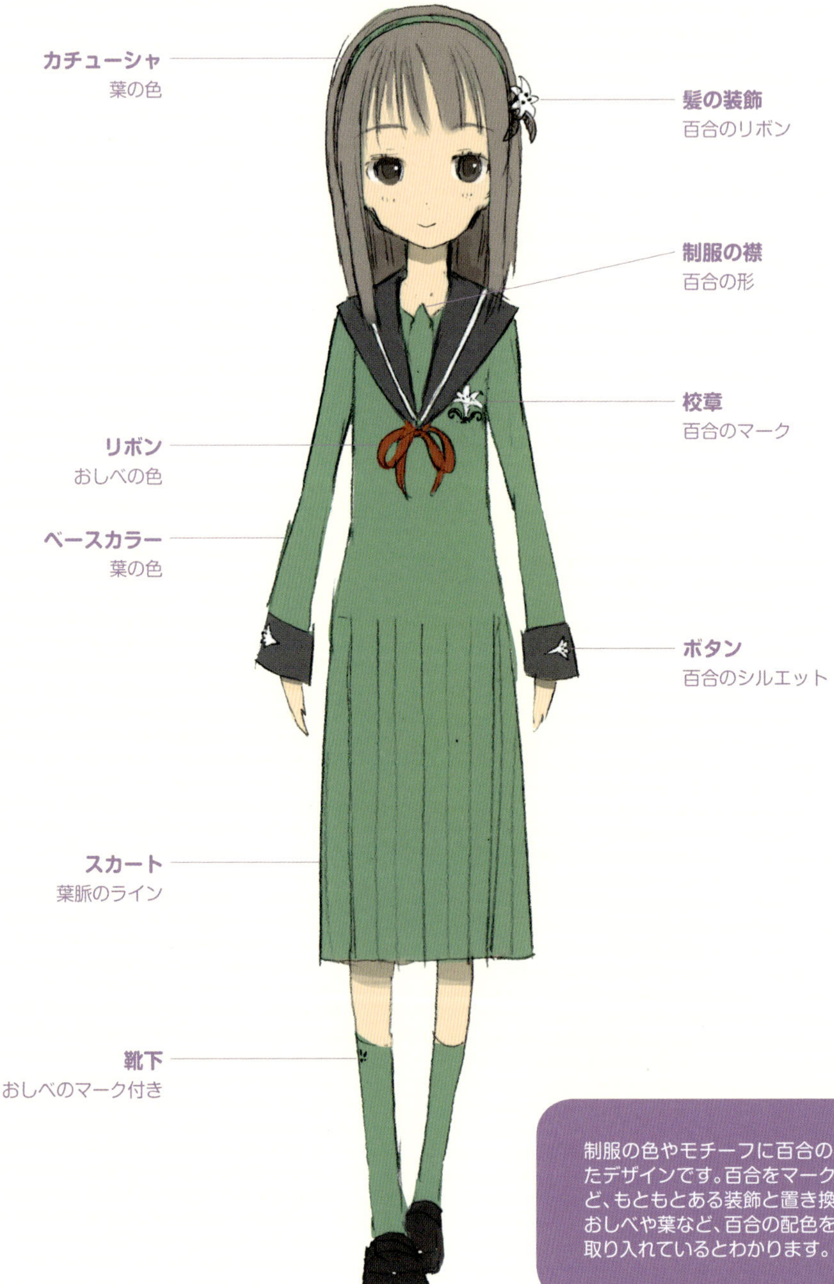

制服の色やモチーフに百合の要素を入れたデザインです。百合をマークやボタンなど、もともとある装飾と置き換えていたり、おしべや葉など、百合の配色を制服の色に取り入れているとわかります。

右ページのデザインも十分に個性は出ていますが、「見たことのないデザイン」を目指して描くとどうなるでしょうか。

次のページで、百合を使ったokamaさんならではのデザインを発表します。このSTEP2からSTEP3の段階でokamaさんが考えていることを、これから6つのPARTに分けて1650点のイラスト・図解と一緒に紹介していきます。

いつもと違う方法でデザインをしてみたいとき、描くものがなんとなく似てしまって困ったときなどに役立てられる方法を、ご覧ください。

おべんとうに
おだんごを
つくったの
ケシゴムのカスで。
さあ！食べて♥
まあ！
お姉さま
おままごとくらいは
人並にできるように
なるといいですね！

こちらのイラストにも、百合モチーフの制服や装飾が登場しています。
百合設定の女学生たちです。右のお姉様が雑誌「季刊エス」の擬人化、
左の妹は、季刊エスの妹雑誌「SS」（ドS）をキャラ化したという関係性。

STEP 3

唯一無二のキャラクターにする！

STEP3はokamaさんが百合を観察して描いたキャラクターたちです。
STEP2とデザインの加減が大きく違うと感じたのではないでしょうか。
okamaさんが仕事で描くのは、こちらのデザイン。
髪型や小物、衣装すべてに百合の様々なパーツや形が生かされています。

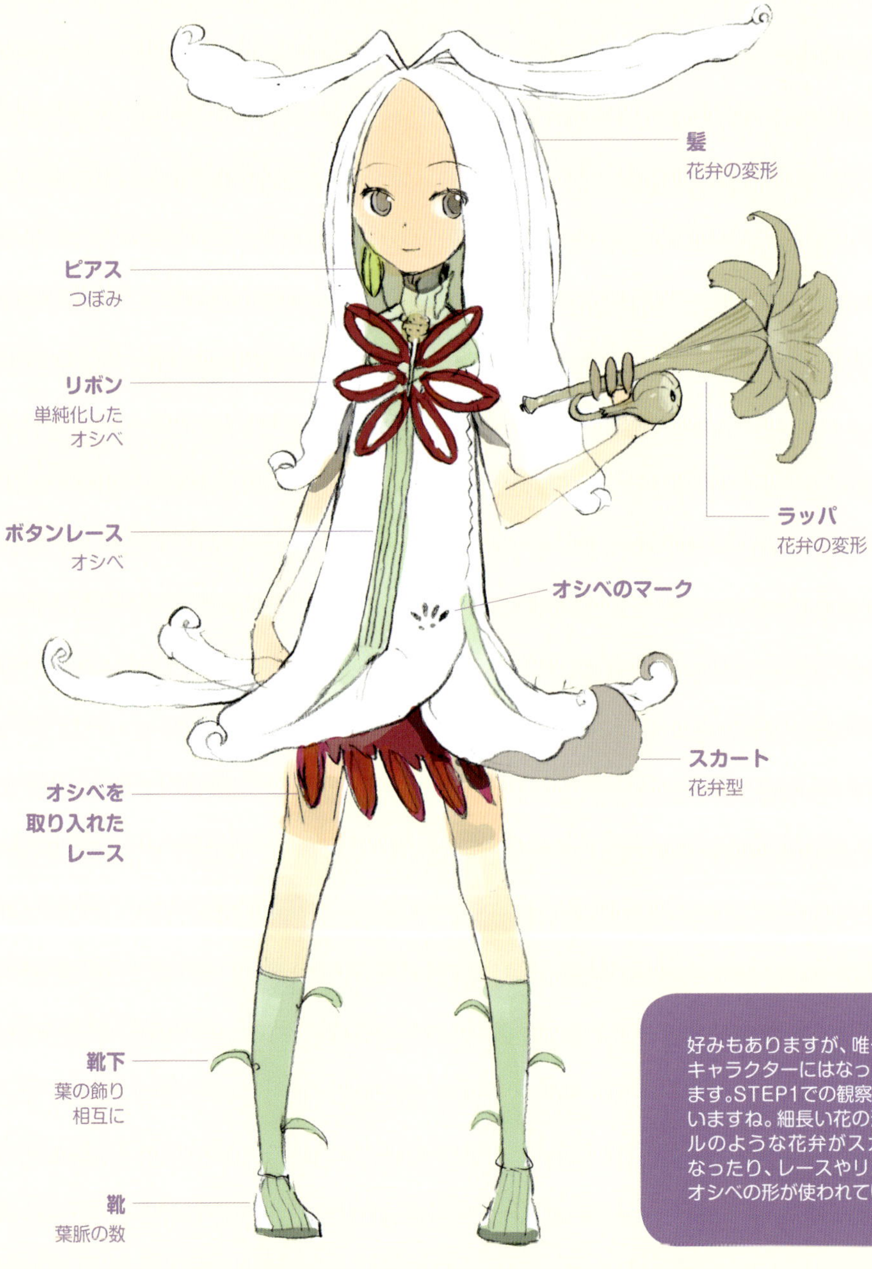

好みもありますが、唯一無二のキャラクターにはなったと思います。STEP1での観察が生きていますね。細長い花の形やフリルのような花弁がスカートになったり、レースやリボンにはオシベの形が使われています。

ヒーロー風

花弁を変形させたマント。オシベの模様がついています。細かく見ると、眼鏡や鼻、ヒゲも百合のパーツになっています。マントの留め具もつぼみになっています。相棒のユリオはしっぽが百合に！　メスなのかも。

サーカス風

襟の形、パンツの裾、ブレスレットには花弁のモチーフが使われてます。レオタードや太ももの付け根にも、百合の要素が入っていますね。

デザインは楽しい！

デザインは無限にあります。その善し悪しを決める感覚も人それぞれ。ですが、その過程で行われることや考え方は、誰が見ても面白いものだと思います。巻末に実践できるアイテムも付けました。一緒に楽しくキャラクターを作ってみましょう！

登山風

モコモコで暖かい素材の百合型フード。花弁のカールをデザインに組み込んだおかげで、素材や色が違っていても、そう言われれば百合だと思えると思います。

ヘッドホン

百合の形をそのまま使った可愛いヘッドホンと、つぼみのマイク。フードも花弁を開いたようなデザインですね。

帽子

ノッポさんの帽子は百合の形みたい。

contents

part 1 いろんな方法でキャラクターを作ってみよう

part 2 ゼロからキャラクターをデザインしてみよう

part 3

コスチュームを楽しくデザインしよう

part 4

コスチュームのデザイン辞典

part 5

キャラクターの魅力をアップさせる配色や背景

part 6

サイコロを振って新たなキャラクターデザインをつくろう!

巻末特典

part
1

いろんな方法でキャラクターを作ってみよう

PART1-1

「ケーキ」から作ろう

「組み合わせで作るキャラクターデザイン」を紹介します。元のイメージを展開させる擬人化にも近いデザイン方法です。身近なアイテムとしてケーキを選びました。ケーキを洋服や髪型へ変化させましょう。ケーキの色は素材が持つイメージがあるので、キャラクターの性格も表現できるアイテムといえます。

1 ケーキにある要素からキャラクターを作ってみよう

ショートケーキ
帽子
イチゴモチーフの三角帽にイチゴを飾り付けました。
髪型
ふわっとしたクリームの形の髪です。
ナプキン
イチゴのヘタのリボンつきです。
Aラインスカート
イチゴの種をイメージした緑色のボタンをつけました。
ケーキピック
タイツ
色違いのムースをイメージしています。

ショートケーキ。ワンピースをイチゴ色にしたのでイチゴの主張がだいぶ強いデザインになりました。三角形を多用したデザインになっています。

チーズタルト

レアチーズケーキはシンプルなので、チーズタルトをモチーフにしました。この子はバイトのメイドさん。時給は100円です。

リボン
ネズミといえば丸耳。でも、黒にすると危険です。

シャツ
肩を膨らませておいても良かったかも。

髪型
チーズの色に合わせて金髪にしました。ちなみに、目の色は全員同じ紫です。

エプロン
チーズの穴の模様を入れました。フリルはタルトと置き換え。

帽子
シュー生地の膨らみはコック帽に近い印象なので、かぶせてみました。

リボン
調理士のナプキン。イチゴの子と色が重なるので緑にしました。

髪型
クリームの形をしています。

スカート
どうするか困って、強引にモコモコスカートにしました。

シュークリーム

シュークリームは抜き出せる形の特徴が少なかったので、中のクリームもデザインに利用しました。調理師の女の子です。

チョコレートケーキ

チョコレートだから黒人のイメージ。ブーツがゼブラ色なのでアフリカ的です。マントは層になったチョコレートケーキから連想したボーダー柄になっています。

髪型
麦チョコみたいなチョコレートパーマ。白いラインは誕生日ケーキに乗っているチョコレートのメッセージ。筆記体が書けないのでイメージです。

ワンポイントの封蝋
手紙を閉じるのにつかう封蝋は見た目がチョコレートっぽいの装飾にしました。

コート
マサイ族みたいなマントは、ケーキの断面のようなチョコレート柄にしています。

個性的なケーキ

個性があるケーキなので、デザインをそのまま柄にして利用しました。イメージは、自由が丘にいそうなお姉さん。配色ポイントは、ピンクを入れる場所です。変化のある場所を中心に集めて、視線を顔のそばに導いています。

2 複数のケーキを組み合わせてキャラクターを作ってみよう

ショートケーキ×チーズタルト＝時給500円にアップしたショーチケーキ！

帽子
飾りのイチゴがチーズに変わりました。

髪型
色とふんわりしている感じはショートケーキ、髪の長さはチーズタルトに合わせました。

ナプキン
チーズタルトのフリル要素が入りました。

ボタン
種のボタンはつける位置をチーズ穴のように、ランダムな感じにしました。

タイツ
赤いイチゴ色のボーダーに黄色のチーズ色を組み合わせました。

帽子
エクレアの形を少し変えて帽子にしました。

髪型
シュークリームのクリーム髪型に、チョコレートケーキのパーマをかけました。

ナプキン
エクレアの細長い形と、チョコレートケーキのボーダーを混ぜた形の、エクレアマフラーです。

コート
シュークリームの生地のような質感です。途中からクリームが飛び出しています。

ブーツ
長靴に変更しました。

シュークリーム×チョコレートケーキ＝エクレアだ！

帽子
ベースはエクレア帽子にして、そこに飾りを付けました。上層はイチゴで、下層がチョコレートケーキ模様です。

髪型
ケーキの屋根にはクリームが乗っているイメージがあるので、チョコから変更しました。

ボタン
チョコレートケーキで使った封蝋の形を並べました。

ナプキン
今までの大きさだとエプロンを邪魔するので、ネクタイに変更。

上着
エプロンから変更。エクレアマフラーのシルエットを利用して、深いUネックの上着にしました。

スカート
シュークリームとタルト生地をすそにつけました。

タイツ＆くつ
イチゴ、チーズ、チョコで描いた柄を混ぜて、チーズタルトの靴を履かせています。

4 ケーキから作ったキャラクターが完成！

ケーキをモチーフにしたキャラクターデザインは、４種のケーキを組み合わせた、ゴージャスな雰囲気のケーキ司令官です。okamaさんはケーキの特徴を引き出して、キャラクターの服や髪型を描いていました。デザインの良い部分を余すことなく取り入れた、見事なデザインです。

最後に色のバランスを考えつつ、元ネタのケーキがわかるように調整しました。色数を減らして同系色を増やすと、まとまりやすくなります。女の子をケーキにしたときに考えるのは、アンパンマンみたいに食べられるのだろうか？ってことです。フルカラー漫画『フードガールズ』を描いていて気づいた難問です。

PART1-2

「シルエット」から作ろう

シルエットから考えるデザイン。アニメやゲームのキャラクターデザインは「シルエットだけで見てもキャラクターの違いがわかるように」という話をよく聞きます。そんなときに便利なのが、髪型やコスチュームなどに装飾を描き足すことです。どんな場所に入れると効果的かを見ていきましょう。

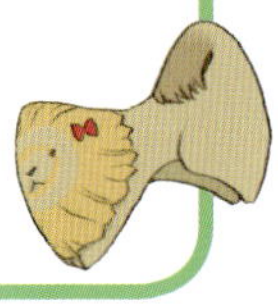

1 シルエットを意識してみよう

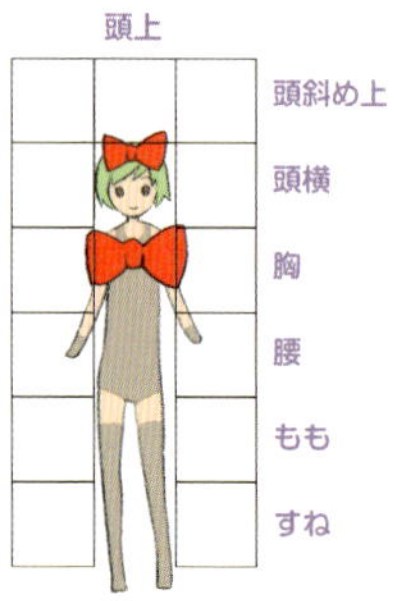

キャラクター周囲の空間。同じスペースにリボンが重なることを避けながら、シルエットを変化させてみます。

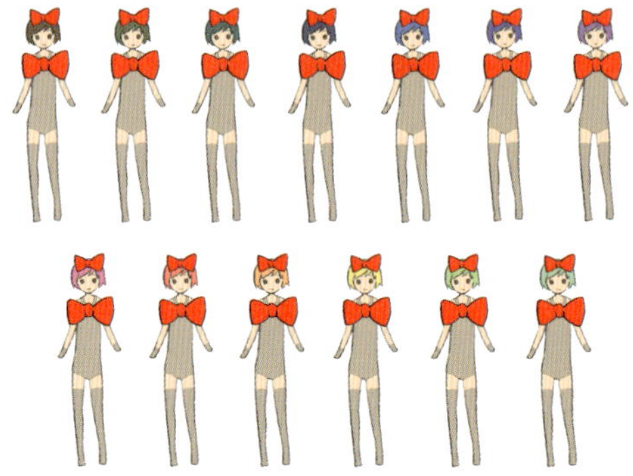

●「リボン戦隊13」
この絵をもとに修正していこう

赤リボンをつけた13人は正義の味方。リボンビームで悪を倒します。（みんな手が短い）ふと、整列してみたら誰が誰だか見分けがつかなかった！　どうしよう……。そうだ、そんなときにはシルエットを変えよう。

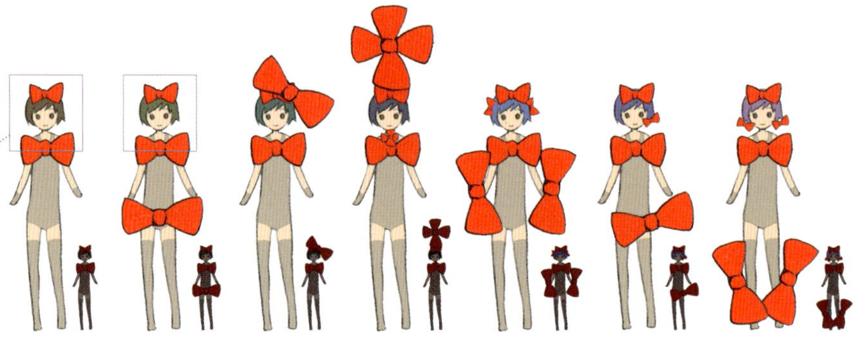

【1】変化なし　【2】腰　【3】頭上（右寄り）　【4】頭上+頭上　【5】頭斜め+胸+腰　【6】腰（右側）+頭横（右）　【7】頭横（左右）+もも+すね

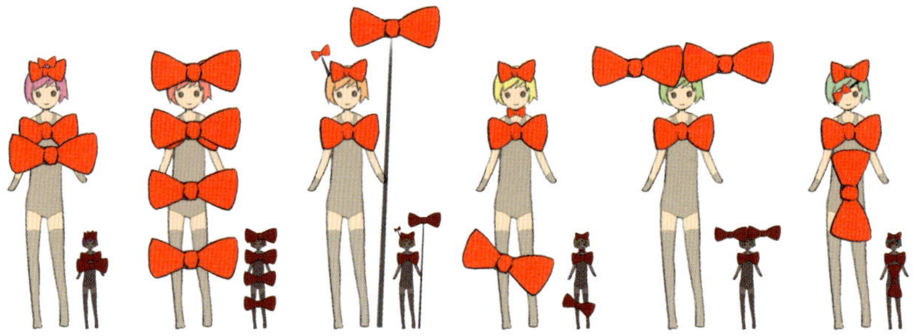

【8】胸　【9】頭上+胸+腰+もも　【10】頭斜め上　【11】もも（左側）　【12】頭上+頭斜め上　【13】前面のスペース

どうかな。遠くにいるときもキャラクターの分別ができるようになりました。

2 アイテムでボリュームを出す

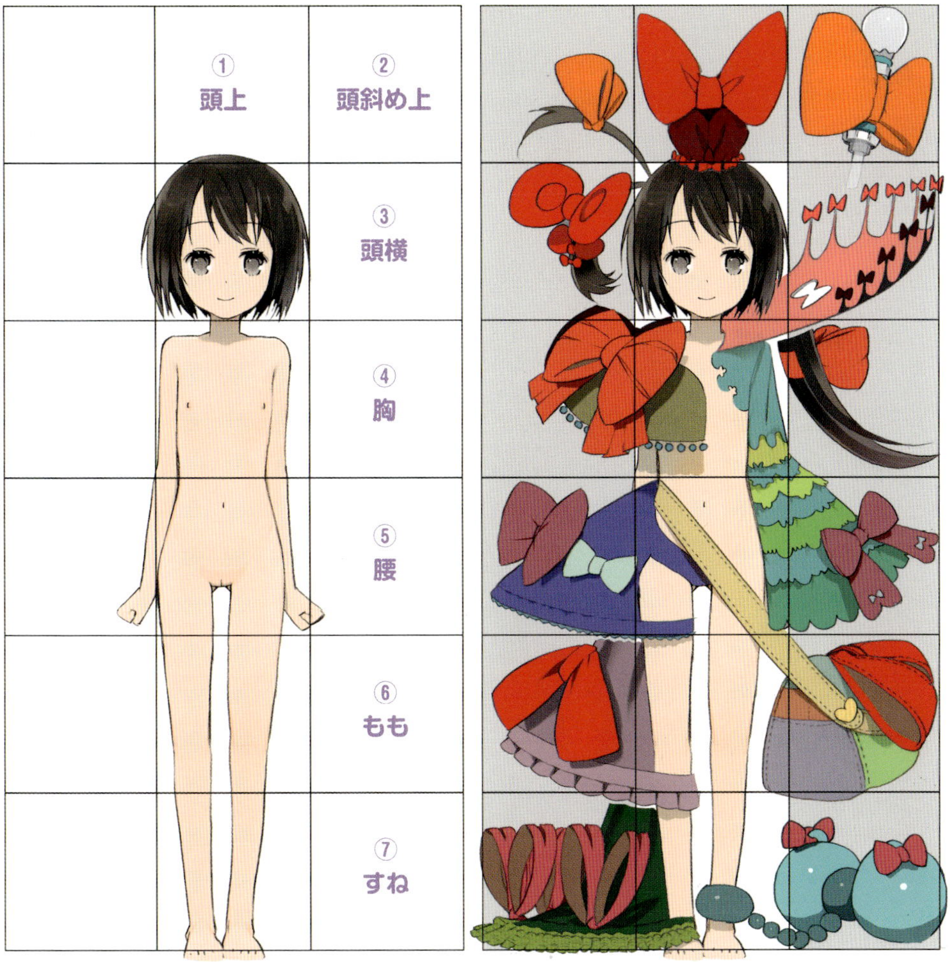

シルエット変化に使えるアイテムは、配置するスペースによって変わりますね。各パーツごとに書いてみたので、参考にしてみてください。

①頭上	冠、髪飾り、帽子
②頭斜め上	くせ毛、杖、髪型、角や耳
③頭横	髪飾り、襟、ヘッドホン、肩パット
④胸	ケープ、髪飾り、おっぱい、パフショルダー 肩を大きくして逆三角形を作ると、男っぽいシルエットになります。
⑤腰	ミニスカート、ベルスリーブ、グローブなど
⑥もも	ロングスカート、バッグ、手持ちのアイテム、ぶら下げた剣など
⑦すね	マキシ丈スカート、袴、鉄球、靴。ベルトなどが垂れ下がって、地面を引きずっているとき。ペットや動物が一緒にいれば、足下のシルエットになります。

●顔周りに変化をつけよう

見る人が一番に目にするのは顔周り。全体の一部を変えていても、バストアップにしたときに差がないと、キャラクターの印象が薄くなってしまいます。これも、キャラクターを並べる際に気をつけたいポイントです。

【1】と【2】は、髪色の差しかないので、上図で示した細長いリボンのように、占めるスペースのボリュームを変えると、差がつきます。

3 スペースの数を意識してみよう

5カ所のスペースを使ったシルエット

縦長に２コマを使ってシルエットを作ると、外にせり出した印象。頭につけた帽子を斜め上に飛び出させているデザインも相まって、全体的にボリュームが出ています。

3カ所のスペースを使ったシルエット

離れた場所に１コマずつ使ったシルエット。アイテムを入れたコマが少ないのでシンプルな印象ですが、メリハリがあります。頭、胴体、足に１コマずつ置くだけでなく、リボンの大きさを大・中・小と変えて差をつけているのもポイントです。

シルエットに合わせて変形させよう

シルエットにあわせて、変形させる方法もあります。リボンのついたドレスを「U・ハート・犬・四角」にあわせて変形しました。

シルエットの中身を変えることで生まれるデザインもあります。既存のデザインに合わせてモチーフをはめ込むと、「ゆるかわいい」デザインになりました。新たなデザインを考えるときに、応用してみてください。

カラダの節目を通るラインで、シルエットを変化させてみよう

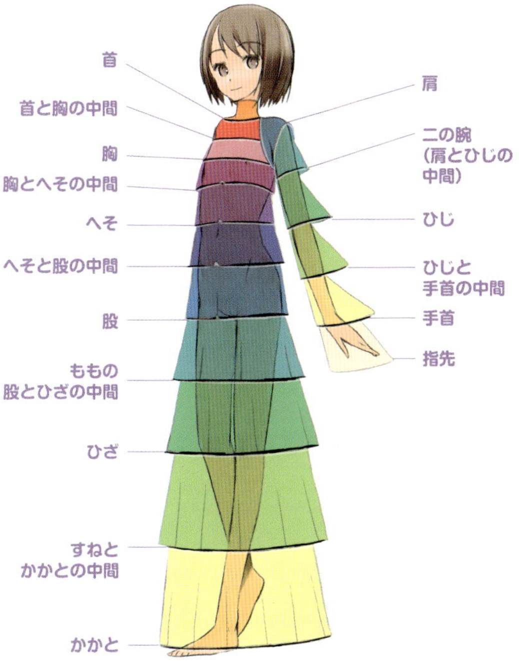

関節にデザインを入れると、ポーズの変化が分かりやすくなります。装飾は覚えやすいところに配置したほうがいいです。何度も描いていると細かい位置は忘れてしまうので。

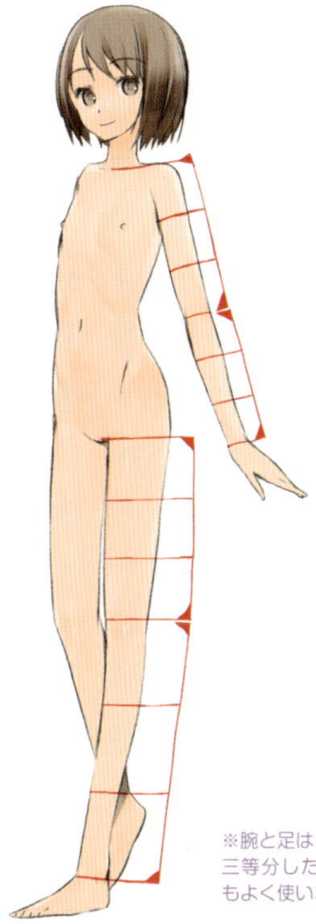

※腕と足は、全体を三等分したラインもよく使います。

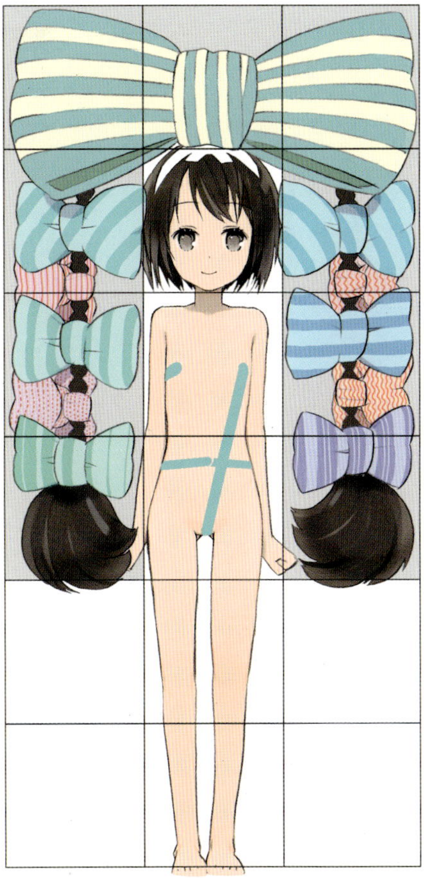

9カ所のスペースを使ったデザイン

9コマを上半身を囲むように使って、大きなシルエットを作りました。頭の上につけたリボンが3コマ分のボリュームになっていたり、三つ編みにつけたリボンを1コマに固めず、タテ3コマに分けています。リボンの向きを変えることで、シルエットに変化を加えることもできました。よく見るとリボンの柄が全て違っているのも面白い点です。

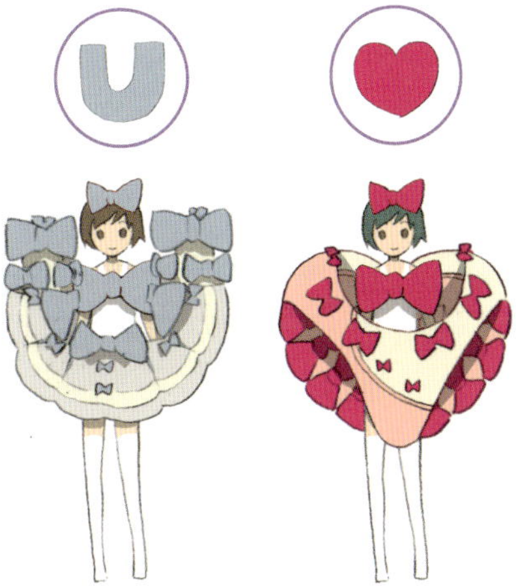

column

装飾を入れる位置のポイント

シルエットからデザインするということが「体の外側につく装飾」で生まれているとわかりました。装飾を置く場所や、パーツに合わせた自然なアイテムのチョイスも、デザインするときに意識すると良いポイント。okamaさんのように配置する場所を分割することで、よりデザインの差を出しやすくなります。

okama キャラクターの役割を表現するためにシルエットを先に決めてデザインすることがあります。「女王は威厳を持たせるためにドスンとすそ広がりのスカートにしたり、戦士は肩を強調して力強く」という感じです。女性の戦士だからといって肩よりオシリのほうを大きくしたら、力強さが薄まってしまいます。一番に強調したいメイン要素とサブ要素。そのキャラクターに付けたいメッセージの優先順位は、デザインする前に決めておくといいです。みんなオシリのほうが好きですからね。例えば、格闘ゲームのキャラクターは手足にアイテムが付いてます。ゲームにとって重要な部分に目がいくようにしてるんですね。

アイテムや装飾がつく主なポイントにリボンを置いてみました。装飾といえば胸元にリボンをつけることが多いので。リボンも位置をずらして配置するだけで新鮮な印象が得られますよ。あと、乳首のほんのちょっと右上とか、微妙な位置に装飾をつけていると、何回も描くうちにいつの間にか乳首の上に戻っていたりするので、注意が必要です。

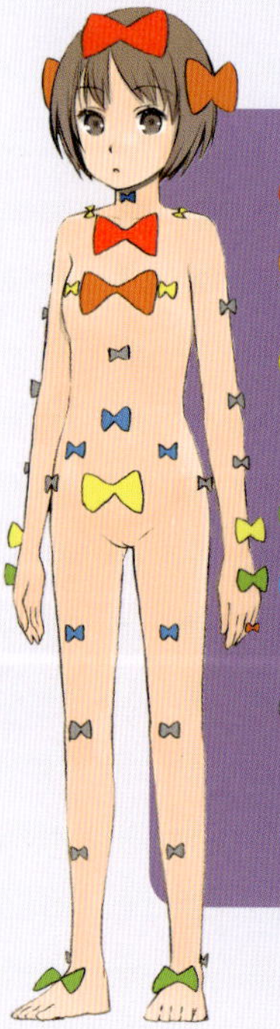

- **赤** 頭、胸元などにつく飾り。帽子やネクタイ、ブローチなど。
- **橙** 頭の側面、胸につく飾り。こめかみに髪留め、ヘッドリボンなど。胸元には、ボタン、シャツの図案、ネックレスなど。
- **黄色** 腰の中心、手首、乳首、肩口の飾り。手首には時計や小手、乳首には校章や名札、ポケットを付けられる。肩口には、束帯の階級章や肩掛けカバンの帯、肩鎧。
- **緑** 手の甲、足の甲につく飾り。手袋や靴下の装飾。
- **青** へそ、へそ周辺、太ももや首へそにはウエストベルトの金属、へそ周辺にはポケットがつく。太ももならニーソックス、首のチョーカーなど。
- **灰色** 二の腕、ひじ、みぞおち、ベルト横、ひざやスネ、くるぶしにつく飾り。ひじ、ひざには鎧でよく飾りがつく。鎧は関節部で大きくなるのがポイント。みぞおちは、スーツの合わせがくる場所。

PART1-3

「●▲■」から作ろう

「図形を使ったデザイン」もコスチュームや装飾でよく登場します。特に「丸・三角・四角」の３つは、色で言うところの基本色「赤・青・黄」のように組み合わせや展開をしやすい図形です。「●」「▲」「■」をデザインに入れる色々なパターンや、デザインとして取り入れるときのポイントを見てみましょう。

1 数を変化させたり等分を意識して描いてみよう

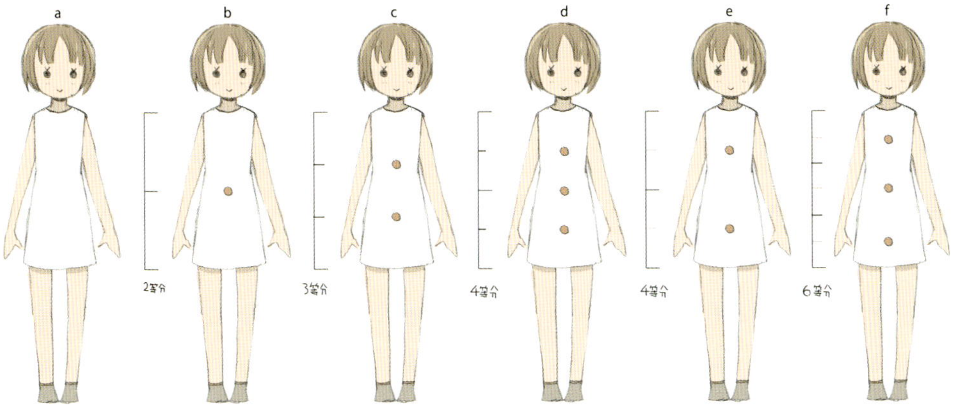

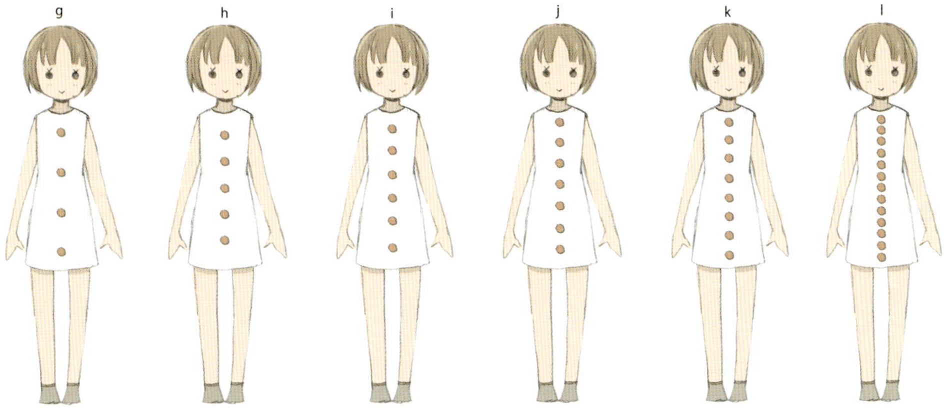

ボタンはデザインにワンポイントが欲しいとき、便利なアイテムです。その配置する数について考えました。４個以上つけると、たくさんあるという感じがしますね。僕は足や腕にアイテムを付け過ぎるので、漫画のときには気をつけて数を減らします。自分が苦しむことになるので。

●一番いいのは１個

デザインをするときアイテムは等分の位置に置きましょう。何回も描くと細かい位置は忘れます。一番はアイテムの中心に1つ。２等分、４等分の位置も狂いにくいので便利です。

●たくさん付けたいとき

ふつう、シャツのボタンは６個＋襟首のボタンで７個。でも、５つ以上になると、数が何個ついているか、パッと見てわからなくなります。沢山つけるなら「5個」または「ビッシリ」です。

右図は様々な三角でデザインしたドレス。三角形の色や大きさで変化をつけています。頭の三角は垂れた耳にも見えるし、背中に付けた三角の重なりは羽根のようです。複雑な形は使っていませんが、組み合わせ方によって凝ったデザインに見せることができます。

描くのに便利なのは、「丸・三角・四角」。立体も、「球・三角柱・立方体」を削ったり盛ったりした形だと覚えやすいです。三原色の「赤・青・黄」みたいにシンプルな基本の形なんですね。僕も漫画の下描きでは、丸と四角ばかりです。単純な形なのに描いていて疲れてくるのは不思議ですね。一番ラクチンな形は三角形。形に向きや流れも作れる面白い形です。ミドリのドレスは三角の形の群れの中に、ワンポイントで丸を入れています。簡単に発見できる……と思います。目立たせたい模様があるとき、こういった対比を利用する方法もあります。

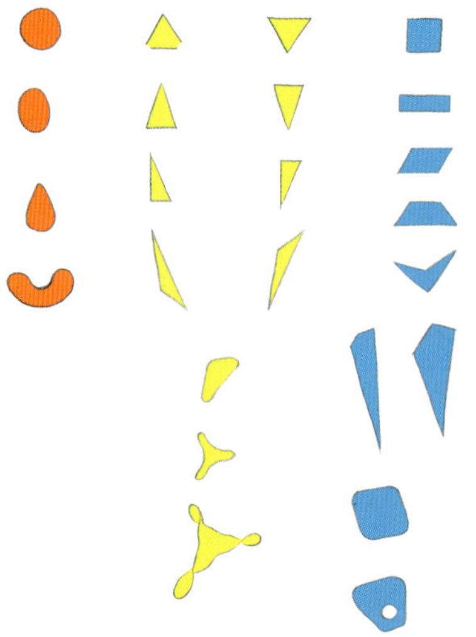

「丸・三角・四角」「正三角形・二等辺三角形・直角三角形・正方形・長方形・菱形・平行四辺形・台形・凧型・楕円」基本の形は算数で習っています。それを「つまんだり、凹ませたり、穴を開けたり、捻ったり、結んだり、大きくしたり」自分のテーマと合うように変形させていきます。基本の形と変化の方法を覚えておくと、形に煮詰まったとき「潰れた三角形をまだ描いていない！」というように思い出せますよ。

応用編・三等分と円のつくりかた

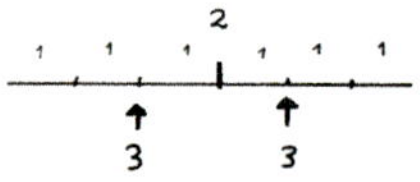

等分は目安で分けると狂います。オジサンになっても狂うのだから、一生狂うのだと思う……。二等分してから三等分すると、パッと分けるよりも狂いにくいですね。二等分を繰り返して、三等分も作れるみたい。法則を知れば、正確な等分が作れるので便利です。

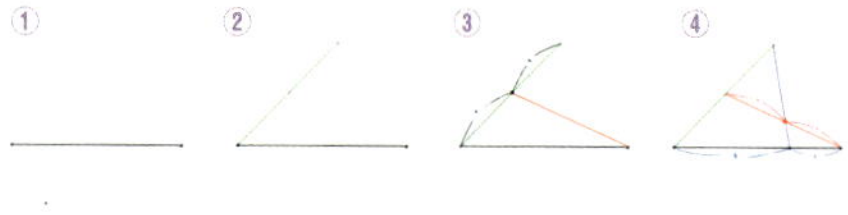

◀直線の三等分の作り方

①適当に直線を引く。
②線の端から適当に自由な長さの線（ミドリ）を引く。
③ミドリの半分と、端をつなぐ線（アカ）を引く。
④アカの半分とミドリの端をつなぐ線を（アオ）を引く。
すると三等分する点がわかる。
あとは残りを半分にすればいい。

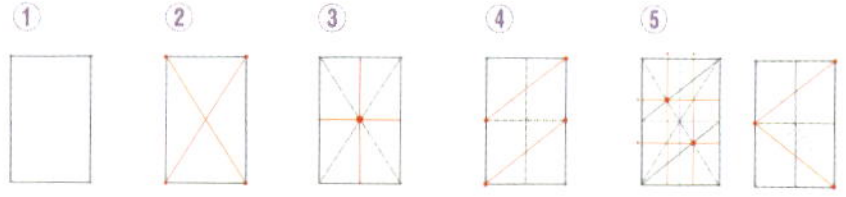

▲長方形の三等分の作り方

①適当な長方形を作る。
②対角線を引く。
③その交点を通る平行線を引く。二等分線ができる。
④二等分線と四角形の交点を角とつなぐ。
⑤その交点を通る平行線を引くと、三等分線が完成。
『X＋△』で覚えるのがコツ。

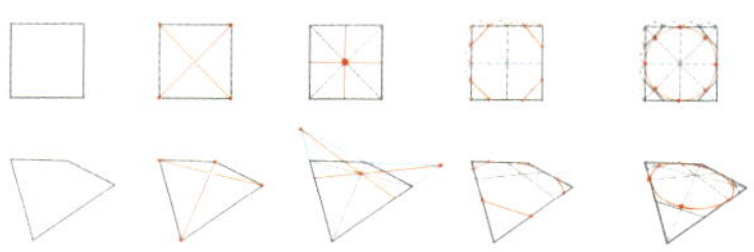

▲円の描き方

円も3等分と同様によく歪むので、正方形を目安にして描きます。
この描き方は歪んだパースのときにも役に立ちます。
①正方形の辺を４等分する点で角を落とすように線を引く。
②その線と対角線の交点の少し内側を通る線を引く。

3 数学の方程式から作る不思議な形を使ってみよう

他にも数学から作り出された基本形はないだろうかと思い、図書館で見つけた『不思議おもしろ幾何学事典』から抜粋しました。不思議な形が色々ありますね。

数学から導きだされた図形を利用してデザインしたサンタさんの衣装です。大きな袋はトーラス。眼鏡はメビウスの輪。メロンソーダのグラスはクラインのつぼ。ヘアスタイルはトリフォリウム型。絶妙ですね。

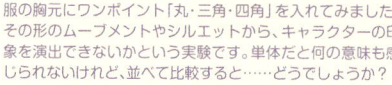

服の胸元にワンポイント「丸・三角・四角」を入れてみました。その形のムーブメントやシルエットから、キャラクターの印象を演出できないかという実験です。単体だと何の意味も感じられないけれど、並べて比較すると……どうでしょうか？

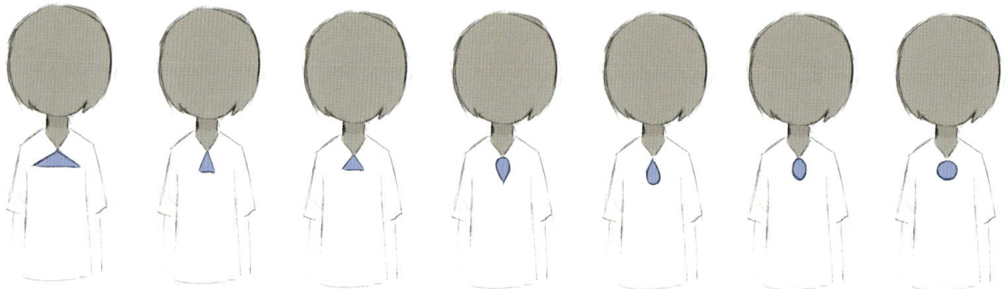

絶対に動かない 無精者 図々しい。／細いのに動けない 病気がち。／大人しい／優しい／移り気／思いやりがある。／素直で元気。

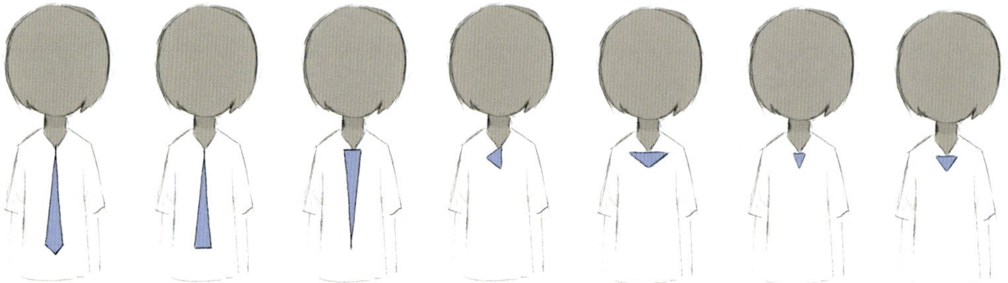

ネクタイにするとだらしなさが減ります。／知的だけれどマイペース。／クールだけれど神経質で不安定な感じです。／和風？ 不思議／高圧的 革命家？／臆病／活発

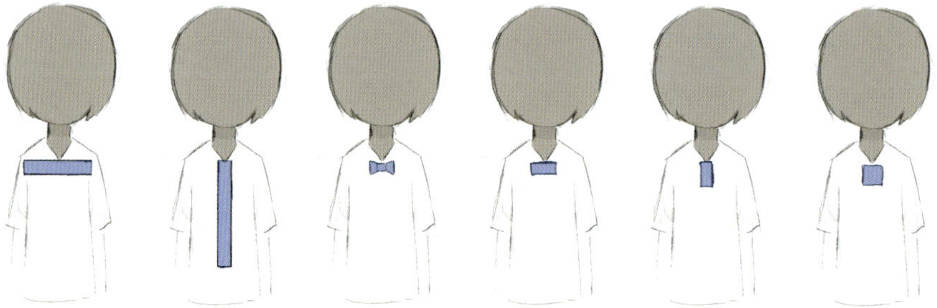

長細い形が横向きになると拒絶している感じ。引きこもり。／竹を割ったような率直な人。／四角を凹ませると蝶ネクタイに。／保守的でありながら威圧感の無い従者。／細いが動く真面目な若者。／真面目、硬い どっしり頑固 権力者。

形の印象 総評

縦長…若さ／精神性
横長…しっかりした感じ
面積・大…子供っぽい／力強い
面積・小…繊細で弱い

丸…優しい感じ／素直な感じ
三角…安定／逆三角は活動的／不安定
四角…まじめ／硬い

PART1-4

「カップル」から作ろう

複数のキャラクターが登場することも多いですよね。ここでは「カップルのデザイン」を考えていきます。対比するキャラクターがいると、テーマや関係性がより強まりますし、色やシルエットで差違をつけられます。全く違うビジュアルでも、共通点を作ると仲間に見えるといったデザインの面白さにも注目ください。

カップルデザインのベースとなるキャラクター

この3人をベースにコスチュームを変化させて、カップルのデザインを展開していきます。

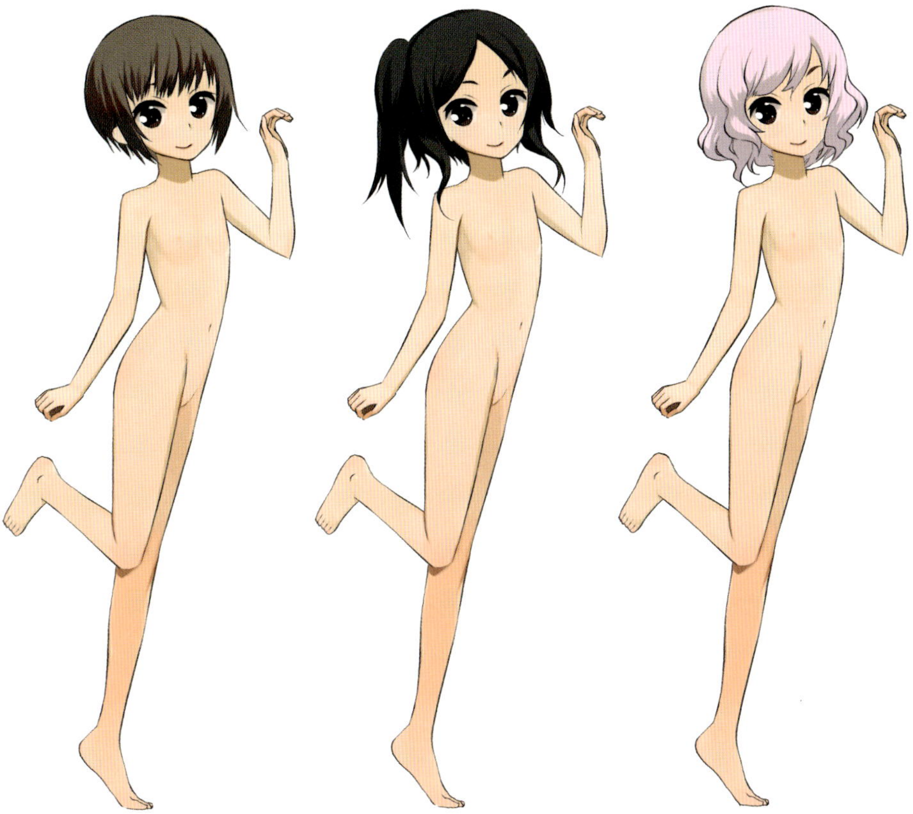

カップル２人の世界感。対立と調和について考えます。並んだときの印象の変化をフワッと感じてください。(……この子たち黒目が少し大きすぎるな。2019年の僕は、そんなバランス感覚です)

1 同級生に見えるデザイン

学園ものを想定した、性別・年齢・体格に差がないカップル。

髪型と髪色だけを変化させています。同級生に見えます。

デザインが近いと、心の距離も近い感じがしますね。

髪をピンクにして現実離れさせても、アニメや漫画で見慣れているので違和感がないですね。同級生に見えます。

ジャケットの着こなしが違うカップル。ボタンを留めていると社会性が高く見えます。

制服の丈の長さとボリュームを変化させました。同級生には見えにくいですね。実在するデザインから逸れた制服を着るとファンタジーの要素が強まります。この絵はどちらも5頭身のアニメキャラなので、ファンタジー色が強くても成立しそうですが、普通の制服を着た左の子がいることで、コスプレ感が強まっています。

色が違う制服。左上の形を変化させるカップルの方が、違和感が大きいです。

2 ベースの制服デザインが近いカップル

すそやそでの長さを
変化させています。

小物の色や
サイズが違う
カップル。

片方の制服をスリム
にすると、違う服に見
えますね。

そでの長さだけを変更。変
化が一カ所だと違いが弱
まります。肌の露出度の差
だけでは、季節違いの制服
に見えてしまいます。

3 デザインに差違を加えたカップル

片方を私服にすると、私服の学校に通う同級生に見えます。

色違いの制服は同級生よりも、学年や学校の違いに見えます。色違いでも、柄や校章などデザインに同じパターンがあると、仲間っぽさが出ます。

柄のパターンが違うと、別ジャンルのイメージ。色違いはバリエーションに見えるので、形が意味を持つのかもしれません。

小物をつける位置と量を変えた2人。右図の2人と比べると、一番多く赤い装飾品をつけた子が変な子に見えます。装飾が過剰だからかもしれませんね。

同じデザインの小物をつけました。

シンボルは目印になるので、コスチュームのデザインが大きく違っていても、同じ組織に属しているように見える。……そう思いたい。

共通のシンボル

同じ白い衣装でも、フォルムが異なると違い印象を受けます。ただし、左側のカップルのように、足を出した衣装という共通点があると、近いイメージになります。

4 ふたりのビジュアルが大きく異なるカップル

カップルという前提があれば、大きく違うことが面白さに繋がります。

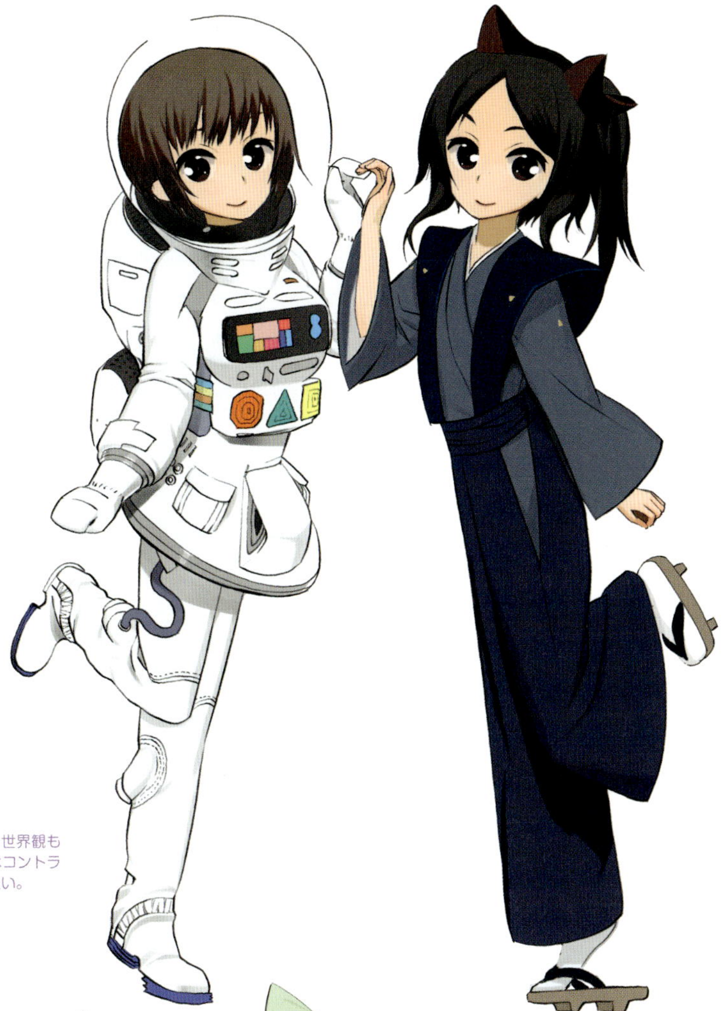

侍と宇宙服。時代も世界観も異なる組み合わせはコントラストが強いと言いたい。

侍と意味不明な服のカップル。人類は、見知ったモノに親近感を覚えるから、主役にするなら侍の子。

5 カップルが揃うことで魅力がアップするデザイン

二人揃うことで成立するコスチュームデザインに変えてみます。

手でハート。ハートの雪だるま
作っちゃうぞ！

組み合わせを考えたデザイン。
凹凸になったカギ型のスカー
トやコンセントの髪飾りなど、
合体しそうな感じ。

サンタとトナカイ。ストーリーを感じるコスチューム。

寒い地域のカップル。トナカイのおなかが出ているけどね。

組み合わせるとメッセージに。「おしま"こ"」

P28、P29の同じ色の制服の中で一人だけいる緑の子、目立ちますよね。デザインのコントラストが大きいです。P34、P35は変な服でいっぱいですが、一人だけ浮き立つ子はいません。でも、P28、P29に置いたら、緑の子よりも目立つと思います。異世界を描くときには、いくつも国や種族が出てきます。そのときは違和感とハーモニーを感じるデザインの距離感を上手に利用して、文化を演出していきます。

PART1-5

「対比」から作ろう

キャラクターデザインで欠かせない「対比」について考えていきます。正反対のイメージを持つ天使と悪魔をベースに、両方に共通する翼を使って、色々なデザインを考えてみましょう。色や形、素材、属性など、様々な対比パターンがあります。

1 天使と悪魔がつける翼の位置を考えてみよう

天使と悪魔の翼のイメージは下記の３つです。この３つを入れることで、アレンジを加えても翼だと伝わります。

●**場所**：背中についている。
●**色**：天使は明るい印象。悪魔は暗い印象
●**形**：天使は鳥の翼のようなフォルム。
悪魔はコウモリの翼のようなフォルム。

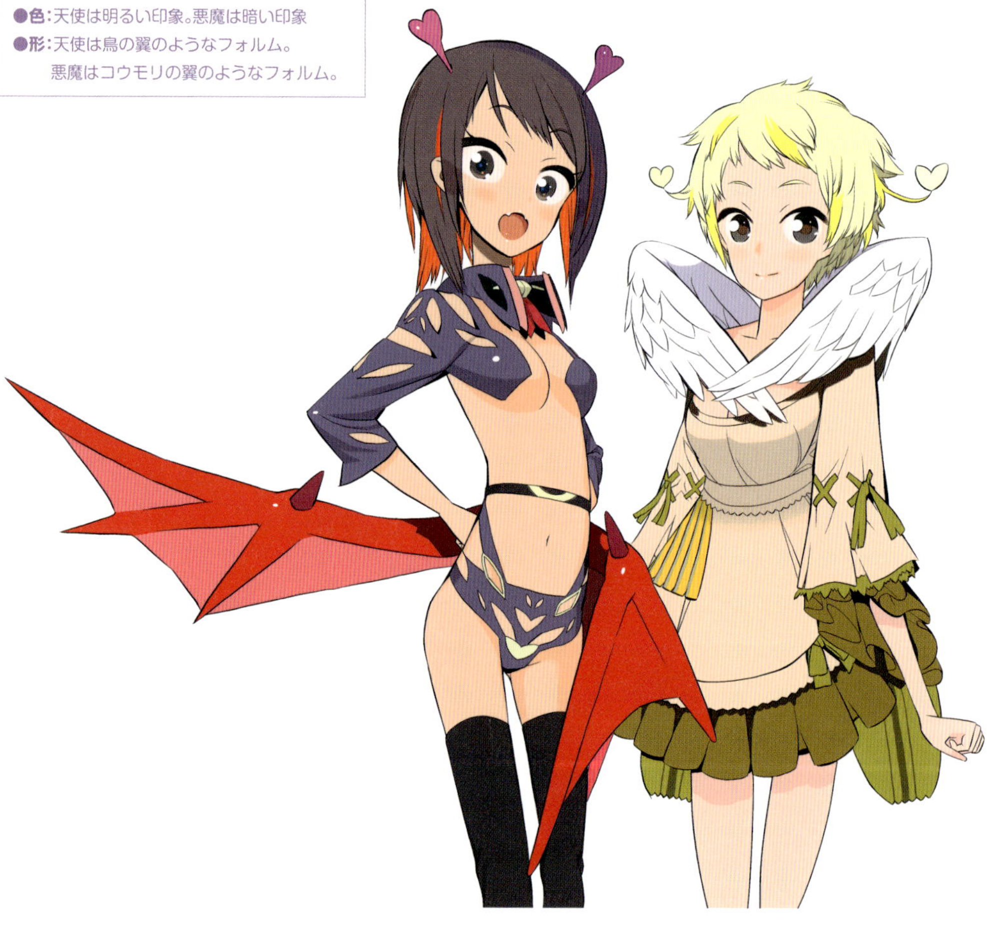

翼の場所について考えてみました。悪魔は腰に、天使は肩です。ツノはハートになっていますね。翼以外にもリングやツノなどのデザインが楽しめるステキなモチーフです。善と悪という、分かりやすい対比も楽しめます。

2 天使と悪魔どちらに見えるでしょう?

天使と悪魔
善と悪

天使から輪っかを、悪魔からツノをなくしてみたら、翼だけで天使・悪魔を見分けられるでしょうか。左側が悪魔という設定で見てみてください。モチーフに対比を感じられるかの実験です。

双方とも鳥の翼にしてみました。白が天使で黒が悪魔に見えますね。

双方ともコウモリの翼にしても、白が天使に見えます。

色も翼も逆にしてみた。すると、右側は悪魔にしか見えません！

昆虫の羽

昆虫の羽にしてみました。どちらが天使に見えるかな？　蝶の方が、天使としてはしっくりくるでしょうか。天使というよりも妖精みたいですね。

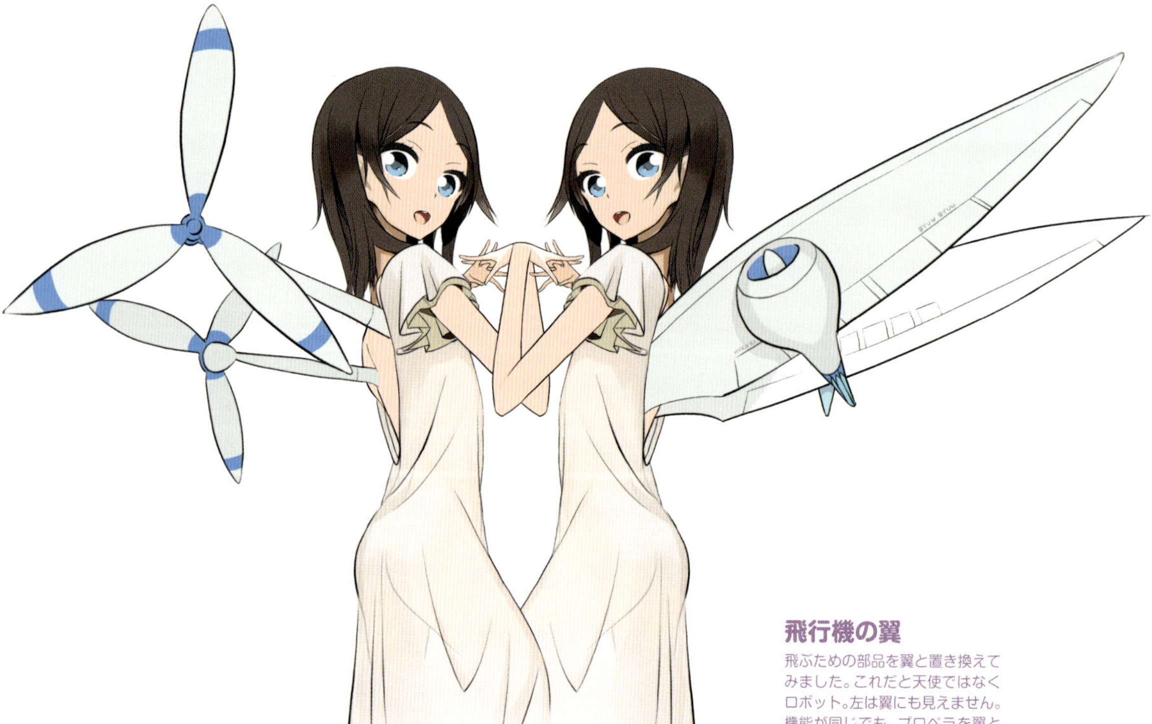

飛行機の翼

飛ぶための部品を翼と置き換えてみました。これだと天使ではなくロボット。左は翼にも見えません。機能が同じでも、プロペラを翼と呼ぶのは寝不足の詩人くらいですかね。

時計

むしろ全く関係ない時計などの柄を入れた方が翼に見えます。柄は色と同じ役割。塗り分けのパターンとして考えられます。ただ、どちらが天使なのかは分からないですね。

悪魔らしく見えるかどうかは、模様にもよりますが、片側に黒を入れると悪魔になります。

葉と羽根

さらに別のモチーフに置き換えてみたのが、葉と一枚の羽根のパターンです。シルエットが近いと翼には見えますが、羽根は葉よりも翼に近い印象です。

反対の言葉・モノ、対比する言葉・モノを考えてみよう

反対語

天使⇔悪魔	生⇔死	高⇔低	長⇔短
善⇔悪	男⇔女	重⇔軽	強⇔弱
白⇔黒	大⇔小	太⇔細	過去⇔未来
有⇔無	広⇔狭	濃⇔薄	

反対の意味を見つけたくてイロイロ描いてみた関連図ですね。途中で断念したようです。なんだかお役所のパンフレットみたいです。反対になるアイテムを色相環のように並べられたら便利なのにと思って並べてみました。「生き物」の反対は何でしょうね。「ゾンビ」かな。「機械」かな。「男」の反対が「女」なら、「オカマ」はどこにいくのかな。「男と女」の反対なら「オカマ」になるのかもしれませんね。

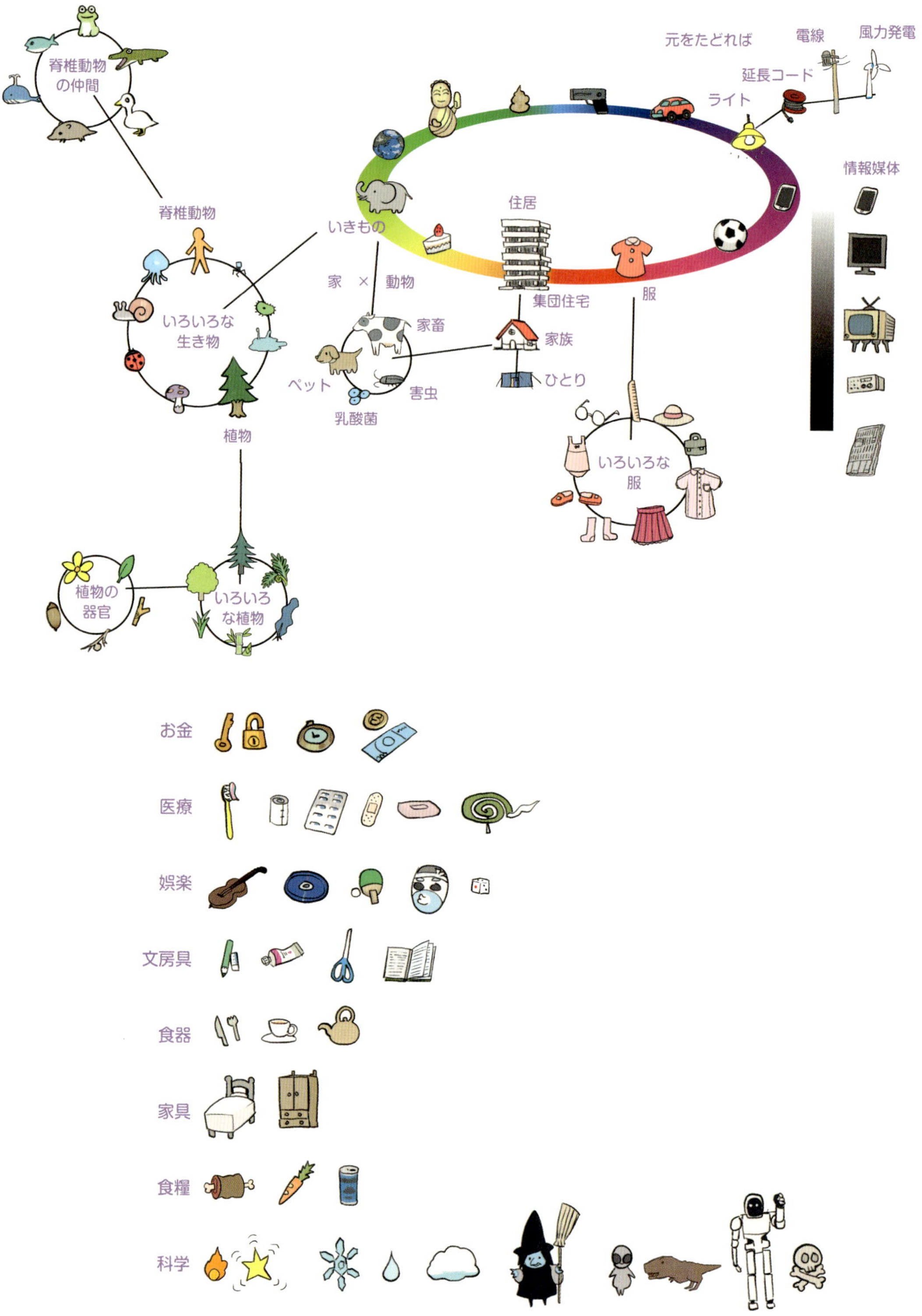

column

既製のデザインを自分の視点から考えてみよう

okama 僕は斬新な見たことのないデザインに憧れます。でも大半の人は基本的に見慣れているモノ知っているモノを好みます。珍しいものは「好き」と、「そうでもない、わからない」に意見が分かれると考えれば斬新なものが少数派になるのは簡単に納得できます。シンプルで自然に近い機能性をもつデザインが支持されます。デザインをする上で、特に挑戦したいテーマがないときはみんなに好まれているデザインに近づけるのがオススメです。でも、アレンジはしてください。自分なりに、参考にしたデザインの気に入らない部分は改善しましょう。好きなところはより強化します。イメージを追加しても変化がつきます。メルヘン風の台所用品にスポーツカーのラインを入れてみるなど、世界観の遠いところで流行っているデザインを組み合わせるのはオススメです。ターゲットに合わせて改修することもあります。子供向けなら平面的に、ゆるキャラっぽく。そんな感じです。

天使の翼のモチーフをアクセサリーにして着けてみました。右が着用前、左が着用後です。左の子に特徴が足されたので、2人を比べたときに「天使のようなキャラクター」というイメージは左の子に抱くのではないでしょうか。

PART1-6

「幻獣」を作ろう

デザインする対象は人型のキャラクターだけではありません。ユニコーンやケルベロスなど、獣型のデザインを考えていきましょう。現存する動物にツノや羽根を足したり、複数の動物を組み合わせるなど、変化させる方法がわかれば、独創的な幻獣を生み出すことができます。

設定や能力を強調して描く幻獣デザイン

特徴や能力が際立つ幻獣の場合は、デザインにも取り入れてみましょう。

今回は馬をベースにしたデザインを考えます。

最初は自由な発想で、偶然できる形を楽しみます。0点以下をとる意気込みで、いい加減なくらいが丁度いいです。その後でニーズやメッセージをふまえた、面白い部分を拾ってデザインをまとめます。

その1 速い足

もともと馬は走るのが速いので、さらに速いチーターのシルエットを加えてみました。

目立つように足の先を大きくしました。

チーター。馬よりも胴が細くて足が長い。

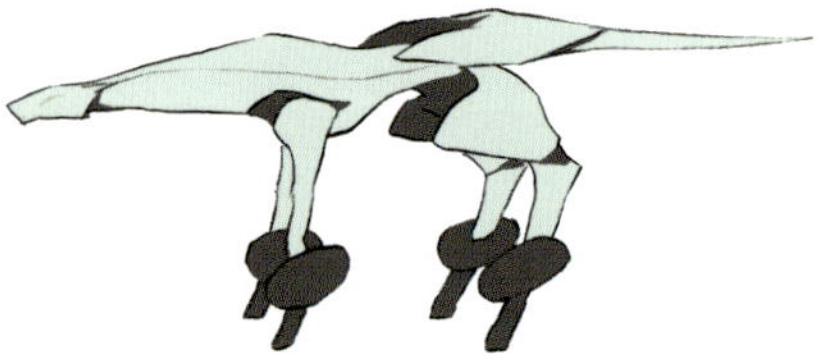

馬全体のフォルムを変えて速さを強調します。

これはバイクとスーパーカーを混ぜた馬。僕の漫画『TAIL STAR』に出てきます。

筋肉がつく場所だけを大きくしています。

その3 暴力的な馬

〈ライオンの腕〉〈ゴリラの肩〉〈背中に砲台〉という、「強いイメージ」を組み合わせたデザイン。

デザインは整理整頓が大切ですよね。誰か教えてください。

その2 内臓の強い馬

内臓がある胴の部分を強調すると、足が短くなりました。

「内臓が強い→消化吸収が良さそう→太りやすい」というストーリーで、こんな形ができました。

ツノの形を変化させた幻獣デザイン

ユニコーンの特徴はツノなので、そこを変化させてみます。思いつくパターンを下記に書き出してみました。ツノがおでこにあると、首の流れに沿っているので、スッキリして見えますね。

◎**位置**
◎**数（密度）**
◎**形の大小：**
長・短・太・細
◎**変形：**角度・回転・反転・カーブ・凸凹・2つの形を混ぜ合わせる（ブレンド）
◎**入れ替え**
◎**ストーリー：**
傷跡・模様・装飾

シルエットを大きく崩すと激しい印象です。

ツノが特徴的なユニコーン。

ツノを翼の形にしました。

ツノって言ったのに翼を生やしちゃったユニコーン。これじゃあペガサスだよ！

ツノを短くすると、柔らかい印象。

ツノの位置を変えてみよう

おでこについたツノの位置を移動させると、印象が変わります。

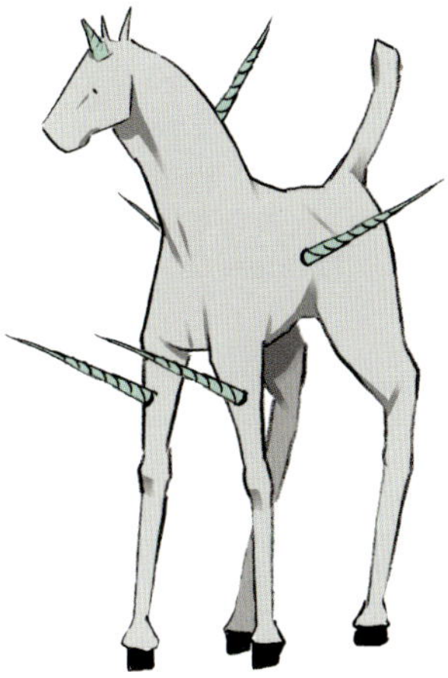

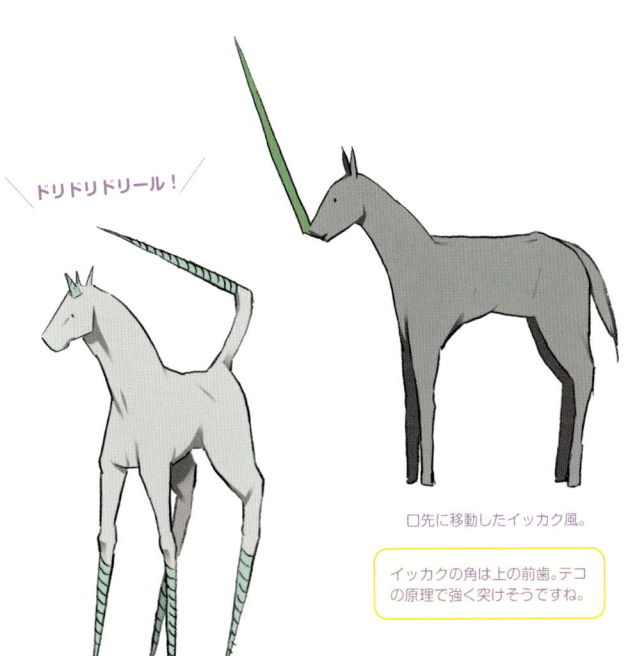

身体の形と関係ない場所にツノをつけるとこうなります。

体の形に沿って、尾と足の先端にツノをつけてみました。

口先に移動したイッカク風。

イッカクの角は上の前歯。テコの原理で強く突けそうですね。

幻獣のパーツを別のアイテムに入れ替えてみよう

幻獣は想像上の生き物なので、意外なモチーフと組み合わせても良いですね。

生物のパーツを入れ替えると、たいがい混乱状態になります。グロテスクですが可笑しみもありますね。

入れ替えるモノを絞ると、
まとまりを感じます。

混乱状態です。

何も無いノーマルな背中に
モノを足すと目立ちます。

同系色にすると馴染みます。
色もポイントですね。

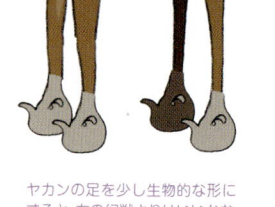

バキューン！　メカに絞
り込んでまとめました。

ヤカンの足を少し生物的な形に
すると、右の幻獣よりはいいかな。

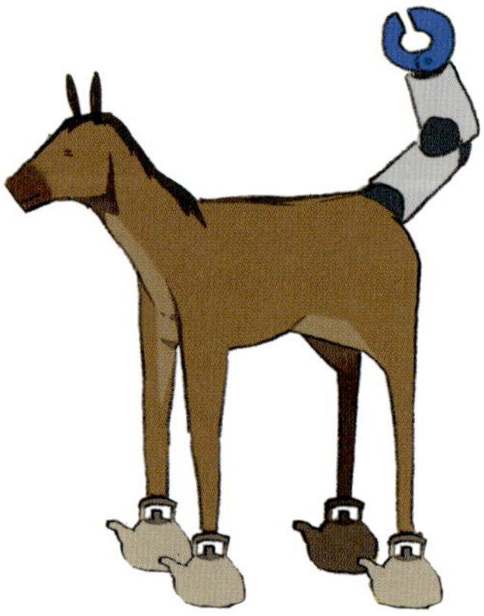

無機物だと、違和感が
あります。

形が持つ流れを意識して描いてみよう

車や服、ディズニーアニメのデザインを見ると憧れちゃうね。形が持つ流れを意識してデザインすると、シンプルにしても説得力があって存在感がでます。

安定

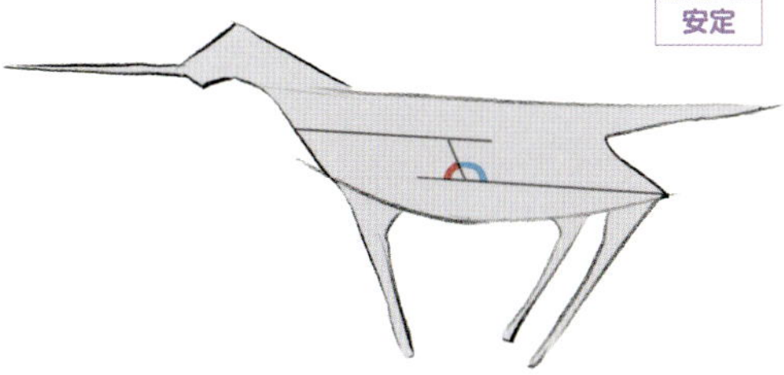

繊細

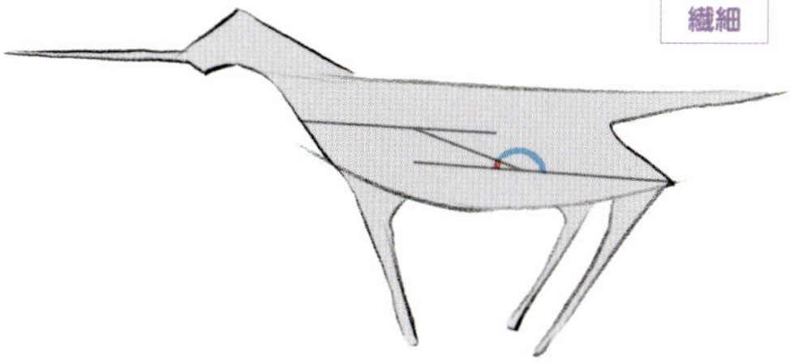

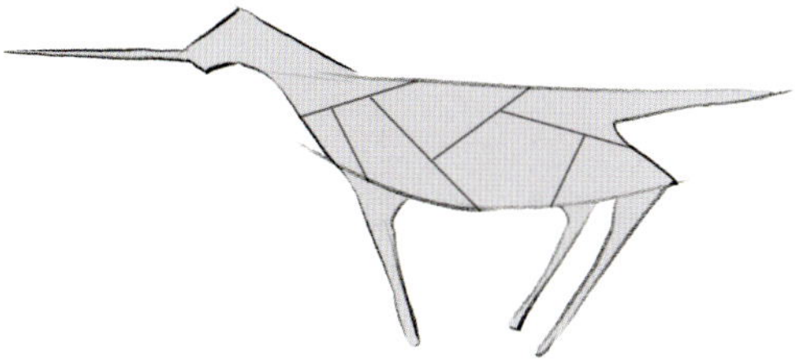

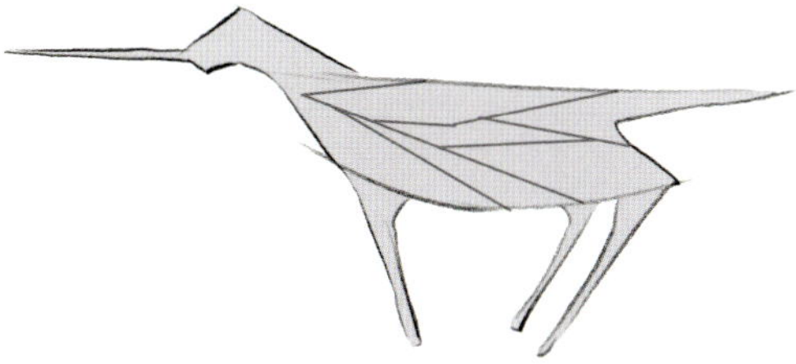

T字に線を繋げたとき、角度の差（赤と青）が大きいと繊細。流れや激しさが90°に近いと頑丈で安定した優しい感じがします。面積にもリズムがありますね。

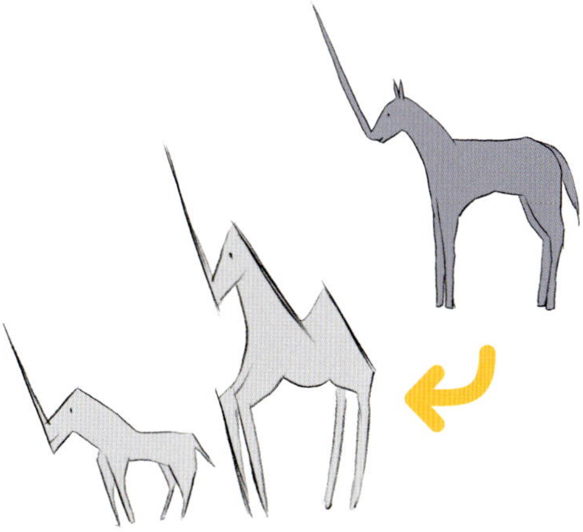

ナナメに伸びるツノの角度を意識して、線の流れを受けた形。ツノと平行した斜線を意識しています。

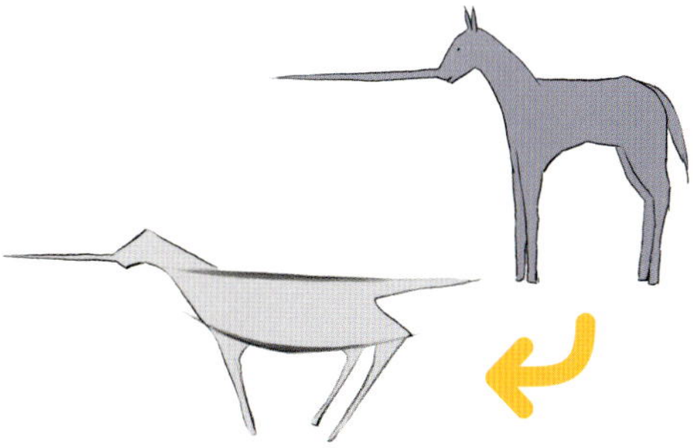

ツノをナナメではなく水平にして、その流れを受けた形。速そう。

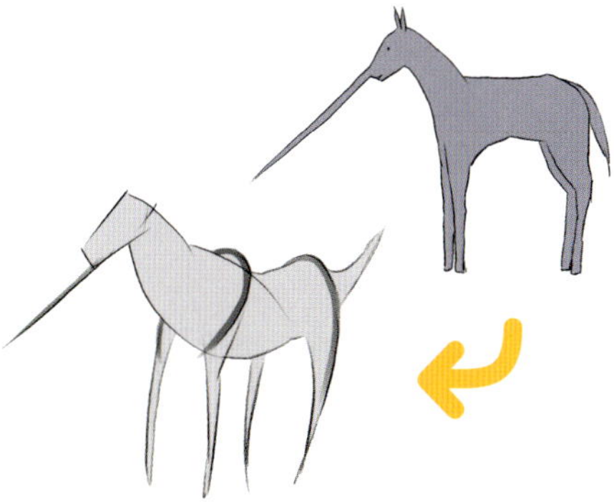

曲線のふくらみを意識した形。リズミカルな気分で描きましょう。意識できるところは無限。悩みはじめたら奈落。その前に判断を三日後の自分に託します。そのまま放置したら三日坊主です。

okamaさんの幻獣キャラクターデザイン

子供は大人よりも身体が小さくて、頭が大きい。手足も短いので太く見えますし、元気な印象です。大人になって身体がたるむ前の青年は、細くて気高いイメージがあります。人間以外のキャラクターにも、この特徴は置き換えられます。

ンマー

大人をイメージした幻獣。大人は威張っていたいものです。

ブー

タプン

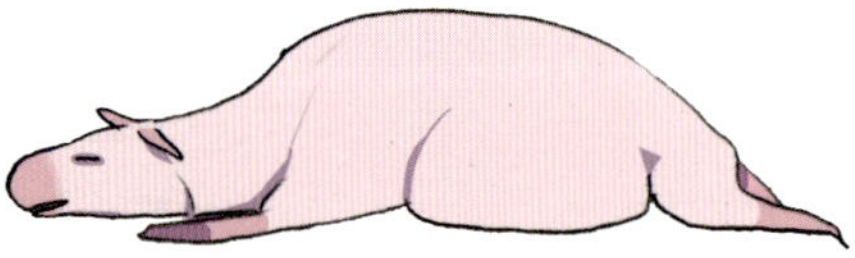

だらけた馬。つかれちゃった。

シャキーン

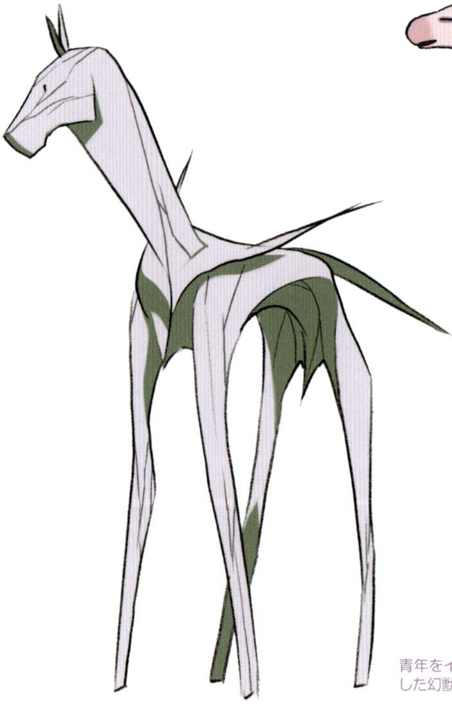

青年をイメージした幻獣。

ニンジンあげないよ

子供をイメージした幻獣。

配置する場所とポイントについて

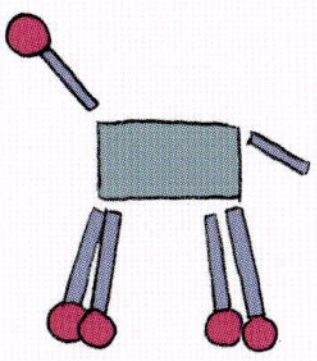

濃いピンクで示した場所が、顔や手など特徴的な機能があるところ。青は首・尾・足で、緑のボディから生えています。

薄いピンクは関節部分です。同じ関節機能を持った形と入れ替えるとリアルに感じます。

「馬」の特徴を破壊しないように注意します。台形の頭と長い足が特徴かな？

丸い形、長細い形、似た形は入れ替えやすいです。例えば、バットやノコギリ、きゅうり、ハーモニカなど長細いものは足と交換する、といった感じ。

顔のパーツも置き換えが可能。アイテムを入れ替えるときには形の流れも意識するのがコツです。

同じ部位を他の生き物や道具から持ってくると良いです。

頭から尻尾へ向かう体の流れに合わせた方向。

胴から頭、胴から足に向かう方向。先端は外側に向かって細くなっています。

ターゲットからデザインを考えよう

シルエットを変形させるときは、誰にプレゼントする絵なのかを意識してデザインします。

子供向け。頭が大きくて頭身も低いです。

リアル向け。デフォルメが少ないです。

アタマを小さくするのは青年向け。頭が大きいと優しそう。
一番小さいヤツはもう馬ではナイですね。

極端なデフォルメの例

顔だけのキャラクターは、赤ちゃん向け。赤ちゃんよりも年下の印象ですね。さらに進めて、精子と受精卵を考えてみたら、魂になりました。

人間的なボディをつけて、二足歩行にするとゆるキャラ。手をつけると仕事をしてくれそう。でも、リアル向けの馬を人間的にすると気持ち悪いですね。

column

レベルの濃度

okama レベルとか、突然不思議なことを言い出してスミマセン。僕はデザインの変形具合を意識するために、こんな表現を使っています。変形のレベルを〝リンゴのジャム作り〟に例えたら、収穫したリンゴを「①切って②煮て③ビン詰めする」それで3段階といった感じです。デザインにアイデアを加えた回数や、現実からの解離具合を、レベルとして表現しています。同じレベルのデザインを並べると世界観がまとまる感じがします。

僕が自由にキャラクターをデザインすると、デザインはだいたいレベル2の状態に仕上がります。でも、そのキャラクターが登場するのが、現実の学園生活を舞台にした物語なら、レベル1の状態のほうが好ましいと思われます。〝あんまりやり過ぎちゃダメ〟ってことですね。レベルは自分への注意喚起です。でもオタク向けじゃないものは、振り切ったレベル3のデザインが多いですよね。

こちらも百合をモチーフに「レベル2」で作ったキャラクター。ファンタジー設定なので、服だけでなく触覚やツノ、武器もデザインしています。百合の花は白だけでなく黒やピンクもあるので、キャラクターに合わせて色をつけてみました。

**レベル1
変形状態**

百合をテーマに少女を描くなら、百合のカフスや髪飾り、ワッペンなど、百合をモチーフにした小物を作ります。小物のデザイン、素敵なアイデアが思いつくといいですね。『屍姫』で死んでいる女の子の服のリボンの上下が逆に描かれていた記憶があります。そういうのがいいですよね！いいアイデアが浮かぶと「仕事が出来た」と嬉しくなります。

**レベル2
変形状態**

髪の形が百合になり、百合のイメージの占有率が増えました。スカートも百合になったことでシルエットが変化して面白くなりましたね。キャラクターデザインをするときは、デザインしながらいろいろ考えます。百合バスケ、百合レーサー、百合主婦とか。そこから主婦だからエプロンを着ける、百合のボールって何？　と考えたり、バスケをするならパンツだなとか、百合でスポーツはミスマッチかな？　でもそのズレが面白いかな。などなど連想を膨らませてデザインと会話しながら進めていきます。

**レベル3
変形状態**

レベル3の状態。もう少女には見えませんね。笑えたらOKといった感じです。 あらゆる常識を取り払って、百合というメッセージを前面に押し出したデザイン。プロダクションデザインを担当した『かみちゅ！』の神様や神の使い。「とうふちゃん」や「チーム"しやわせ"」はこのタイプになります。うまくいけば、いちばんお金になるタイプなのかな？

special lesson

イチゴをキャラクター化しよう

モチーフをキャラクター化しようとすると、10人のうち9人は、目と手足をつけて仕上げます。
でも、そこにちょっと差を出したいので、レアなビジュアルになるように頑張ってみました。
みんなが思いつかなかったイチゴキャラを作れるといいですね。

形を人に近づける

イチゴのシルエットをグニャッと人の形に変形させました。キャラクターっぽくするために 種を目や指、葉を髪の位置に置いてみました。ブードゥー人形みたいですね。種を指の位置に置くのはレアな気がします。

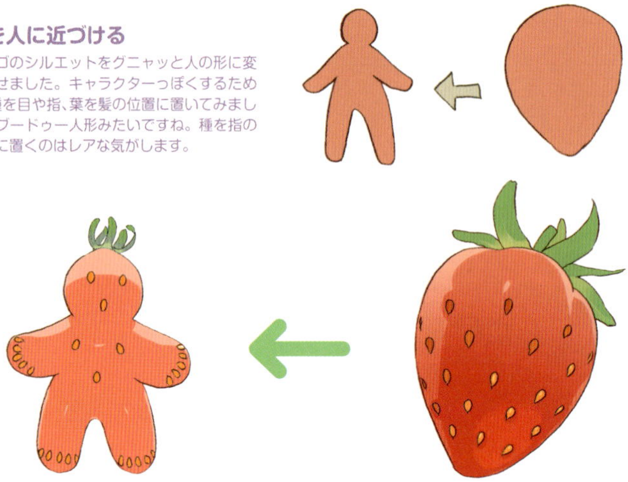

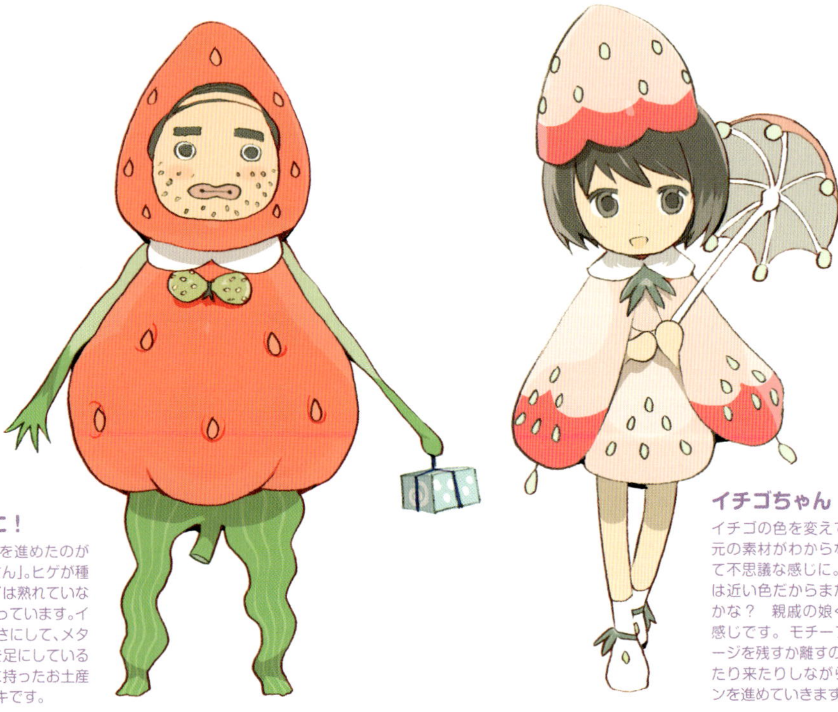

イチゴがおじさんに！

さらに擬人化を進めたのが「イチゴおじさん」。ヒゲが種に、蝶ネクタイは熟れていないイチゴになっています。イチゴの形を逆さにして、メタボ腹に。ヘタを足にしているのも斬新。手に持ったお土産はロールケーキです。

イチゴちゃん

イチゴの色を変えてみると元の素材がわからなくなって不思議な感じに。ピンクは近い色だからまだ伝わるかな？ 親戚の娘くらいな感じです。モチーフのイメージを残すか離すのか、行ったり来たりしながらデザインを進めていきます。

初出：月刊ニュータイプ 2008年10月号

part 2

ゼロから キャラクターを デザインしてみよう

PART2-1

頭身を意識してみよう

キャラクターを描くときに欠かせない決め事のひとつが「頭身」です。デフォルメの状態で頭身は変化しますが、年齢や成長の過程でも頭身は変わります。okamaさんは普段、具体的な年齢を決めて描かないとのことですが、年齢による違いも作ってみました。

1 okamaさんがいつも描いている頭身の一例

okamaさんがよく描く頭身は6.5頭身とのことです。P55の6頭身よりも、胴部分が少し長いことが異なる点です。胴だけでなく、肩幅が狭いこともポイント。頭身とあわせて一緒に意識してみてください。

2 乳児から中学生までの頭身の違いを描いてみましょう

頭身が低いと子供に見えます。6頭身を大人とした場合、5▶中学生、4▶小学生、3▶幼稚園、2▶乳児と設定しました。並ぶとそんな感じに見えてくれると思います。頭身と一緒に目の位置も変化させています。

目の位置を変えてみよう

普通、人間の目は顔の中心についています。僕の絵は全部目の位置が低めです。それが好みだからですね。この子は実験でさらに輪郭まで無理矢理さげてみました。違和感があります。みんなも自分の絵で目の位置を移動させてみて、心地よさを失う「低さの限界」「高さの限界」を探してみるといいですよ。年齢表現に役立ちます。この子、描いた当時から数年後の今は、そんなに違和感を感じないですね……。

手足の変化について

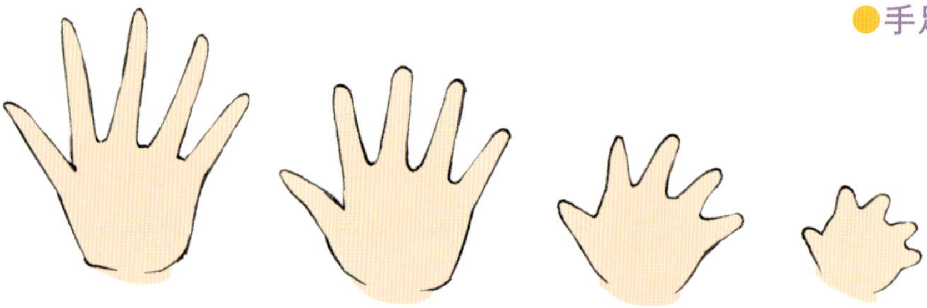

子供の手足は指も短かく描くと手軽に雰囲気が出せます。少女も、手は小さめに指は細めに描いています。

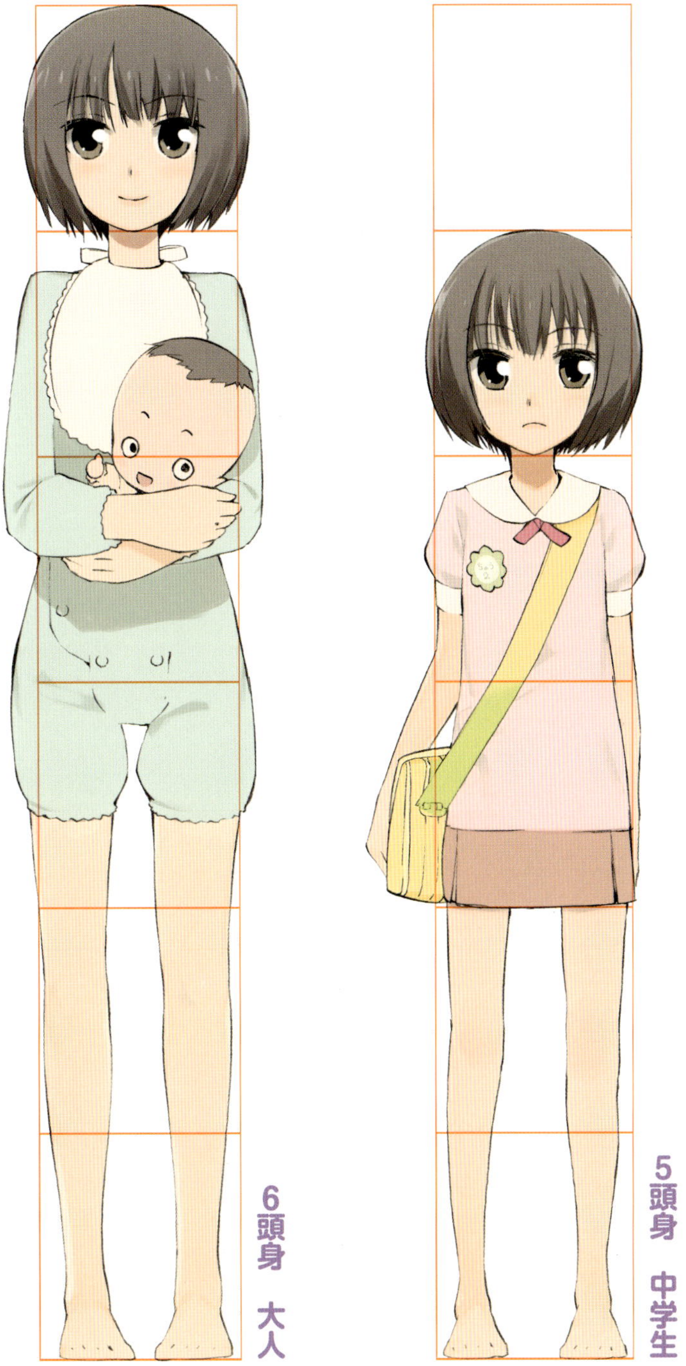

服装について

この5人は年齢と服装を逆にしてみました。大人が乳児の服を着て、子供がスーツを着ています。2頭身の乳児がスーツを着ていても、そんな世界観のキャラクターに見えますね。リアル赤ちゃんは3頭身ありますし。大人と同じだと怖くなりそうだったので、大人が抱いている赤ちゃんは、頭を2/3に縮小しています。

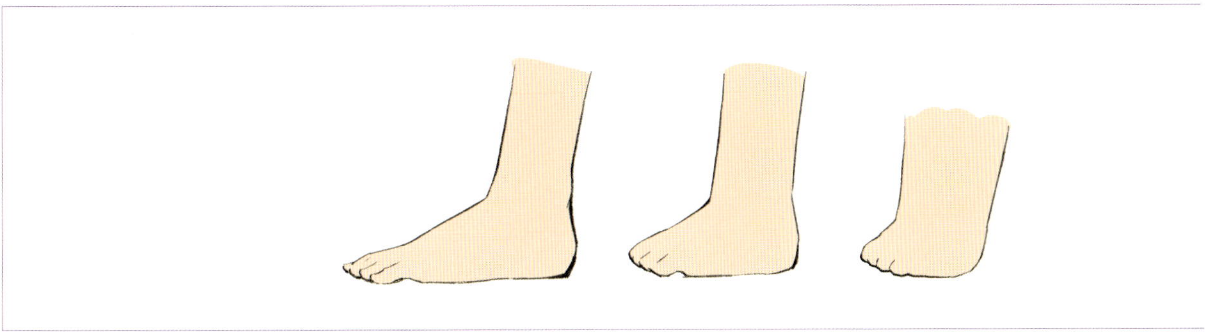

3 60歳から90歳までの頭身の違いを描いてみましょう

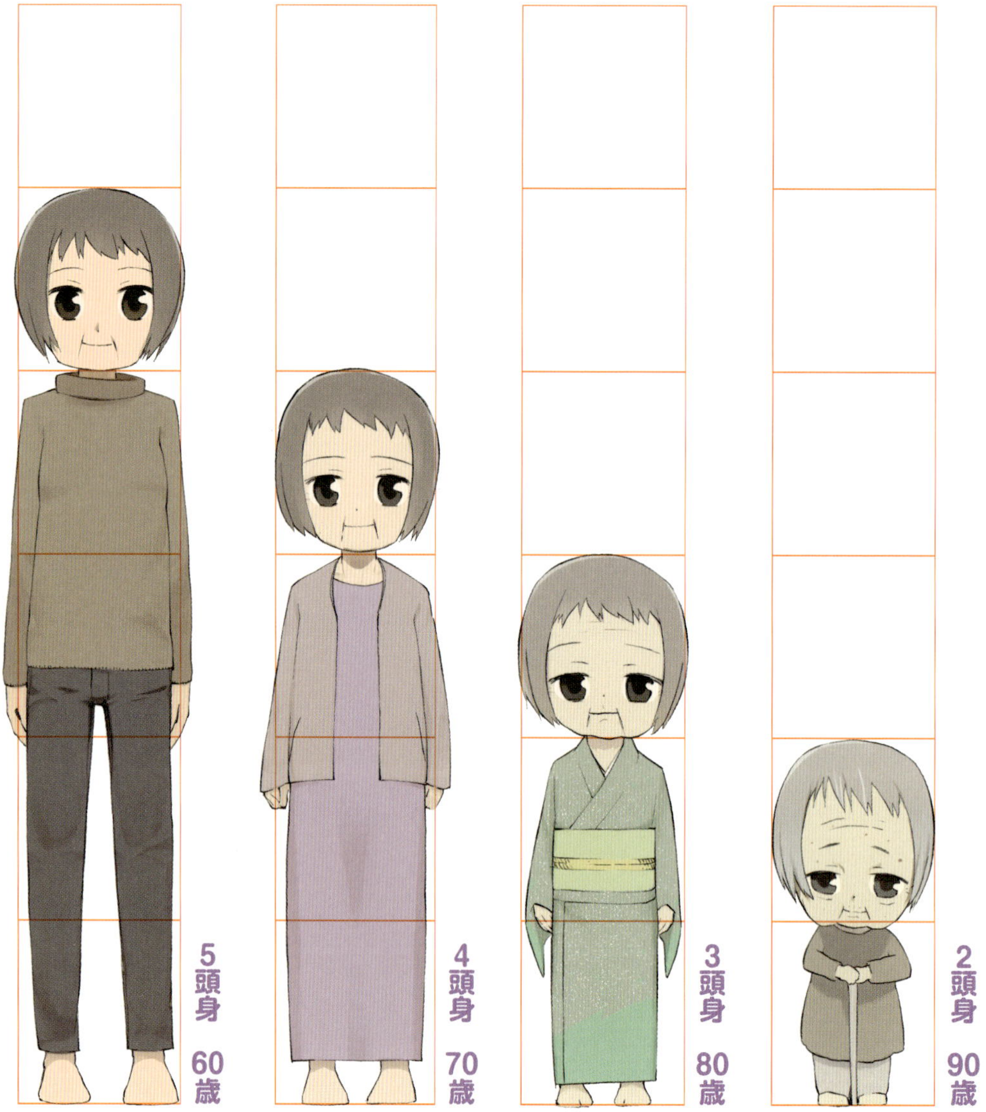

肌の色に、緑色を混ぜてあります。年齢が上がるごとに量を増やしました。

大人になるにつれて頭身が上がります。そして更年期からは、しぼむように頭身が下がって縮んでいきます。デフォルメも加えつつ描くことで、より老人らしく見えますね。

PART2-2

顔を整えてみよう

顔にデザインを加える前に、目や口の位置がずれていないかチェックしてみましょう。デッサンや骨格からではなく、手癖で描いた絵を整えるという視点から顔のデザインを見てみました。パーツの位置が整うことで、キャラクターの完成度があがり、デザインを加えたときに魅力がさらにアップします。

1 顔のパーツの位置を意識して修正してみよう

1 水平線を使ってチェックしよう

だいたいの顔の方向を感じて水平線を決めます。
下まぶたと平行な線を、右の眉と上まぶたのラインに引きました。

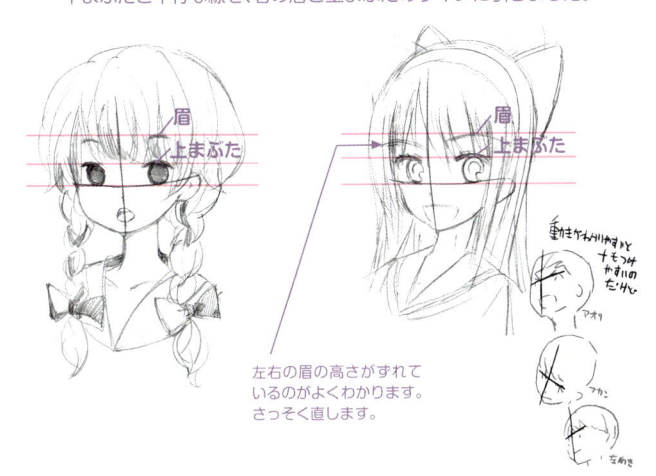

左右の眉の高さがずれているのがよくわかります。さっそく直します。

2 垂直線を使ってチェックしよう

横を向いた目のまぶたの長さが違います。鼻も中心よりもずれています。

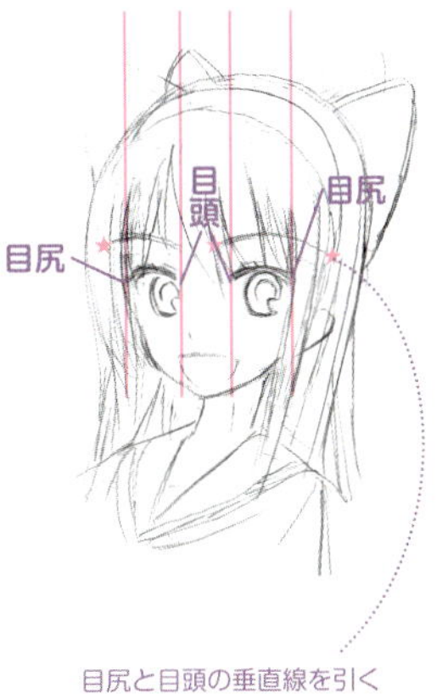

目尻と目頭の垂直線を引くと眉毛の位置のずれと長さの異常に気がつきました。直します。

僕はガイド線ナシで顔を描くのでデッサンがかなり狂います。そのあとヘンテコな整え方をします。絵を整える技術を身につけると、自分の絵を違う視点から観察できるので勉強になります。絵を洗練させていく助けになります。僕自身、右後頭部や耳の位置が必ず歪むのを意識できるようになりました。ガイドを差し込んで形を整えるのはデザインを整えるときにもよく使います。

この絵をもとに修正していきます。

今回はokamaさんだけでなく、雑誌「季刊エス」投稿者の壱太助丸さんが普段描いている絵を使って、無意識に出てしまう絵の歪みを整えていきます。

3 目の形をチェック

瞳孔や黒目のサイズの違いも平行線でよくわかります。
目頭＆目尻のまぶたの位置も確認します。

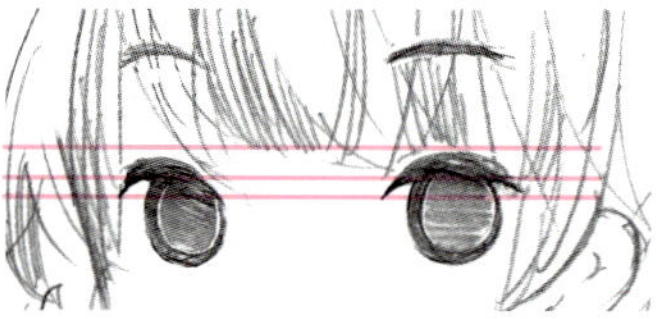

黒目の形が左右同じになっているか見てみます。

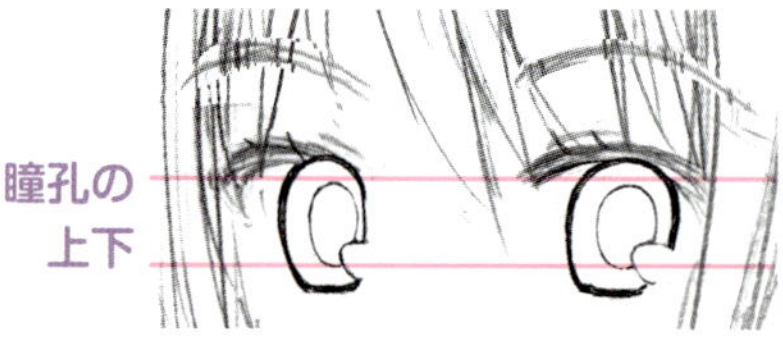

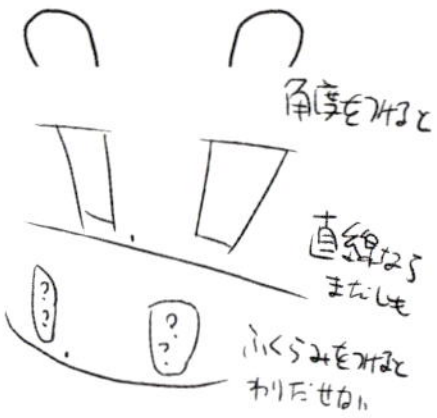

両目が同じ大きさなのかを見るときに、空豆型の目は黒目の垂直具合がわかりにくいです。

4 輪郭線を左右で合わせてみよう

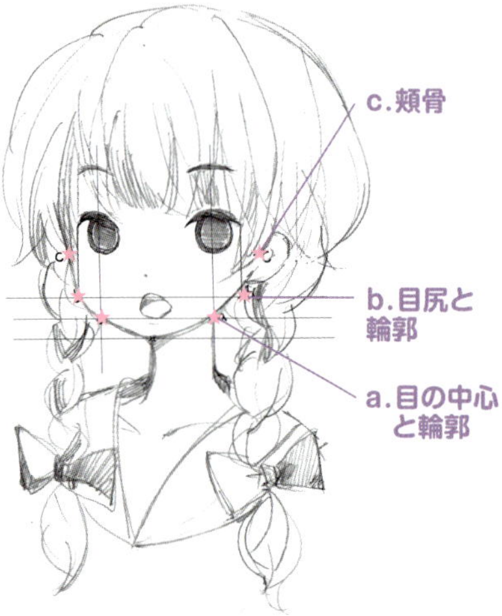

目から下りた垂直線が頬からアゴの輪郭線と交差する点に★マークを付けます。★aは目の中心から下りた線、★bは目尻からの線、★cは頬骨から下りた線です。ここで左右の頬骨から下りた線の★を水平線で結んだ場合、平行になるのが正しい形です。

右頬と左頬がほぼ同じ丸みの例

向かって右の頬の線に合わせて左を描く例

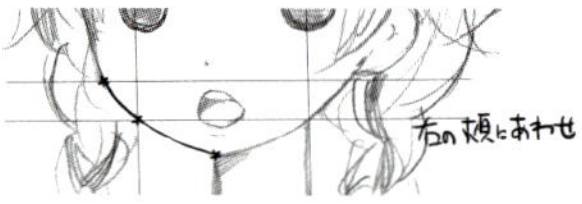

向かって左の膨らみで右のアゴを描きます例

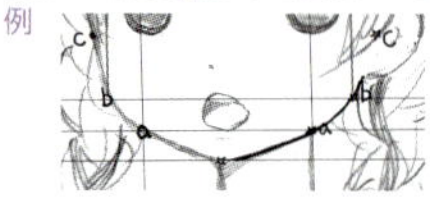

5 細部の水平と頭のサイズをチェック

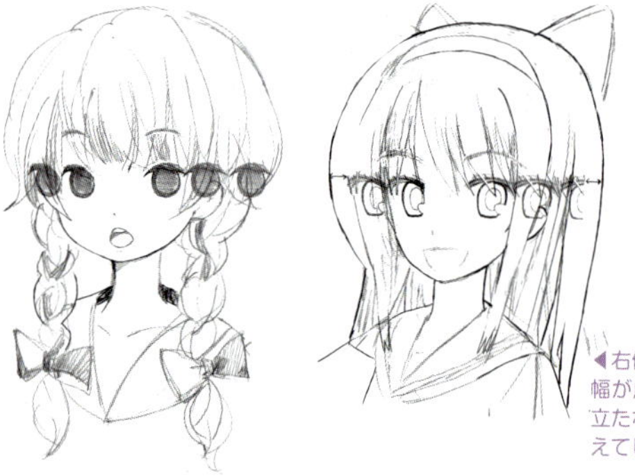

◀右側の絵は髪の幅が広く、目が目立たない印象を与えてしまいます。

この絵の目の大きさは顔の幅の1/5程度。目の外側の顔の幅は、だいたい目一つ分の大きさです。なので顔の脇にある髪の毛が目一つ分以上あると幅を取りすぎです。目が小さく感じられます。

色々と水平を修正。
首も頭の中心に向かうようにしました。

2 分析をもとにキャラクターを横向きにしてみましょう

描きやすいように計測するので、上まぶたを3段目の1/2まで大きく修正しました。

首やおさげもサイズをだいたい頭に入れておきます。

正面顔を等間隔の線で区切る。この立方体がナナメを向くと、パースがついて奥側の幅が狭くなります。このパースの法則を利用して、女の子を横に向かせてみます。

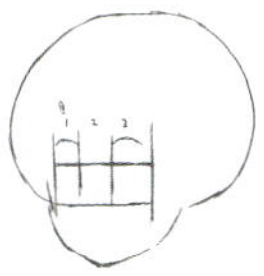

目の幅を計ります。左側が奥になるので、目幅が狭くなります。そこから輪郭を導きます。

奥にあるほうの目は、横幅が狭く、縦長の印象です。まぶたの形を見て、同じような目を描きます。

雰囲気が違うと思ったら、上まぶたが少し高い位置にありました。縦に大きく描いていたようです。

上まぶたを下げ、厚みを薄くして、黒目も大きく修正してみます。

線画の修正は「あんまり変わらなかったね」とokamaさん。壱太さんの絵を元にokamaさんが描いた横顔は、顔の比率が同じというだけでなく、髪や表情などの細かいニュアンスも残っています。そしてたしかに「あんまり変わらなかった」。

完成

3 目の大きさの違いを見てみましょう

下まぶたを頭の1／4の高さに固定して、中心までの範囲に目を入れています。

▲ 目:2/3＋
鼻口眉毛を移動

生え際や前髪、眉毛、鼻、口、耳などの位置や、まぶたのはじまりと終わりの高さ、輪郭のカーブがはじまる場所も測っておくと良いです。

目は同じ2/3サイズでも、眉の位置が違うことで、顔が長くなった印象。キャラクターの性格も違って見えるのではないでしょうか。

▼ 目:フルサイズ

絵の描き方を変えないと、この目の大きさは無理……。

▼ 目:2/3

僕の目のノーマルな大きさ。

▲ 目:頭＝8:5

ちなみに、P57で描いた女の子は、目の幅と頭の比率が8対5でした。

▼ 目:1/2

半分だと小さいですね。目の形が違うので印象は変わりますが、壱太さんの目はこのサイズでした。

▼ 目:3/4

2/3サイズと比較してもあまり違いがないので、半分の半分で割りやすい3/4のこのサイズがおすすめ。

4 横向きの目の形

目の大きさを意識すれば、横顔も崩さず描けます。

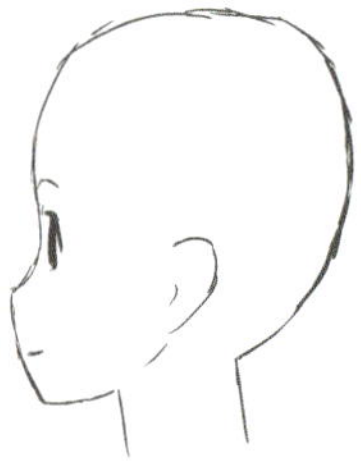

▲ 真横の目

黒目が垂直になります。

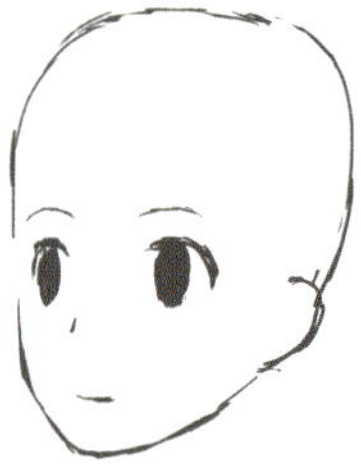

▲ 45°を向いたときの目

正面の黒目の半分位の大きさになります。

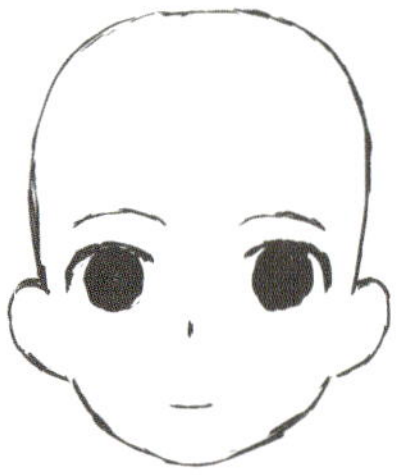

▲ 正面の目

5 目を置く位置による印象の違いを見てみましょう

目の位置：1/4に目の中心を置く

アゴの位置が狭いと幼く見えます。僕の場合は目の位置が低くても違和感がないよ。

目の位置：顔の中心に目の上まぶたを配置

目の位置：頭の高さの1/4に下まぶたを描く

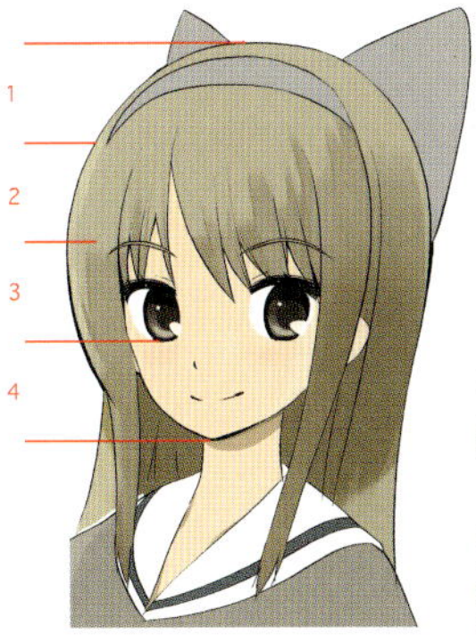

※1目モリ＝目一個分

目の位置：目からアゴまで3目モリ

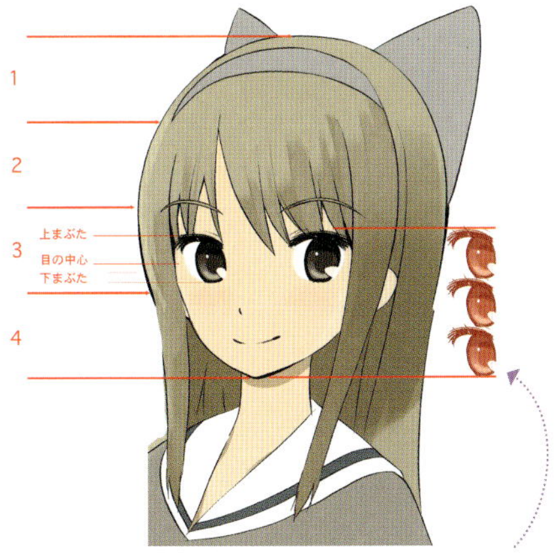

アゴから3目モリの位置に上まぶたを描きました。目のサイズが縮小されて、右図の2.5目モリよりも顔があっさりしています。

目の位置：目からアゴまで2.5目モリ

目の位置は、一番はじめの状態と同じですが、頭の大きさを縮小しました。頭の大きさが変わったので、下まぶたの位置が高くなっています。さらに、髪のボリュームを縮小しました。1目モリ分の髪がありましたが、縮めて0.5目モリになっています。

目の位置：目からアゴまで6〜7目モリ

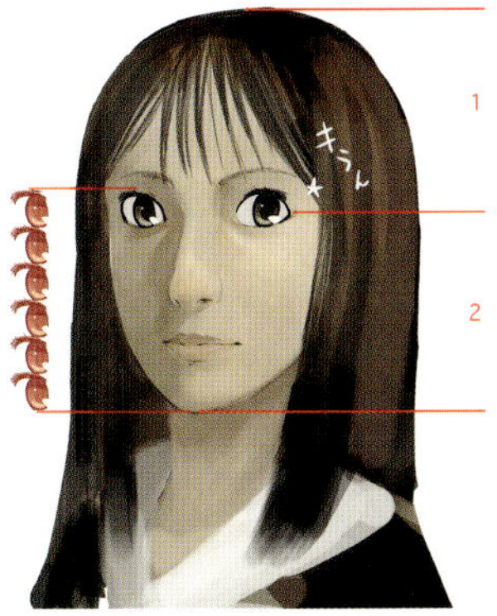

人間の目は顔の6〜7目モリ。そのサイズで描いてみると宇宙人に……。リアルな絵柄で描いたところ、さらに気持ち悪くなりました。黒目じゃなくて眼球がこのサイズだったのかな。リアルってちっちゃいですね！

6 比率を考えながら顔を描いてみましょう

1 楕円を水平に分割します。

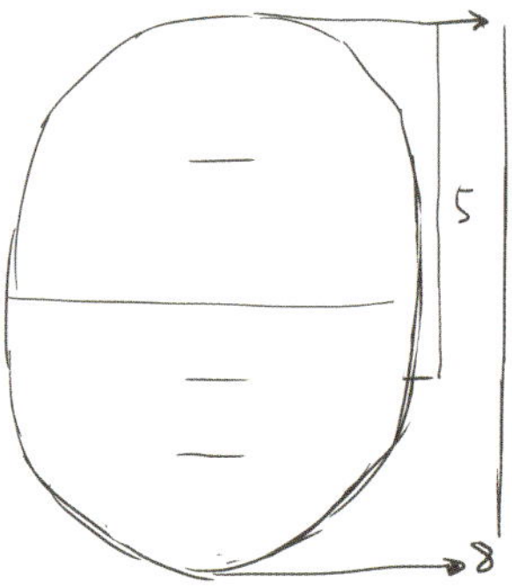

2 だいたい8：5の比率に直します。

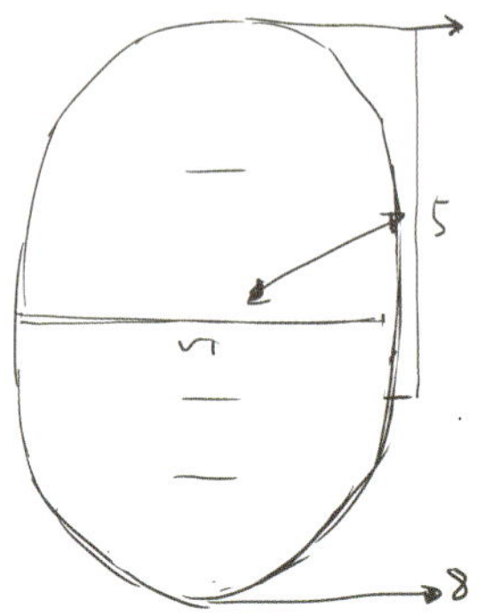

3 垂直に3分割して目の位置を決めます。

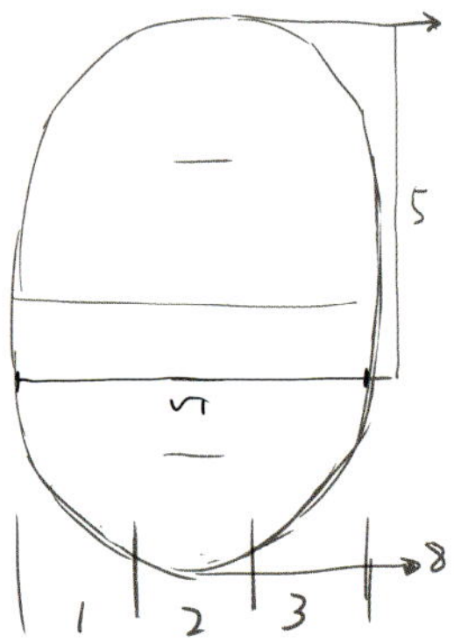

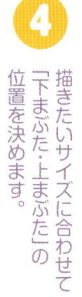

4 描きたいサイズに合わせて「下まぶた・上まぶた」の位置を決めます。

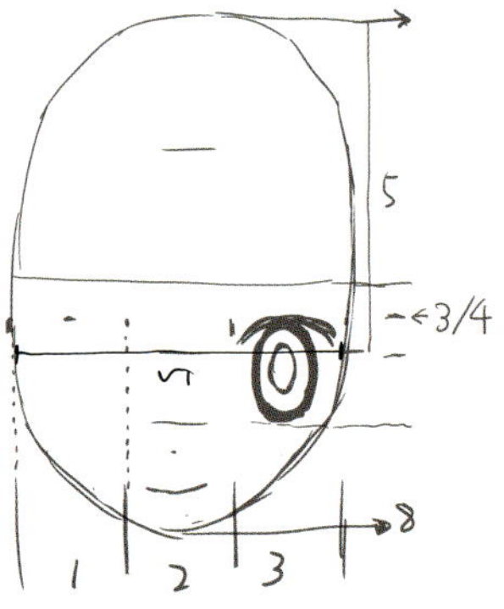

5 目が離れすぎてしまったので、まぶたのサイズを左右に伸ばします。

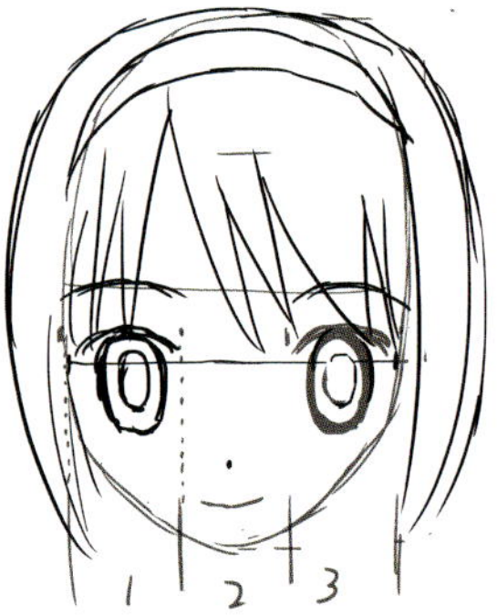

6 はじめに測った高さの4分割がずれていたので、下まぶたの位置も修正しました。

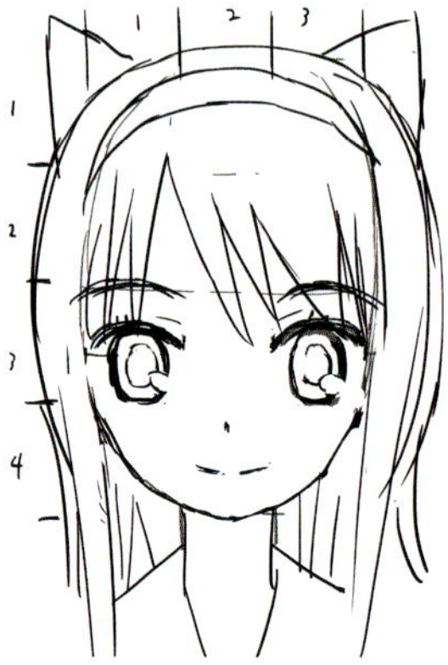

完成 かなりフリーハンドですが目のサイズは、2／3よりも3／4になりました。

PART2-3

顔のデザイン〈目〉

顔のデザインで一番印象が変わるのが「目」です。「顔のデザインは目の形のデザインでもある」とokamaさん。デザインの幅を広げられる多種多様な目を描いてみましょう。サイコロを使ってパーツをチョイスすれば、予想を裏切るデザインや新しい発想が生まれますよ。偶然生まれる組み合わせの面白さに挑戦してみてください。

1 パーツ表を見ながら好みで作った目のデザイン

okamaさんが次のページのパーツ表から作った目。サイコロは使わずに自由に選んで作ったので、使用しなかった要素もあります。また、まぶたは「小まぶた」と「二重まぶた」2つの要素を入れて「オマケ付き二重まぶた」にしました。自分の好みだけで揃えたオリジナル表を自作するのも楽しいですよ。

瞳
- ◎**瞳のシルエット**:オーブ型
- ◎**瞳のサイズ**:2/3
- ◎**瞳の輪郭線**:二重の太さ
- ◎**ハイライト**:リスト不使用（上に入れました）
- ◎**光彩**:リスト不使用
- ◎**瞳孔**:リスト不使用

アイライン他
- ◎**アイライン**:「つ」の字
- ◎**アイラインの線**:二重の太さ
- ◎**アイラインの入り抜き**:枝毛
- ◎**まつ毛**:目尻（長さは中くらい）
- ◎**まぶた**:小まぶた＋二重まぶた

「目のパーツ表」の使い方

用意するもの：サイコロ

このパーツ表は、瞳を作るのに必要な要素6つと、アイラインを作るのに必要な要素を6つならべたものです。それぞれに6種類の形を用意しました。ここでは、偶然の形から楽しく目を作る試みとして、サイコロを用いた使用法を紹介します。

1. **瞳（緑色の横ライン）**を決める。6回サイコロを振り、出た目をメモする。
2. **アイライン他（紫色の縦ライン）**を決める。同じく6回サイコロを振り、メモする。
3. デザインを合成して完成！

●例
瞳のシルエットを決めるためにサイコロを振り、⚃が出たら緑色文字の「逆台形」の目を選ぶ。これを、瞳のサイズ・瞳の輪郭線と続けていく。『アイライン他』も同様にサイコロを振る。アイラインを決めるときに⚂が出たら「たれ目」ということ。

このパーツ表を使えば2,176,782,336通り（約2億通り）のデザインが出来ます！　さらに、他バリエーションと入れ替えれば、デザインは無限。キャラクターデザインをしていて、登場人物がみんな同じに見えてきて困ったときなどに役立ててください。

※目はすべて左目

瞳 ＼ アイライン他	⚀ アイライン	⚁ アイライン線の特徴	⚂ アイライン入り抜きの処理	⚃ まつ毛	⚄ まぶた
⚀ 瞳のシルエット	普通 / 円形	細めの線 / オーブ形	両方抜き / 四角形	目頭にまつ毛 / 逆台形	分岐まぶた / 台形
⚁ 瞳のサイズ（白目の広さ）	つり目 / 1/4のサイズ	二重の太さの線 / 1/3のサイズ	枝毛の抜き / 3/4のサイズ	中心にまつ毛 / 3/2のサイズ	小まぶた / 1/2のサイズ
⚂ 瞳の輪郭線	たれ目 / 2本線	多重線 / 二重の太さ	たまりを作る / 直線的に	目尻にまつ毛 / 点線	二重まぶた / 放射線
⚃ ハイライト	「つ」の字 / 下位置ハイライト	直線的な線 / ハイライトナシ	直線のたまり / こぶ付きハイライト	短いまつ毛 / 大きいハイライト	奥まぶた / 小さいハイライト
⚄ 虹彩	半目 / 三日月型虹彩	荒れた線 / 放射線虹彩	直線止め / 線の虹彩虹彩	長いまつ毛 / 集中線虹彩	被りまぶた / ビーンズ型虹彩
⚅ 瞳孔	「へ」の字 / 点	輪郭線 / 線	生え際抜き / 影と融合	下向きのまつ毛 / 花型	まぶたのカゲ / かすれ

2 サイコロを振って組み合わせた目のデザインを見てみましょう

その1 サイコロを振ったままに作った目

瞳
- ◎**瞳のシルエット**：台形
- ◎**瞳のサイズ**：2/3
- ◎**瞳の輪郭線**：点線
- ◎**ハイライト**：ハート型
- ◎**光彩**：放射線
- ◎**瞳孔**：影と融合型

アイライン他
- ◎**アイライン**：たれ目
- ◎**アイラインの線**：荒れた線
- ◎**アイラインの入り抜き**：直線のたまり
- ◎**まつ毛**：短い
- ◎**まぶた**：まぶたのカゲ
- ◎**その他**：目尻のカゲ

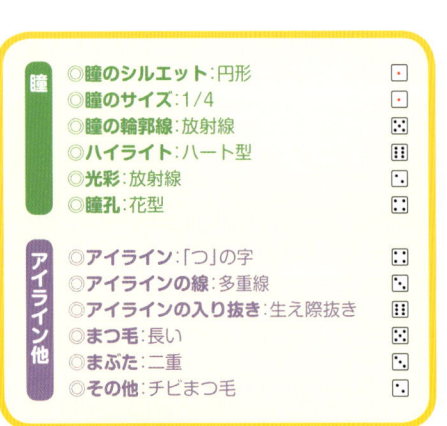

その2 サイコロの結果の一部を変えて作った目

瞳
- ◎**瞳のシルエット**：円形
- ◎**瞳のサイズ**：1/4
- ◎**瞳の輪郭線**：放射線
- ◎**ハイライト**：ハート型
- ◎**光彩**：放射線
- ◎**瞳孔**：花型

アイライン他
- ◎**アイライン**：「つ」の字
- ◎**アイラインの線**：多重線
- ◎**アイラインの入り抜き**：生え際抜き
- ◎**まつ毛**：長い
- ◎**まぶた**：二重
- ◎**その他**：チビまつ毛

◀サイコロの結果そのままの顔がこちら。okamaさん曰く「ヤンデレ！」目。目を思いっきり見開いた四白眼は、すごい迫力です。

▲２つの要素を修正した目がこちらです。ハートのハイライトと花型の瞳孔が、バッチリした目に合っていて可愛い。瞳のサイズを大きくしたので、黒目がちでミステリアスな雰囲気もあります。

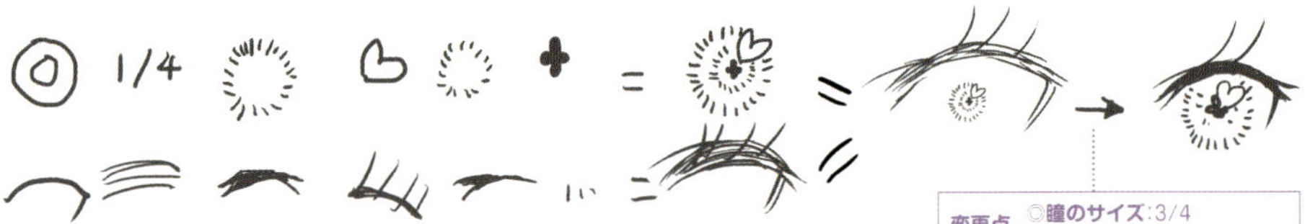

変更点 ◎**瞳のサイズ**：3/4 ◎**アイラインの線**：二重の線

column

目のデザインを分析してみよう

組み合わせれば幾通りも作れる目のデザイン。
okamaさんは、形の印象を分析してデザインを詰めていくそうです。

okama 目は顔の一番目立つ部分。作家の顔となるところです。キャラクターが複数いても、みんな同じ目にしたほうが喜ばれると思います。でも僕は、そこもグイグイとデザインしていきます。実験して遊ぶのが好きなんですね。冒険がしたいんです。もっと新しい「目」を見たいんですよね。

新連載がはじまるたびに、目のデザインを研究します。気に入った目が作れたら、それを変化させて様々な目を増やしていきます。基本は「ツリ目」「普通目」「たれ目」。あとは、まぶたが重い「ジト目」「細長いネコ目」もカワイイですね。大人は少し小さめに描いたりしています。美少女は黒目が大きく見える逆台形で、白目も少なくして、まぶたもたっぷりと厚めに。ウルウルさせてまつ毛も描きます。以前は元気なキャラクターの表情を描くときに、まぶたの頂点をとばして「ハ」の字に描いていたことがありました。突き抜けて明るいというイメージが出ていたと思います。頑張って常識を壊して新しい感情表現を考えながら、いつか、いい形を思いつけたら嬉しいものです！

おまけのデザイン

セーラー服のストライプをハイライトに使用

リストにはありませんが、服の要素を目のデザインに取り入れるのも面白い試みです。目は少し違う要素が入るだけで、個性が出ます。

okama 目は映り込みがあるので、その表現も楽しめますね。最も視線を集める部分なので、意匠にも気づいてもらえます。目と髪の毛とオッパイの谷間は、がんばって描きましょう！

PART2-4

顔のデザイン〈表情〉

顔を描く上で、いろんな種類が描けると良いのが「表情」です。眉や目など一部のパーツを変更するだけで、表情はガラリと変わります。大きく変化を付け過ぎると演技過剰に見えてしまいますが、豊かな表情はキャラクターの魅力につながるポイントです。okamaさんが描いた多様な表情のバリエーションをご覧ください。

1 いろんな開き目のデザイン

黒目の形や大きさを変えると、表情の変化がわかりやすいです。

顔についた文字は
紫がokamaさんのコメント
緑は編集部の解説
となっています。

途切れたまつ毛。
ちょっとビックリ
したのかな？

黒目にまつ毛を重ねる
と優しい感じです。

黒目を縮小すると
ショックな感じに
なりました。

黒目を大きくしました。
調整が必要かな。

「イェイ」って
感じはしないな。

まつ毛が長くて
ロマンティック。

ノーマルの瞳です。

黒目をまつ毛から
離すと元気な感じ。

女の子の髪についた飾りは、女の子の表情とはシンクロしない顔。これも顔のデザインの一例です。顔で描ききれないデザイン案を描いています。

目が回るときの
古典的な表情。

虹彩を小さくしても
驚いた感じが出ます。

スーパーショック。

スーパーキョトン。

記号はわかりやすい。

音符を目に
見立てています。

目は口ほどに物を言う。
そのイメージかな。

やかんの取っ手が
眉になっています。

飛び出す目は色々な形を
デザインできそう。

表情がわからず
不気味な雰囲気。

2 目で変わる表情・閉じた目

閉じた目を描けるようになると、表情のバリエーションが増えて良いですね。

動揺しているのかな。

眉毛と逆の傾きにすると
気持ちが入り交じった感じ。

横に閉じた目は
意味不明です。

横に閉じた目。
でも、開いて見えます。

赤面のように見えます。
もはや目じゃないですね。

曲線にすれば、ゆるく
目を閉じるかと思ったけど…。

目をつぶった感じで、
強気な閉じた目。

小さな満足感
眉毛とのバランスかな。

キュッと閉じた
可愛い表情。

キュッと閉じる変化
バージョン。はわわ〜

長いまつ毛みたいです。

これを発見した
人はすごい！

口の大きさで変わる目の印象

左の2点は口の開閉のみ違います。口を開けた女の子の方が目が大きく見えるのではないでしょうか。目の大きさはどちらも同じですが、口を開けたことで目と口の距離が縮まって、目が大きく感じられるのです。

キャラクターの印象は口の大きさでも変わります。美少女は小さな口のほうがいいのかな。奥ゆかしくて弱々しい感じが出せますね。僕が描く子は口が大きめです。「もっと小さくしてください」とよく指示を頂きます。大きく描いたあと縮めると表情不足に感じるんですよね。巨乳作家の乳がインフレしていくのと同じですね。気をつけます。

いろんな眉のデザイン

眉もわかりやすいパーツですね。強気弱気という差が出せます。
色々な眉を試して、感情が伝わる形を探してみましょう。

眉の位置が上がると陽気な感じ。

Vの字は強気な感じ。

ハの字は優しい感じです。

富士山眉毛。

口の形を眉に変化させれば、すごく困っている感じに？

表情よりもこんなデザインの人という印象。

ノーマルの眉です。

眉の位置を下げると大人びた感がします。

太くすれば『こち亀』の両さん。

口元が微笑しているのでちょいオコ。

眉頭を曲げると不快な感じです。

眉頭が下がると怒った感じになります。

強気で激しい感情。

表情が読み取れないので無表情にも見えます。

つながった眉毛古典的な漫画の表情。

強気な女の子に見える？

挑戦は失敗が大半。

困りつつも優しい表情。慈愛を感じます。

4 いろんな赤面のデザイン

赤面にも色々デザインがありますね。

ここが赤面する人も？

ノーマルより面積が
多いと強い感情に。

酔っているようにも
見えます。

ドキドキや緊張感が
最高潮の状態。

耳、鼻を赤くすると
寒い所にいる感じ。

これだと電柱に
ぶつかったみたい。

ノーマルの赤面。

りんごほっぺ。

顔からはみ出す程の
ホワホワした気持ち。

動物のヒゲのよう
民族的な印象もあります。

ここら辺は形によっては
入れ墨に見えるかも。

効果的な形も
あるはず……。

赤くなる場所が違うと
赤面じゃなくなる。

ふうせんガムが
はじけたような広がり。

唇が腫れている
みたいですね。

くっきりと形がついて
いるので、間違えて日焼
けしたみたい。

ヒゲのような縁取り
ドロボウみたいです。

悪い病気みたい。

column

表情は物語もデザインする

okama 表情の描き方は作品によって変わります。例えば、美少女アニメでギャグ漫画の表情は要らないですよね。「可愛く愛されるように」喜怒哀楽は控えめにします。「コミックフラッパー」などの表紙イラストは基本的に笑顔です。同じ笑顔でも、ポーズが大きいときは口も大きく、静かなポーズでは控えめにしました。そのときの絵の空気に合わせています。漫画の場合は物語の盛り上がりに合わせて表情を演出します。「快楽天」で描いていたオリジナル漫画の表情は控えめです。倉田英之さん脚本の『CLOTH ROAD』は表情が豊か。物語は極限のシーンの連続なので、当然激しくなります。日常が舞台ならば表情も穏やかになるはずです。また、カッコイイ、オシャレな世界観の場合、感情の描写を控えたほうが合っていると思います。例えば、村田蓮爾さんの描く女の子が叫びたがっていたら誰かに止めてもらいたくなりますよね。物語から表情は生まれます。逆に表情からストーリーが浮かぶコトも多いです。話が思いつかないときはキャラクターの表情を動かしてみて、なぜこんな表情になったのかを想像してみます。笑顔の理由を考えれば、ステキな物語が生まれそうですね。

まとめ

怒っているとへの字で、悲しいとハの字。人間の基本的な表情は技法書に描かれてるモノを参考にしました。表情って許容範囲が小さいですよね。少しの変化で理解不能の表情になってしまいます。ですので、表情を増やしたいときには、良い表情の絵を見つけて真似しましょう。

オマケイラストは、様々なモチーフを元に作った表情から「少しは使えるんじゃないか」というパーツを組み合わせた顔です。「新しいものを作るときは0点を目指せ」とどこかの本に書いてあったので、実践してみた結果です。飛んできたのは永遠の0点だったみたいです。

オマケ

PART2-5

顔のデザイン〈メイク〉

顔のデザインから「メイク」について考えます。メイクもキャラクターを印象づけたり、個性を演出するための重要な要素のひとつです。つけまつ毛やアイシャドウ、アイラインの入れ方や配色でキャラクターの印象が変わるので、どのようにデザインを加えられるか見てみましょう。

1 アイラインで変わる顔の印象を見てみましょう

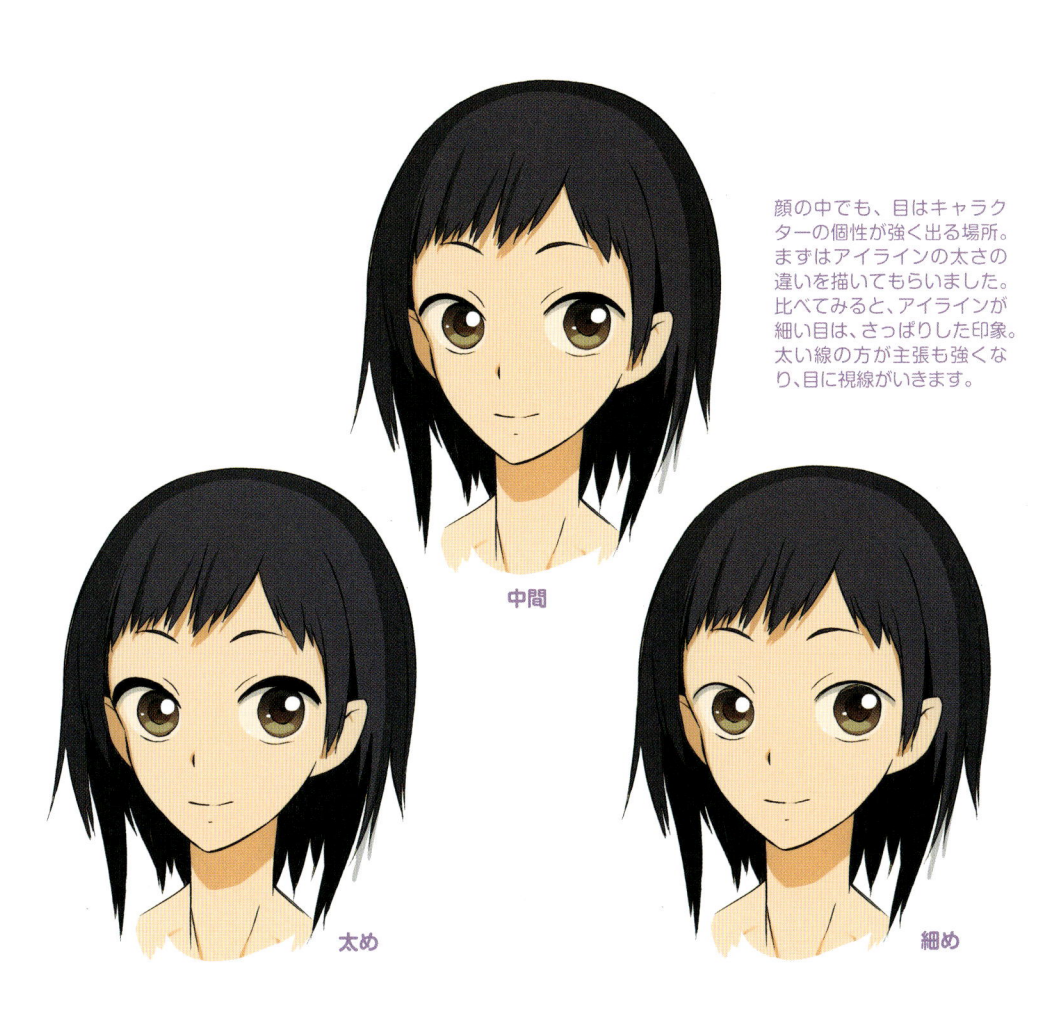

顔の中でも、目はキャラクターの個性が強く出る場所。まずはアイラインの太さの違いを描いてもらいました。比べてみると、アイラインが細い目は、さっぱりした印象。太い線の方が主張も強くなり、目に視線がいきます。

中間

太め

細め

2014春夏パリコレクションのシャネル風メイク。トリコロールがすごい！　服だけでなくメイクにも注目してみると面白いですよ。

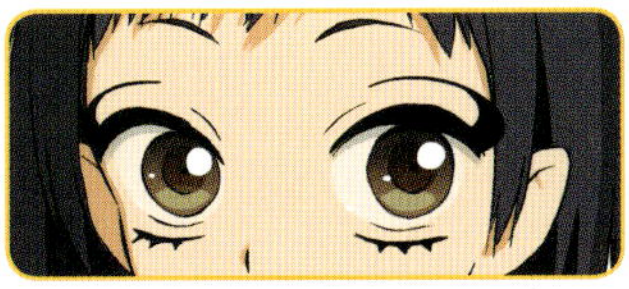

ちょっと前にこんな感じのアイラインがあった気がしますね。ラインでまつ毛や二重のラインを強調しました。

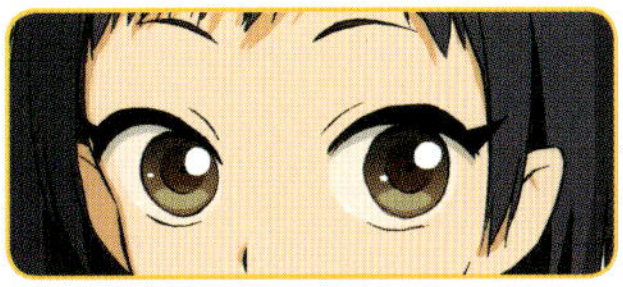

元の目は優しい印象ですが、ねこ目のように目尻のラインをつり上げると、シャープでキリッとします。アイラインを入れた方が目を強調できますね。

2 まつ毛のバリエーション

まつ毛の形を変化させてみました。色を変えるのも面白いかもしれません。まつ毛のカラーリングは、髪色と合わせることが多いですね。違う色を使ったまつ毛はあまり描かれていない印象です。

まつ毛の長さによる違い。複数本描くときに、同じ長さに統一するか、ランダムにするかでも印象が変わります。

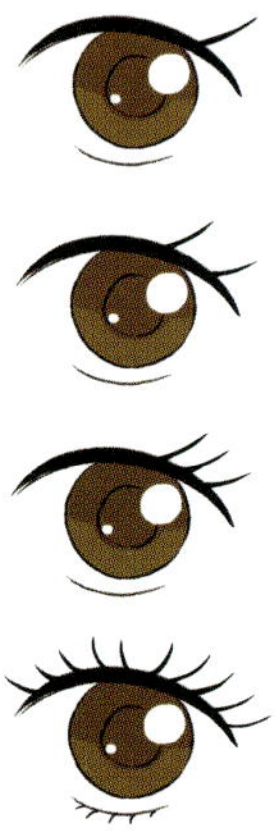

まつ毛の本数。1、2、3本と増えていく様子が、可愛さの階級を表しているみたいです。

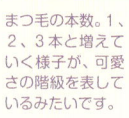

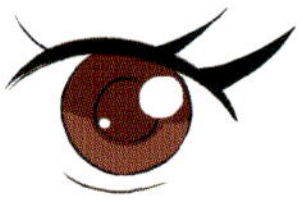

まつ毛の太さを描き比べてみました。アイラインよりも細い方が良い印象。

3 アイラインのバリエーション

アイラインを複数の線で描くと毛を感じられるので、1本の太い線で引くよりもナチュラルに仕上がると思いました。

細い線をたくさん引く

細い線を1本引く

1本の太い線を引く

細い線の上に淡い色を乗せる

4 アイシャドウのデザイン案

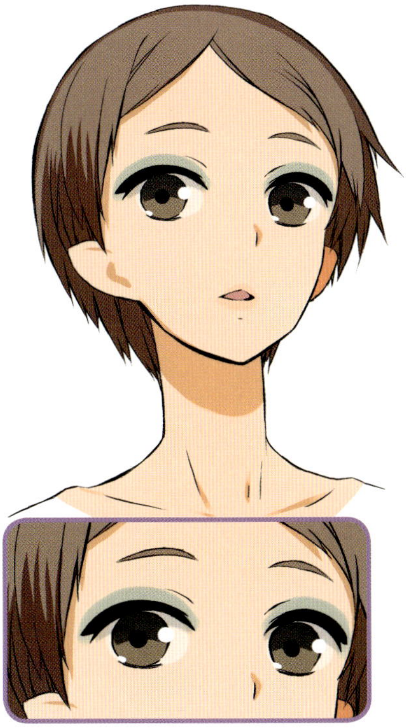

青い色は肌に乗せると目立つ。青いアイシャドウはマンガでは厚化粧の記号に近いので気をつけてね。

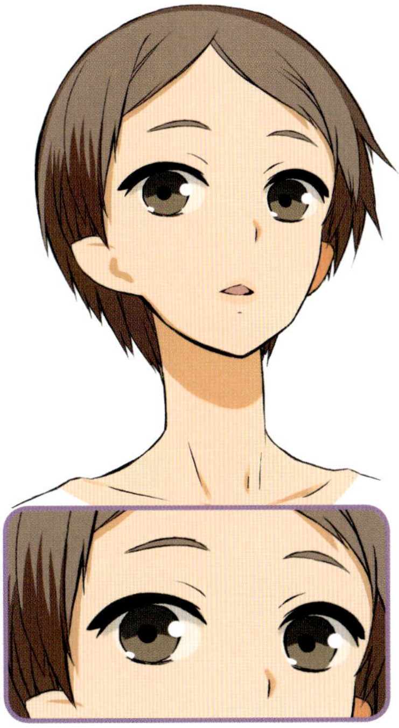

ナチュラルな状態。

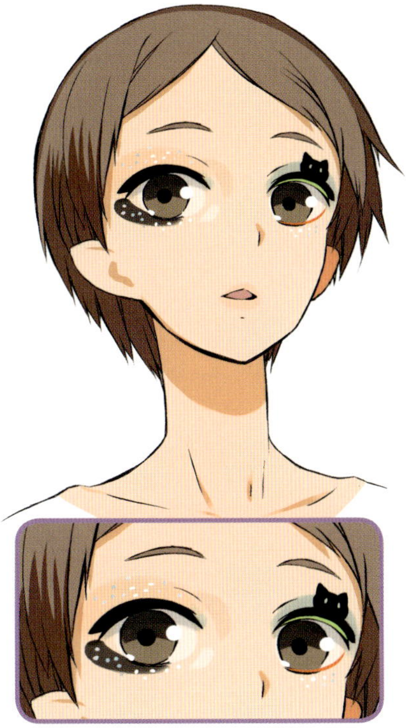

色々な装飾を組み合わせたアイシャドウ。まつ毛の内側に色を塗ったり、アイラインの形をペイントしても面白いですね。質感の異なるラメやシールを貼るのも可愛いと思います。あと、目尻にも色を入れることが出来ます。目頭にも色を入れることができますが、この色は鼻の立体感を強めるために使っていますね。

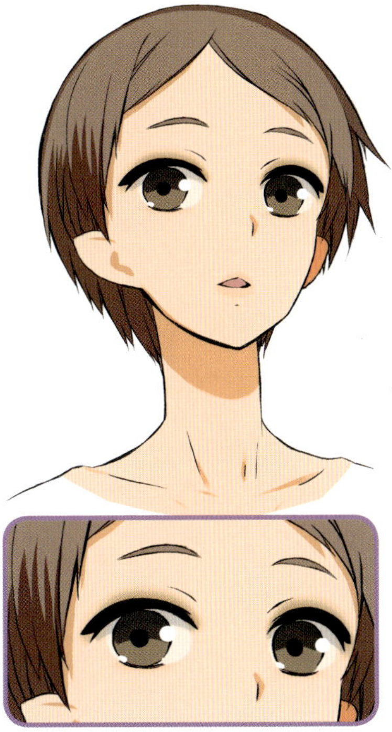

ブラウンのアイシャドウは、アイラインのエッジを弱めて、ソフトな印象になります。

目のまわりのデザインを考えよう

額縁のような
まつ毛飾り。
フリルまつ毛を
つけてみる。
ピンクに塗った
まつ毛。
まつ毛につける
サングラス。
(目が閉じられない)
まつ毛を点と考えて
ペイントします。

学生の頃はノーメイクが好きだったので、まぶたを薄く描いていました。アイラインを意識してまぶたを厚くすると、目の印象が強くなって絵が安定するんですよね。リップとチークもよく塗ります。真っ赤な口紅も描きたいけれど、僕の絵は口が小さいせいか安定しなんです。また、目のまわりに入れるデザインは小さくて目立たないなと思いました。アップにならないとあまり効果がないです。たくさん描く漫画などは上図の額縁のように複雑な模様より、単純な形のほうが効果がありそうです。形は「細かく・多く・複雑」になると目立たなくなって、「大きく・少なく・単純・直線」になるほど、強くて目立つようになります。

PART2-6

頭部のデザイン〈髪型〉

「髪型」もバリエーションを豊富に考えることができるデザインです。前髪の有無や毛先の向き、長さや色、男女の違いが出せるので、キャラクターイメージにも繋がります。デフォルメ加減や髪型、前髪や毛質の違いなどの作例も作りました。絵柄と関係なく活用できるので、ぜひ参考にしてみてください。

1 デフォルメ具合

デフォルメ ⟷ リアル

ターゲットにする読者の年齢層で髪型は変わると思います。記号に近いほど低年齢向け。僕は2.5次元あたりが好き。リアルになるほど説得力が出るけれど、印象が弱まるかな。

2 職業や時代設定を考えてみよう

リーゼント
不良

モヒカン
反社会的人物

時代
「ちょんまげ」や「タテロール」は、歴史モノっぽくなります。

キャリアウーマン
こんな髪型のイメージ

社会人・オジサン
街で見かけた人を描きました。みんな短髪で、量を減らすと年齢が高め、前髪を下ろすと若返ります。でもナイ袖は振れません。

髪型で職業がわかると嬉しいけれど、現代が舞台の物語では、髪型が多様になりすぎて、職業まで伝えることは難しいです。

3 シルエットの違い

髪型を比較すると、性格も感じられます。長髪に比べて、短髪は活発で、ウェーブは優しい女性という感じ。また、くせ毛をつける位置でも性格の違いが出ると思います。毛先よりも途中にあるほうが活発に感じるし、上すぎると、天然キャラっぽい。ツノのようにも見えますね。頂点にあると王冠みたいです。髪の毛の流れを考えてみると、王冠は不思議な感じになりました。

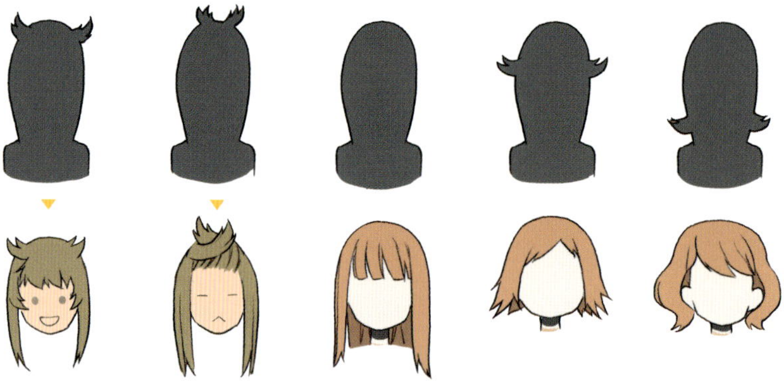

4 色や長さ、毛質の違い

▲ツヤ

ツヤツヤからマットまで。
油分は老化で減少します。

▲ウェーブ

パンチ、細かいパーマ、
大きなウェーブ、カール。

▲硬さ

ロング、ミディアム、ショート。
この絵にはナイけど
ボブはアゴの長さ。

▶長さ

量は老化で減少します。僕もだんだん減ってきました。悲しいです。

▶色

黒髪、栗毛、赤毛、金髪、白
自然な髪の色は、黒～茶のユーメラニンと赤褐色～黄色のフォメラニンを混ぜた色だと思いました。老化すると色素が失われていきます。

5 髪質による印象の違い

ごろつき風　優しそう　元気でガサツそう　弱くやさしそう　東洋風　西洋風

髪質にもイメージがあります。変な髪型でも髪質が違うと印象が変わりますよ。

6 作品に登場する髪型

赤ちゃんは無毛　クリーム　異種毛のツーブロック　ストライプ3カラー　極太ドレッド　10円ハゲ5個　特になし主人公

尾狩人たちは女王の番犬ということで犬っぽい髪型です。

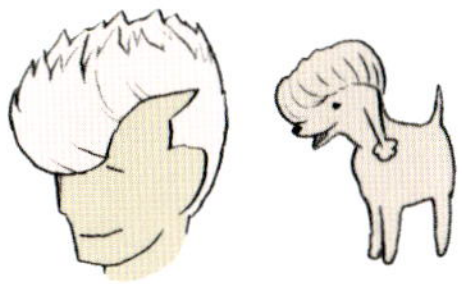

ヤンキーに見えるロブサンも、ベドリントンテリアの髪型がモチーフ。

『TAIL STAR』に登場するキャラクターの多様な髪型を紹介します。

5 写実的な髪型

髪型はやっぱり現実にあるナチュラルなものが一番です。髪型のカタログを参考にしましょう。カタログを見ると、流行のアレンジに傾向がある事もわかります。連載当時流行していた男子の髪型は、頭の上にくせ毛の固まりがあるもの。女子はネコミミ風お団子のアレンジをよく見かけました。

8 アイテム的な髪型

女性

●つけ前髪
昔、アニメで前髪を揺らすために付けていた別セルのなごり？乗っている感じに描いています。

●アホ毛

●インテークのモミアゲ
くぼみのある立体的なフォルム。

●ほお毛
モミアゲの垂直線を弱められます。

●ツインテール

髪は毛量があるほうがアレンジも楽しめますね。

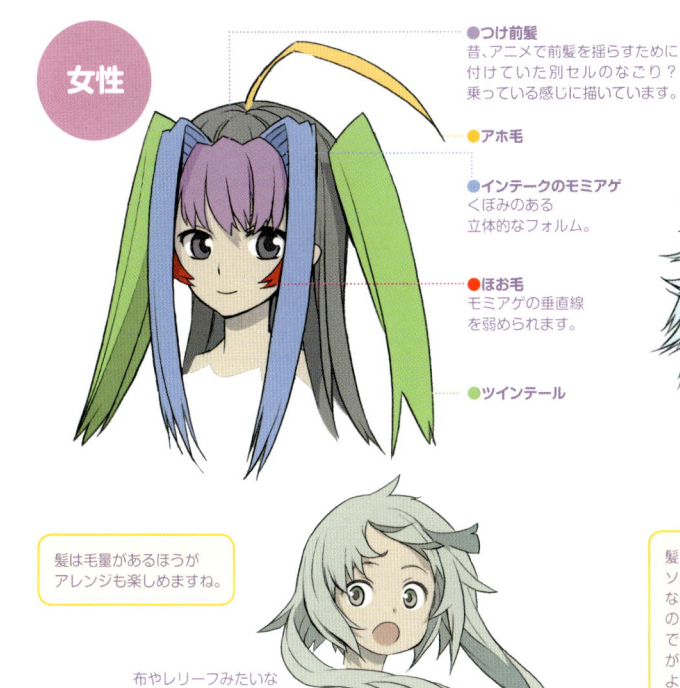

布やレリーフみたいな表現もありますね。

男性

髪にも「メガネ」や「ニーソ」のようなアイテム的な作法がありますね。男の子の前髪にある紫色で示した逆くせ毛（名前がわからない）の形は、よく見かけます。

美少女系の絵では敬遠される「総髪」も、男性はアリみたい。

ランダムに隙間を空ける。

少しスキマをつけたパッツン。

パッツン。
ヘルメットみたいですね。

シャギーっぽく、
毛先に長さの変化をつけました。

ギザギザ

くし状の毛先

グラデーションで毛先を薄くする。

一本ずつ真面目に描いた長いギザギザ。

髪をすいた。

カール

短い前髪

おでこキャラ

3スリット

2スリット

1スリット

5スリット
（4以上はいっぱい）

4スリット

2スリットに乱れ毛を加えました。

髪質の変更

美少女は前髪をおろしていたほうがカワイイので、前髪だけのバリエーションを考えてみました。P78で紹介した髪質の表現方法でもキャラクターデザインに差はつけられますね。でも、結局は色を変えるほうが明解です。

10 他の形をミックスする

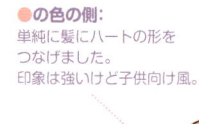

●の色の側:
単純に髪にハートの形を
つなげました。
印象は強いけど子供向け風。

●の色の側:
髪を束ねて
ハート形にしました。
ちょっとリアルに
感じるかな。

◀富士額もハート形です。

ハートを髪型にミックスしてみました。

11 髪型を応用してデザインに取り入れよう

前髪やモミアゲの形を応用した個性的な髪型を描いてみました。

垂らした前髪に
ウェーブをつけて
みました。

これは前髪が垂れた形。

まっすぐ上から伸ばした前髪。
ヒゲメガネみたいです。

カールがほおを隠すように回り込んだ髪型。
孫悟空みたい。

◀▲上と横から伸ばしてみました。
後ろで結うなら使えそうです。

PART2-7

頭部のデザイン〈髪型の比較〉

キャラクター性を意識しながら作る髪型の作例を紹介します。髪質やフォルムをさらに深く掘り下げて、「比較」による髪型の違いについて考えてみましょう。キャラクターの違いは見た目と内面。見る人へ強い印象を与えるパーツなので、差違を細かくつけるコツがわかると、デザインづくりもスムーズに進められます。

1 比較による髪型の差違

髪型のデザインだけでキャラクターの性格を伝えられないかな。2人並べて比較したときに感じる印象を、二つの方向性【社会性⟷個人主義】【活動⟷静止】で、考えてみます。

● 【社会性】⟷【個性】
常識 ⟷ 非常識・自由　年功序列 ⟷ 能力主義
地味・自分を抑える ⟷ 派手・目立ちたがり
率直・思いやり・対話・調整 ⟷ ツンデレあまのじゃく・自己主張・自分勝手
批判・権威・優劣の比較・法 ⟷ 自尊心・愛・欲・感情・特別
男は短髪 ⟷ 男の長髪
● 【活動】⟷【静止】
プラス ⟷ マイナス　強い ⟷ 弱い　軽い・爽やか ⟷ 重い・粘着質
あかるい・元気・楽観的 ⟷ くらい・陰気・神経質
興味・感動・笑い ⟷ 無関心・冷静・泣き
時間が速い・変化・革新 ⟷ 時間がのんびり・伝統・保守
行動的 ⟷ 臆病・考えを隠す・ミステリアス
騒がしく雑 ⟷ 静かで丁寧

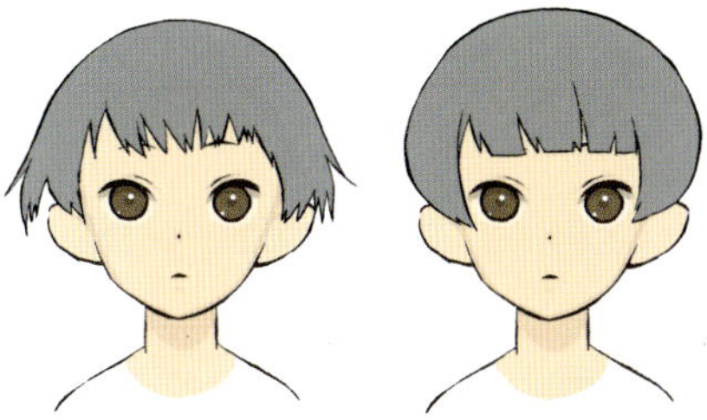

▶整えられた髪型よりもラフな方が【個人主義】。

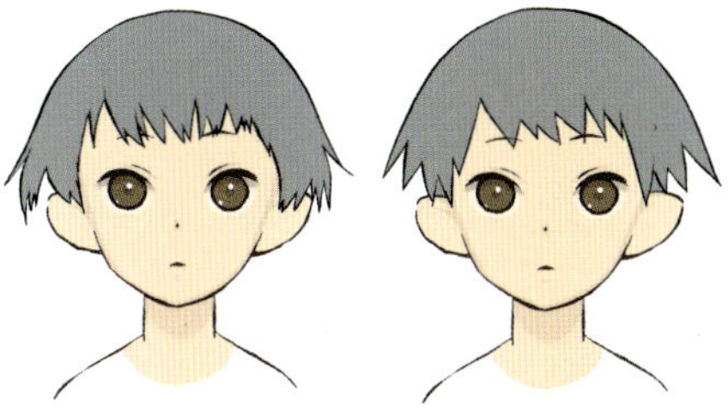

▶硬そうな髪は、どちらかというと【活動】かな。

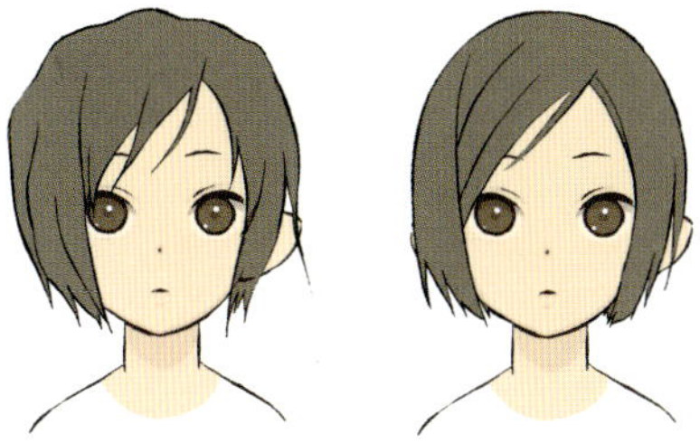

▶くせ毛でヘニョヘニョなほうが【個人主義】。

＼ この2人だと、どっちがどっち？ ／

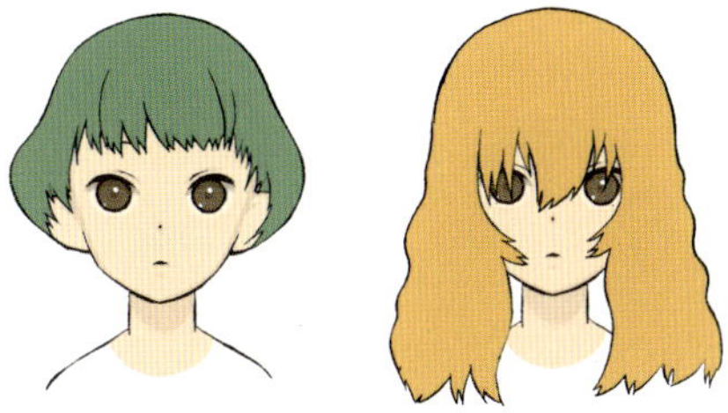

【社会性】 ⟷ 【個人主義】
【活動】 ⟷ 【静止】

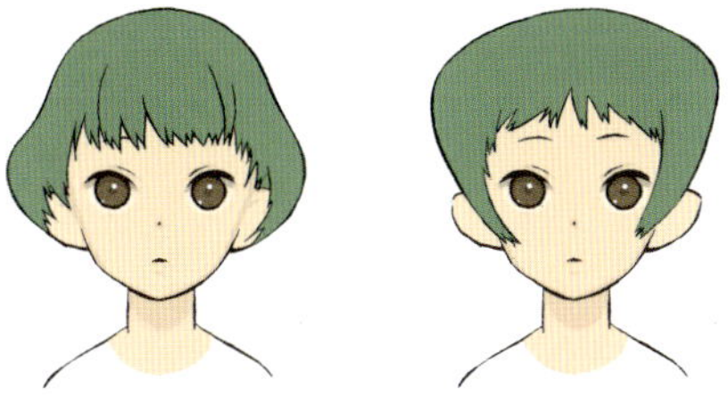

【社会性】 ⟷ 【個人主義】
【静止】 ⟷ 【活動】

不安定な形の方が【活動】に感じるはず。

2 前髪の印象の違い

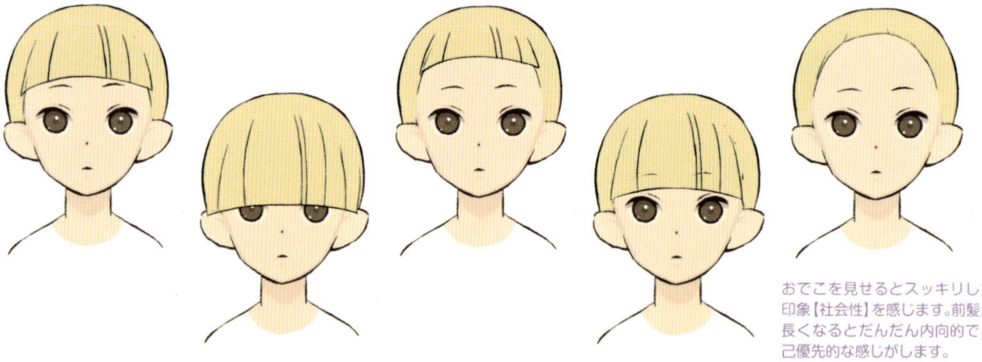

おでこを見せるとスッキリした印象【社会性】を感じます。前髪が長くなるとだんだん内向的で自己優先的な感じがします。

男性の場合、基本となる髪の長さが短いです。なので、【社会性】【活動】が強い印象。髪を長くするだけで【個性】になります。前髪でおでこを隠すと若く見えますね。

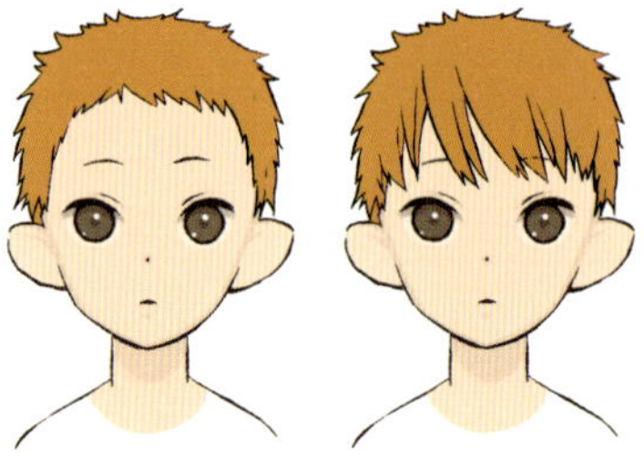

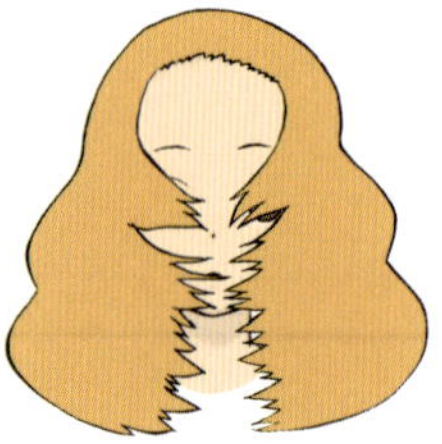

顔のパーツを隠すと社会性が下がるのかな。

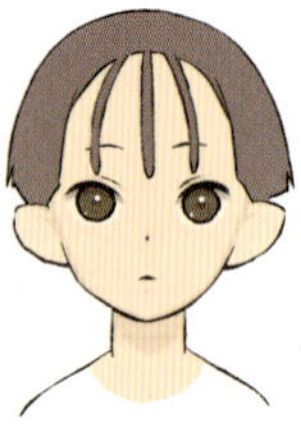

前髪に隙間を空けて少し活発になった感じ。

3 毛先の流れによる違い

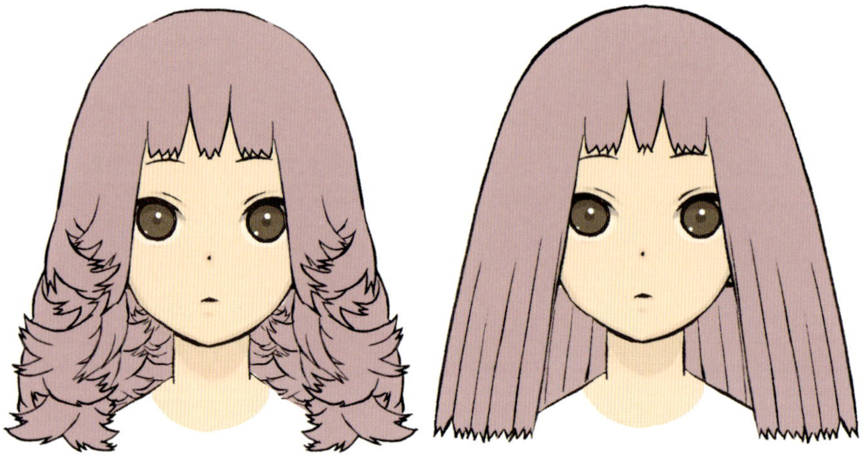

前髪や髪色、長さが一緒でも、毛先が違うと印象が変わります。左側のほうが【活動】。

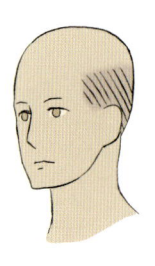

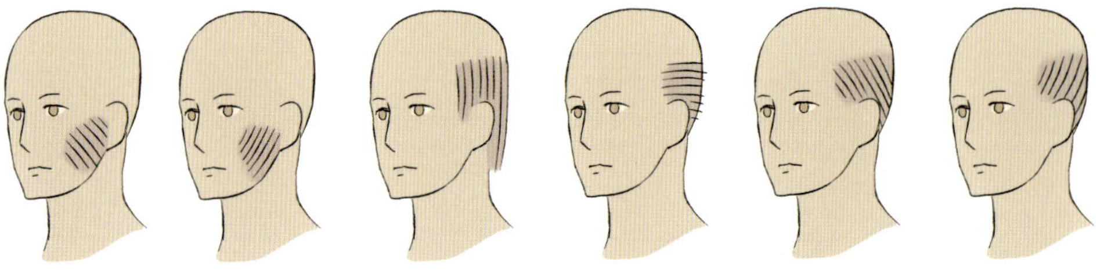

おじさんも髪を斜めに流したほうが【活動】に感じますね。重力には逆らわねば！

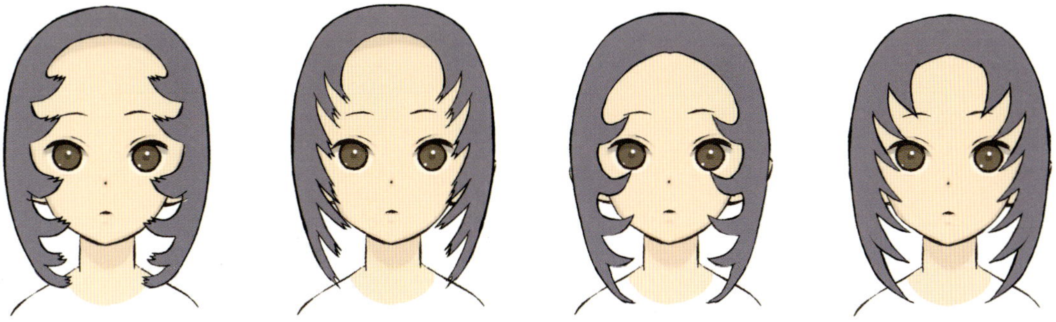

髪型は直線的なほうが【活動】に感じます。攻撃的な印象です。毛先のシルエットをくし状にして弱めると印象も弱まりますね。

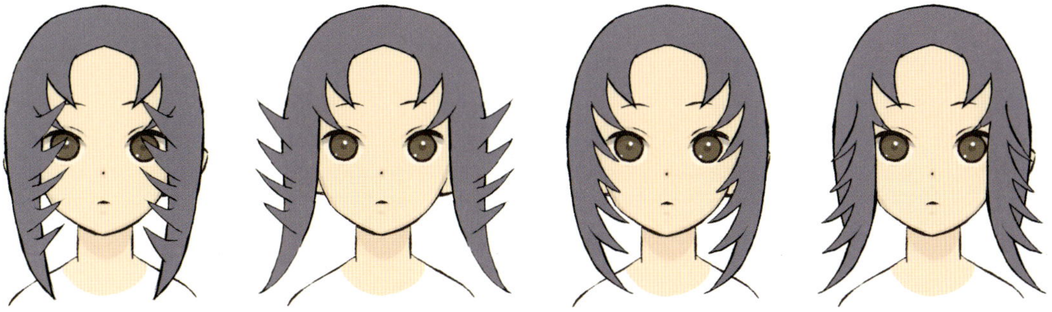

上広がりに外はねしている髪型が、一番【活動】を感じますね。

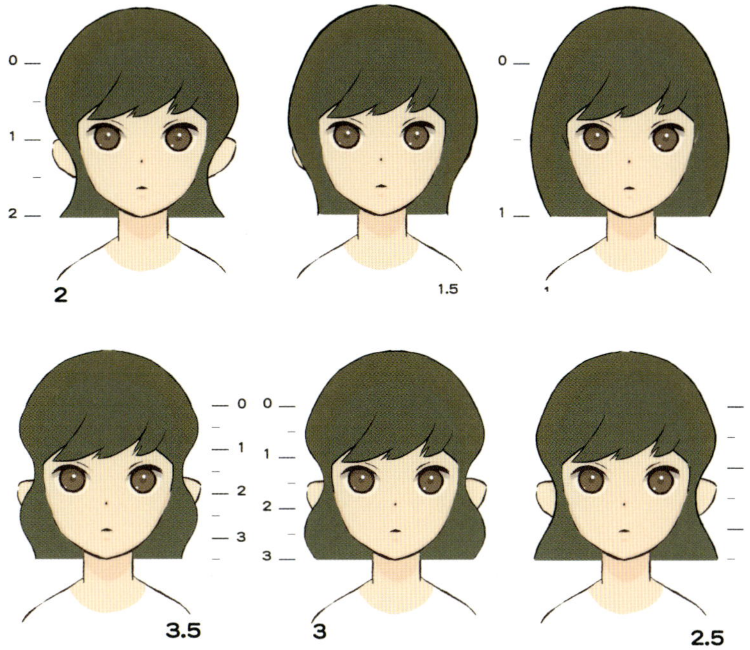

波を細かくする方がもっと違いが出づらいですね。性格の印象は受け取れないとわかりました。ただ、日本で強いウエーブヘアはレアなので、【個性】といえます。

ウエーブの波の数の違い。数が変わると何が違うのか描いてみました。髪の毛質が柔らかいと感じる程度で、印象の違いは大きくわかりませんね。

●おさげの広がり

45°より安定感があります。

真ん中▲

こちらも元気で【活動】。

プレーン▲

スッキリしているけど元気な印象。

●おさげの位置

男性がこんな髪型だったら【社会性】が低そうです。

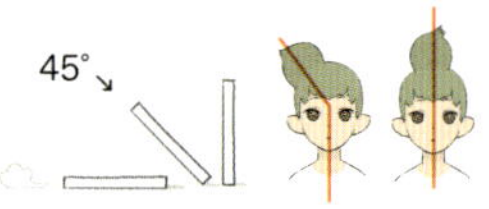

●45°

この髪型は【個性】。斜めは物が転がったり倒れる姿を想像するせいか、「不自然・不安定」な印象です。

●おさげの位置

首が隠れるか、見えるかで印象が変わります。首を見せたほうが【活発】。

●毛先の向き

下向きにはねたら【活発】が弱まりました。

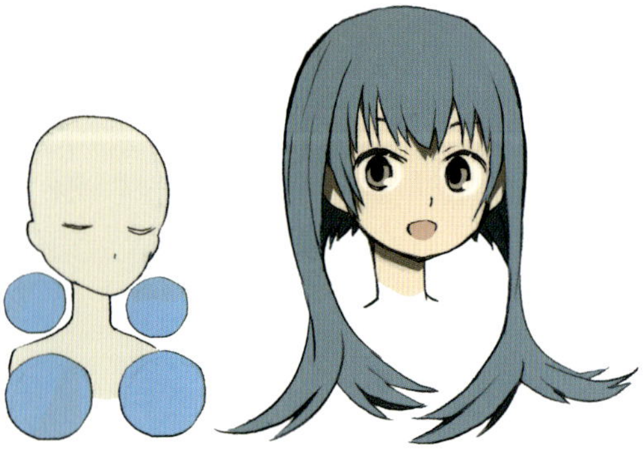

新しい髪型を考えるときは、あまり使われてないスペースを探して、無理矢理繋げようとしてガンバッたりします。図はおさげなのに、首周りには髪がなく、胸の位置で広がっているデザイン。そんなに奇抜に見えなくていいね。

おさげの位置▶

首の下の毛はヒゲにしか見えません。

5 ゾーンによる印象を比較してみましょう

これまで描いたパターンをまとめると、毛束やボリュームを置くゾーンによって、印象が変わることがわかります。

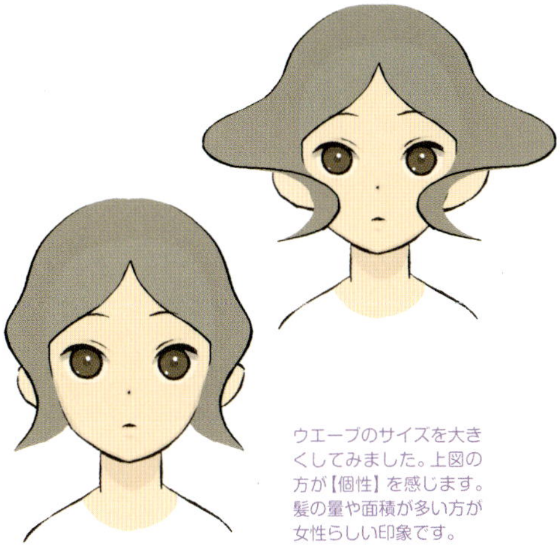

ウエーブのサイズを大きくしてみました。上図の方が【個性】を感じます。髪の量や面積が多い方が女性らしい印象です。

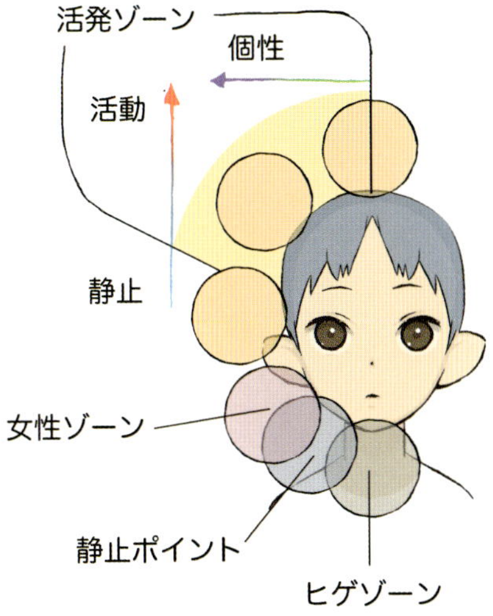

アトムの髪型

『鉄腕アトム』の髪型をゾーンにあてはめると【活動＋個性】が際立っています。直線的なフォルムも【活動】を強めている要素です。

ウエーブした髪型を上図のゾーンにあてはめてみました。該当する場所と近い印象になると思います。

6 大きさの印象比較

大きくなると【社会性】は低そうですね。

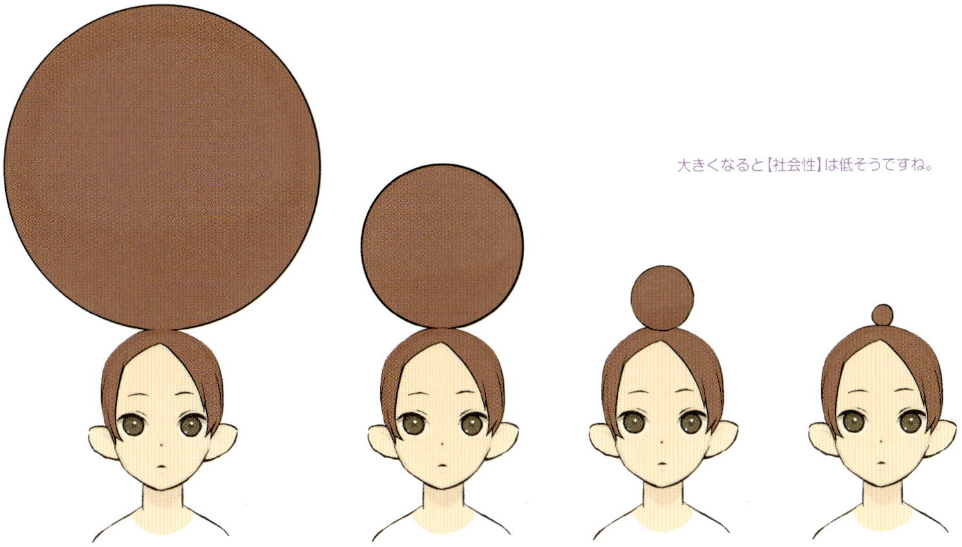

column

髪と目は キャラクターの花形デザイン

okama 頭部のデザインに限らず、キャラクターを描く絵は「髪」と「目」が、デザインの主戦場。嗜好の分かれる最重要部分です。こども向けならシンプルに極端なデフォルメで、僕たちオタク向けならアホ毛とか記号的要素を入れたり、デザインを盛り上げていきます。美少女イラストでは前髪は長めで黒目にかかっていたり、モミアゲも絶対必要だなと思います。これらは流行にもよるのかな。

物語にはたくさんキャラクターが登場します。明るく社交的な子、真面目で大人しい子、頼りになる子、変な子。そんなとき、デザインだけでキャラクターの性格がわかったら助かりますよね。チョイ役のセリフは減らしたいものです。そう思って、いろいろ考えたコーナーでした。発想のキッカケにしてもらえたら幸いです。

まとめ

このコーナーには、いつもだったら描かない、描こうと思ったこともない髪型が、たくさんあったと思います。異様に思える髪型でも、描いてみたら意外と自分の絵に合うこともあります。落としどころを探して手を加えていくのも楽しい遊びです。自分の理想を探す冒険をしてみてください。でも、自分の嗜好から外れたらダメです。崖っぷちまで行っても絶対に落ちない。僕はそんな冒険を繰り返しています。見たことのナイ場所を見たくて、無理矢理探して、自分の世界に翻訳して。スレスレを見極める。そのための試行錯誤を紹介していくのが、この本の要約という気がします。食わず嫌いをしないで挑戦していると、いつまでも飽きずにデザインを楽しめますよ！

PART2-8

頭部のデザイン〈ハイライト〉

「ハイライト」は髪に当たる光やツヤの表現で、描き方や形に決まりはありません。髪の流れに沿った自然な光沢から、ギザギザのツヤベタ、幾何学模様などのデザイン的な処理など、デザインの自由度が高いパーツです。ハイライトのベース作りから形の応用方法まで、okamaさんならではの斬新なデザイン案をご覧ください。

1 デザイン的なハイライトを見てみましょう

カゲを2層にしてみました。グレーの地色と接するように青を入れて、金属的な感じにしました。

髪の地色・ハイライト・カゲをアイテムと意識してデザインしました。

二重に描いたハイライトをそれぞれ別の色に。毛先も段階的に透明にして、水色や緑色を透けさせました。

ハイライトをハートの形にデザインしました。毛先にグラデーションも追加。髪の内側も別色にしてみました。

金環日食の光
の輪です。

文字の形を
入れてみました。

リングの形状を
生かして虹を作
りました。

髪の流れを無視して、
ハイライトのシルエット
を横に配置します。

ハイライトが輪郭を飛び出したデザイン。
髪飾りにしか見えないですが、何事も実験です。

2 ハイライトを入れるリングの位置を考えよう

元の絵

この髪にハイライトを入れます。

1

まず、頭全体で光が当たるところと、カゲになるところを考えます。輪郭のカゲとして端を暗くすると頭部に丸みが出るので、平面感が和らぎます。

2

僕は輪郭を光らせるのが好きなので、①をカゲではなく光にします。光源を意識せずに光らせていますが、逆光の感じです。

3

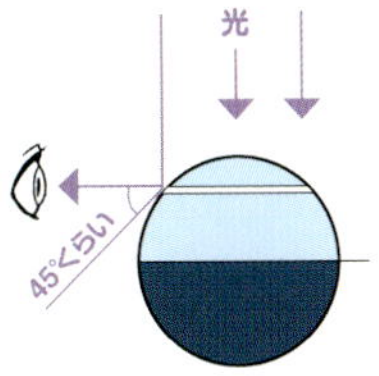

髪のハイライトがどこに出るのかを図にしてみました。だいたい、カーブの頂点になる変わり目に入るでしょうか。

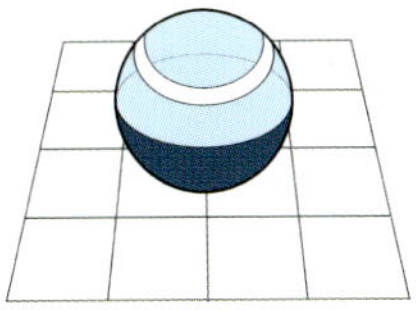

まこんな感じに見えるかな。この白いラインが、ハイライトの入る位置になります。

4

③で作った図のニュアンスでハイライトを入れました。つむじの部分にも入れてみました。

5

②で作った水色の輪郭に沿うハイライトと、④で作ったリングのハイライトを合体させます。

6

ハイライトと輪郭に入れた光が接触するところを水の膜が張ったような形で繋げます。図のようなイメージです。

完成

輪郭線に入れた光とハイライトの形を繋げた状態です。つむじのハイライトは削りました。(……じゃあ、なんで描いたの？) 湿ったような光沢ですね。

補足・カゲの入れ方について

工程③の球体のように、円の下部分を紺色で塗りました。崖状になっているところを全てカゲとして塗ると、このような明暗がつきます。

3 立体感を出すハイライト

1

毛束をガイド線で分けました。毛束の中心線も薄く引いています。

2

髪色をグレーで塗ります。毛束の半分を別色で塗ると凹凸が出ました。

3

毛束のガイド線に沿って明るい線を入れます。立体的に見えますね。

4

前ページで解説したハイライトの位置に、ひし形のツヤを置いてみます。

5

リング状のハイライトを非表示にした状態。

6

毛束のガイド線を非表示にした状態。

7

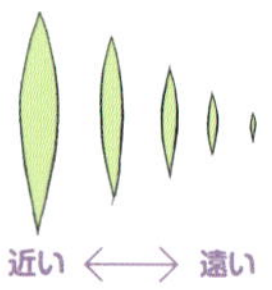

サイズの違いで距離感を演出できます。

8

頭の立体に沿って遠近感を加えました。このハイライトをさらに変化させていきます。

4 ハイライトの形を変えてみよう

長さや距離を変えたハイライト

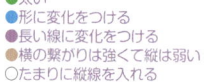

色別に左から
- ●グラデで髪に馴染ませる
- ●縦線
- ●横に繋がる細い縦線
- ●太い
- ●形に変化をつける
- ●長い線に変化をつける
- ●横の繋がりは強くて縦は弱い
- ○たまりに縦線を入れる

光源を意識してハイライトを整理。光源の距離に従い小さくしました。

リングと髪の輪郭、毛束ごとのフチ、毛束の頂点の全てを合体させました。

心電図のような波形に変形させました。

「たまり」を変化させてみました。

「形に変化をつける（●）」を強調したハイライト。光源を意識して入れた印象です。

上図の一色バージョン。グラデ（●）や細い線（●）の方がリアルな感じ？横に繋げる（●）だとオイリーで金属的な印象です。

くし型のハイライト。毛束ごとのハイライトを細い線で入れつつ、頂点は長く、ほかは短めに。リングに沿って入れています。

光源からの距離にあわせてハイライトを増減。光源から離れる程、形の精度を下げました。

5 リングをデザインする

シンプルな普通のリング。

リングの帯を縦線で途切れさせました。

いろいろアイデアは無限大ですね！

ハート型に大小をつけて並べました。

リングに沿ってレースを描きました。装飾に見えるのでハイライトらしくならないですね。

毛先にひと工夫加えてみよう

毛束はこだわれるポイントなのでいろいろ描いてみました。

毛先に差し色を入れます。 / とにかく絡ませました。 / 筆っぽい印象です。 / 別の毛を乗せます。 / 長い裂け目。 / 短い裂け目。 / 毛先をランダムに裂く。 / 均質に割ると逆に硬い感じになります。 / 毛束に線を加筆。

毛先の固まり具合の違い

固まりが大きすぎて、栓抜きになりそうです。

毛先を裂くと柔らかくなります。

毛先を長く裂くと、柔らかさが増します。2・5次元に近づく感じです。

毛先をデザイン的な形に変形させる

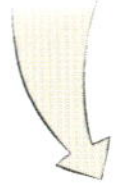

毛先にデザインを加えてみました。

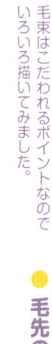

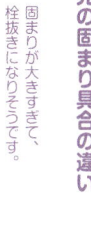

スター型

十字型

column

絵って塩梅だよね。

ことあるごとにアンビバレンツに出くわします。

okama 髪の毛の表現方法は人それぞれ。僕はもともとドガの塗りが好きだったので、アッサリしているのにシッカリ安定感がある。そんな感じが好きなので髪のハイライトやカゲは、頭部周辺の情報量が物足りないと感じたときだけ追加します。

下図は完成したハイライトです。数年経って再び眺めてみると……なんだか物足りないですね。眉毛もないし。ハイライトが入る位置も、参考に描いたリングの位置から外れています。今ならハイライトのツヤは頭蓋骨の立体を意識して、もうちょっと上のほうに置きたい感じです。

デザインしていると、物足りないけど描き込みたくない。アッチを立てればコッチが立たない。対立した条件を両立させるコトが必要。そんな面倒な状況にしょっちゅう出くわします。結局、絵はバランス、塩梅なんだよな〜って、よく思います。

PART2-9

頭部のデザイン〈装飾〉

頭部には装飾をつけることもできますね。帽子やカチューシャ、メガネに入れ墨など、顔や頭につくアイテムはキャラクターの特徴にも繋がるといえます。顔の周りは一番目にすることが多い場所のため、そこに装飾をつけるとキャラクターに差違を出すことができます。アイデアの幅を広げるコツを見ていきましょう。

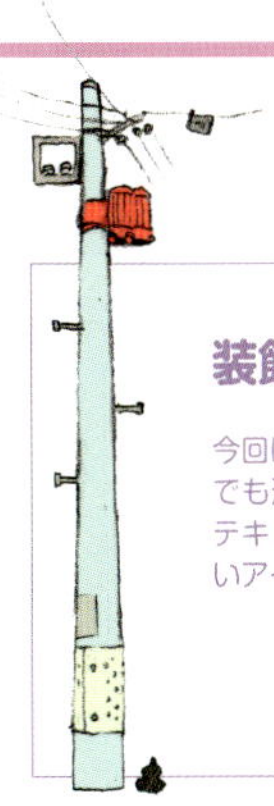

装飾するモチーフは「電柱」

今回はなんとなく電柱をモチーフにしました。でも形はうろ覚えです。パーツは目立つ色にテキトウに彩色しています。頭部にはつかないアイテムですね。

1 アクセサリーとして取り入れる

ワッペンやバッチ、髪飾り、イヤリング、ネックレスなど、誰にでもわかりやすい自然なデザイン。入れるときは、一カ所に絞った方が、強い印象を与えられます。

2 似たシルエットのものと置き換えてみる

電柱には、細長い柱、足場ボルト、変圧器というパーツがあります。長細い髪の束など、シルエットが似ているものは、置き換えが簡単です。

置き換えのバリエーション

帯状の形をベースに、角度のバリエーションを考えてみました。手前から「横に倒した形」「立たせたまま並べた形」「上から潰した形」です。

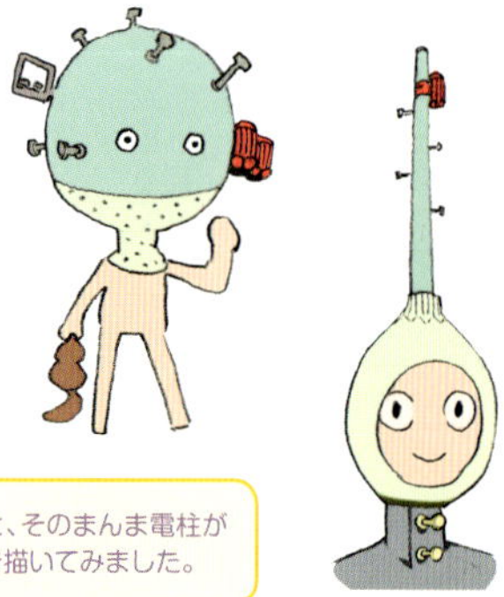

電柱マスクと、そのまんま電柱が刺さった人を描いてみました。

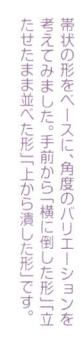

3 強引に変形する

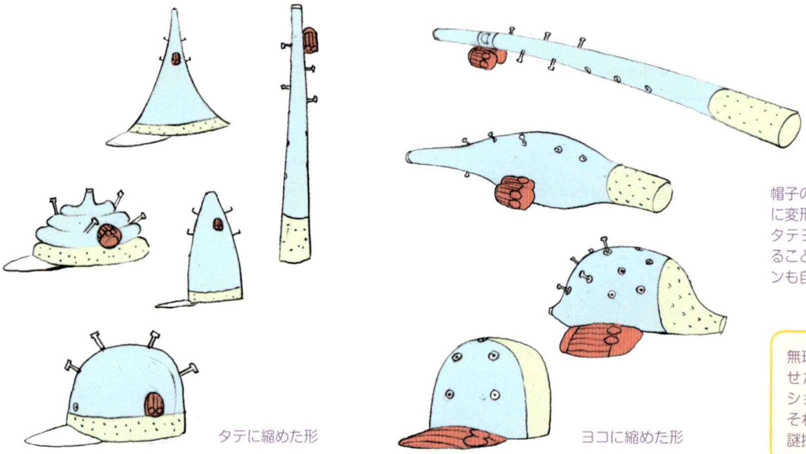

タテに縮めた形

ヨコに縮めた形

帽子の形になるように、電柱を強引に変形してみました。長細い電柱をタテヨコに縮める経過も描いてみることで、デザインのバリエーションも自然と増えていきます。

無理矢理に伸ばしたり膨らませたりする様子はアニメーションみたいですね。もはや、それだけ見ると何がなんだか謎掛け状態です。

4 帽子の新しい形を探そう

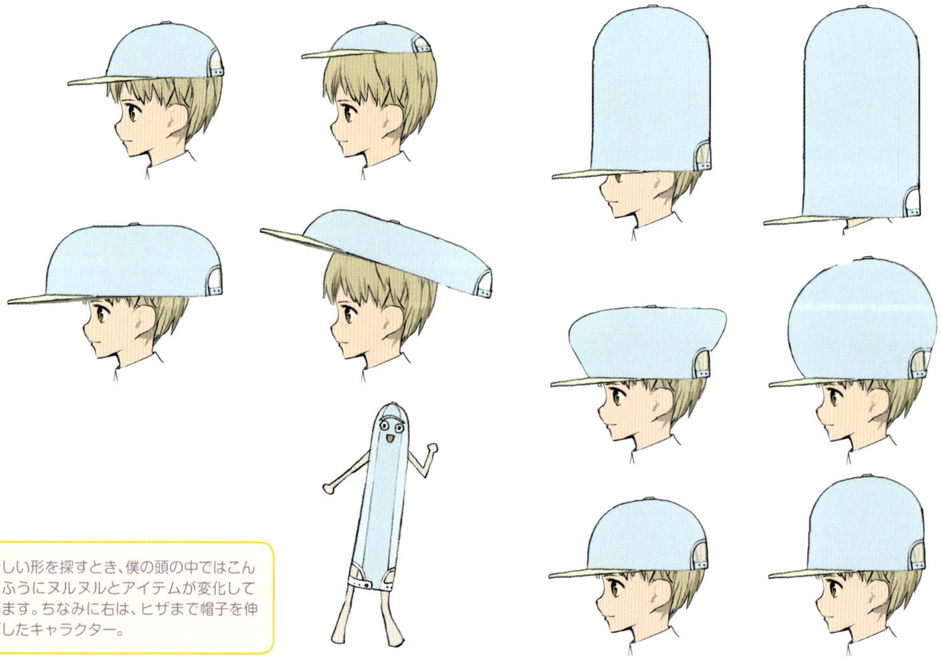

新しい形を探すとき、僕の頭の中ではこんなふうにヌルヌルとアイテムが変化しています。ちなみに右は、ヒザまで帽子を伸ばしたキャラクター。

5 帽子の変形方法を考えよう

帽子の形をさらに発展させるため、「帯状」と「頭にかぶる形」を基本形に「タテ・ナナメ・罫線・垂直線」に変化するパターンを描いてみました。

6 電柱デザインの装飾が完成

電柱と帽子を融合させた装飾が完成しました。元にした電柱の色分けのまま配色されているので、パーツの変形具合がわかりますね。赤いツバには変圧器、取っ手のようなコの字金具、足場のボルトも装飾的に配されています。普段、何気なく見ているアイテムでも、デザインとして加えることで全く違った見え方になるのが面白いところです。また、既製のアイテムを変形させたりデザインに取り入れる方法は、頭部のデザインに限らず広く応用できるので、ぜひ参考にしてみてください。

おまけ

野球帽のツバがゴムのように伸びる様子をデザイン。ツバが垂れるので、頭頂部に留めています。魔球を投げる野球青年です。

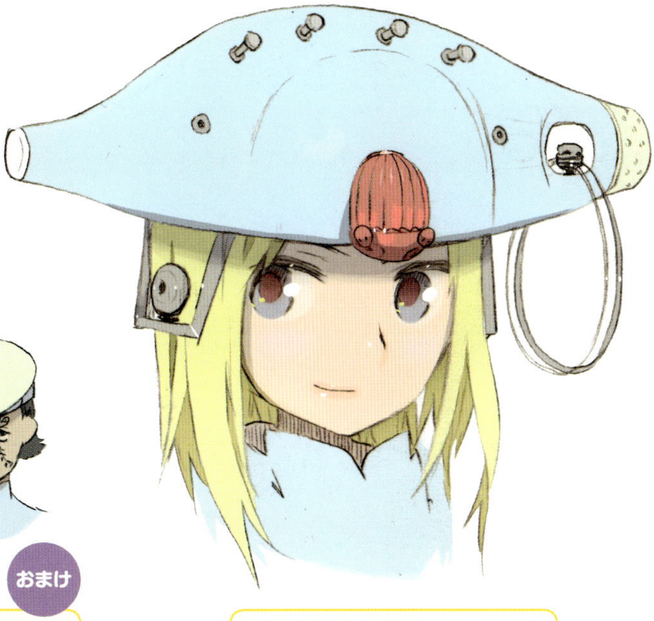

「わかりそうでわからない感じ」が良いので、一見、電柱には見えないコレがいいかな。

column

アイテムに付属するイメージを有効に使おう

漠然とデザインを加えるのではなく、
物語やキャラクターの性格も想像しながら描くのがポイントです。

アクセントをつけるポイント

- かぶり物系(帽子　冠　パーカー　ヘルメット)
- 帯系(スカーフ　バンダナ　カチューシャ)
- ヘッドフォン　イヤーマイク　メガネ　眼帯　つけまつ毛　マスク
- メイク　ピアス　シール　入れ墨　傷跡　医療器具
- ホクロ　アザ　ヒゲ　シワ

okama　アイテムをつける位置は大事です。微妙な位置は何回も描くと忘れるので、左図に印をつけた「中心・端・半分」がおすすめです。アイテムを置ける場所はロッカーの数のように限りがあります。デザインで使うモチーフも、種類には限界があります。未知なモノはシルエットや図形として認識されてしまうし、図形はもっと種類が限られています。モチーフが似てしまうのは当然なコト。でも、チョットだけ、微妙にずらせたらいいんですよね。

「メガネは真面目」「イチゴはカワイイ」アイテムはイメージを支える力があります。キャラクターの装飾には、だいたいそんなメッセージが込められています。でもメッセージにこだわりすぎると、自分が着ている服も気になり出します。「僕は今、なぜワニの刺繍入りシャツを着ているんだろう……」「今日は季刊〝S〟の打ち合わせだからスーパーマンのTシャツを着るべきかな。でも、持ってないからモンハンのやつでいいか」なんて考え出したら面倒になって、服は全て黒……ってことになってしまいます。

special lesson

カゲをつけよう

カゲはキャラクターづくりに欠かせないものです。
ここではokamaさんがよく使用する８種類を紹介します。

光源のカゲ（右上）

光源を意識してつけるカゲ。顔には細かい凹凸があるけれど大雑把に。顔半分にカゲを入れました。

補助カゲ

形を見やすくするための最低限のカゲです。例えば、顔の奥にある髪や、布の重なりにカゲを落とすと輪郭をパッキリさせられます。

カゲなし

いろんなカゲを紹介してくれる「影子ちゃん」。リコーダーを片手に不敵な笑みを浮かべています。

光源のカゲ（逆光）

逆光は輪郭を明るくして表現します。背景が黒いときも、シルエットをはっきりさせてくれるので便利です。

光源のカゲ（正面）

光を正面から受けたように見せるため、頭の輪郭に沿ってカゲをつけました。カゲ色を濃くすると、強い光を受けていると感じられます。

光源のカゲ（あおり）

影子ちゃんのデフォルト姿。不気味になりました。下からの光はシリアスな感じが出せますね。

いろいろ重ね合わせたカゲ

「補助カゲ」に、「空間カゲ」「ボリュームカゲ」を混ぜ合わた状態。「逆光カゲ」を［スクリーンモード］で重ねています。いっぱいカゲがついて影子さんもジットリ喜んでいます。

ボリュームカゲ

立体感を出すときのカゲ。おっぱいの膨らみを表現したいときなどに一番使うかな。

空間カゲ

奥行きを表現するためにつけます。この絵は奥行きが乏しいので、顔の中心からの距離に比例してカゲを濃くしました。

構造説明

頭や服、腕などを立方体と考えてカゲをつけます。簡単な図形で考えると、カゲになる場所をイメージしやすくなります。

初出：月刊ニュータイプ 2008年11月号・12月号・2009年1月号

special lesson

光を足そう

デジタルイラストでは光の表現が簡単にできます。「レイヤー」の「描画モード」を「スクリーン」か「オーバーレイ」か「覆い焼き」にするだけで、ブラシで塗った部分が光って見えます。女の子が持っている武器は「提灯セイバー」。光らせていきますよ～。背景は中華風にしてみました。

1

光を足す前にカゲを入れます。提灯セイバーが光る予定なので、そこを光源にカゲを落としました。

2

新しくレイヤーを作り、描画モードを［スクリーン］にします。そしてブラシで光を書き込んでいきます。柄を持つ手首が一番光源に近いので、より明るくしました。

3

光を強調するために背景を暗くしました。

4

キラキラとした光の粒を描きました。周りに光を描くとそれっぽく見えますよね。小さな粒ですが、散らしておくと、画面を支えてくれて便利なんです。

FINISH

完成！提灯セイバーがキラキラと光を放ちました。光を描く前と比べると、ふんわりと柔らかい印象になりましたね。空気感がでました。

光を描く前のイラスト

初出：アニメNewtypeチャンネル

part 3

コスチュームを楽しくデザインしよう

PART3-1

「下着」を描いてみよう

コスチュームデザインの着眼点は幅広くあるので、様々なアプローチを試してみましょう。日常的な下着や全身を覆うボディスーツは「体のラインに合わせた形」をしています。体のラインを使うと、面白い形を取り出すことができます。筋肉や骨の形、体に入るカゲなど、デザインのヒントはいろんな場所にあるので、注目してみてください。

A シワから形を取り出してみよう

シワ・筋肉・骨・カゲ・点など、身体のなかから隠れたラインを探していきます。（骨や筋肉、デッサンはいつもテキトウなので真似しないでね）

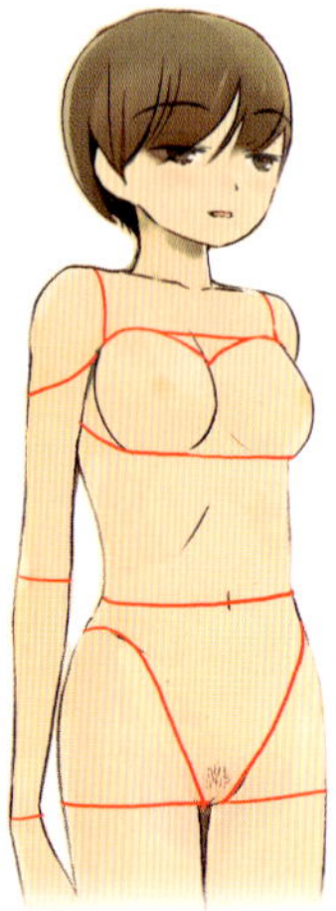

シワを省略すると赤線のようなラインが考えられます。ボディーペインティングみたい。

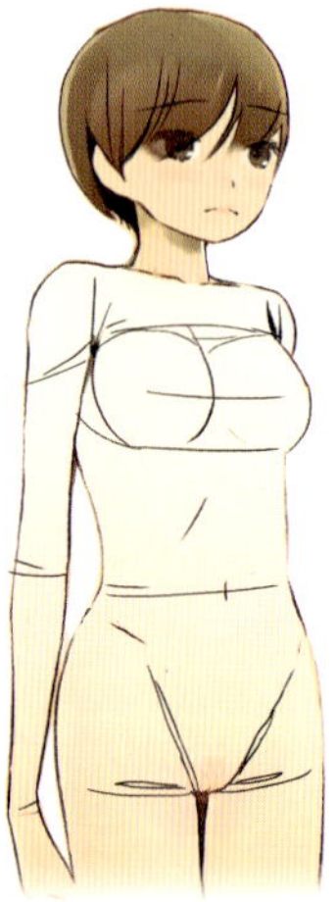

全身タイツを着たときに出来るシワ。

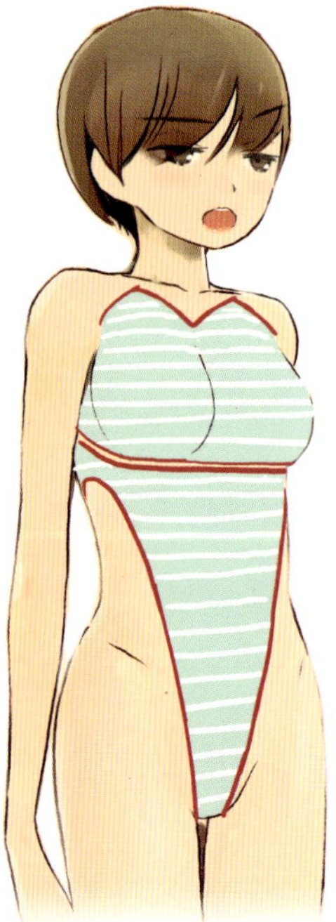

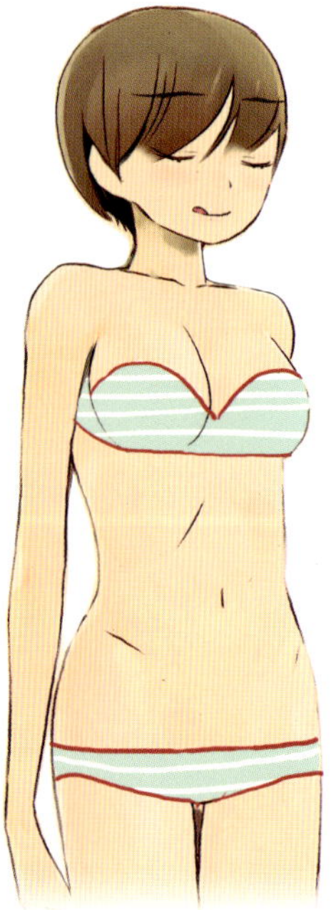

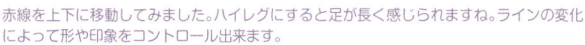

赤線を上下に移動してみました。ハイレグにすると足が長く感じられますね。ラインの変化によって形や印象をコントロール出来ます。

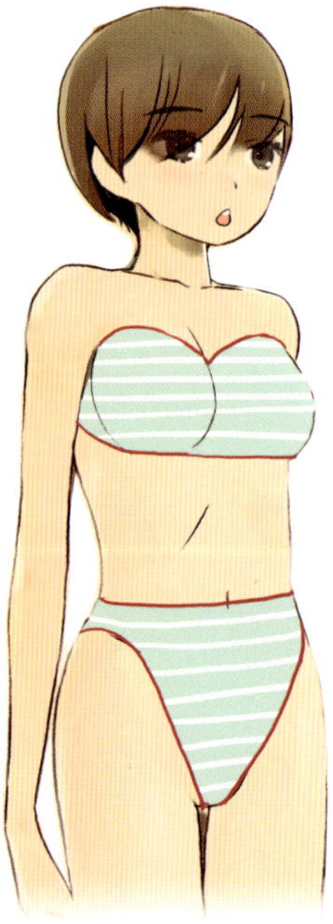

この４本の赤線を結ぶと、見たことのある感じになりました。

B 筋肉から形を取り出してみよう

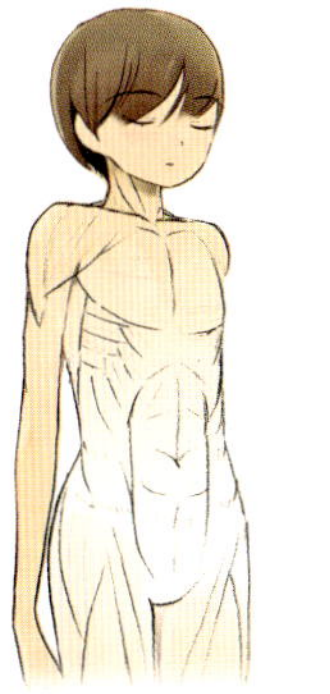

筋肉のラインを抽出します。全然記憶出来ないけれど、筋肉の本は読むと面白いです。

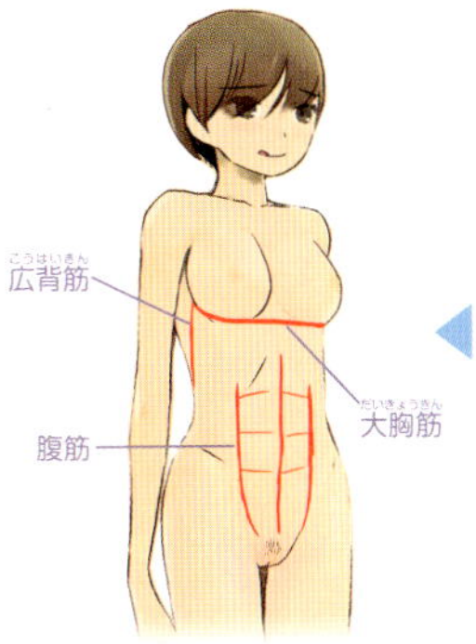

広背筋、大胸筋、腹筋のラインを選択。大胸筋はおっぱいの下にあります。

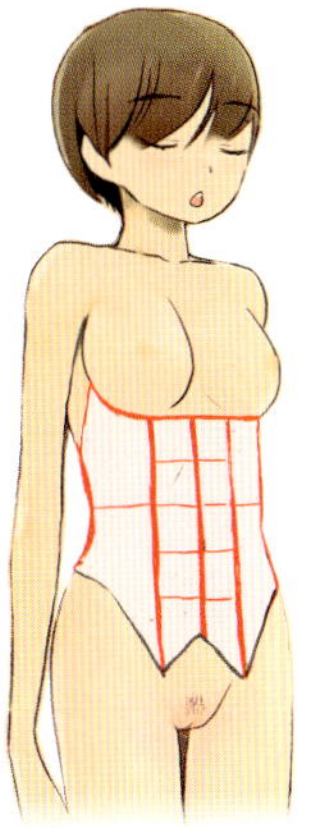

上図で作ったラインを伸ばして、面を作りました。

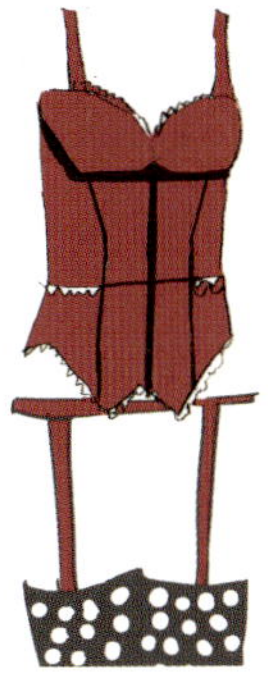

面をつなげるとコルセットの形に似ています。スポーティーな服は筋肉のラインを強調するものが多いですね。

C 骨格から形を取り出してみよう

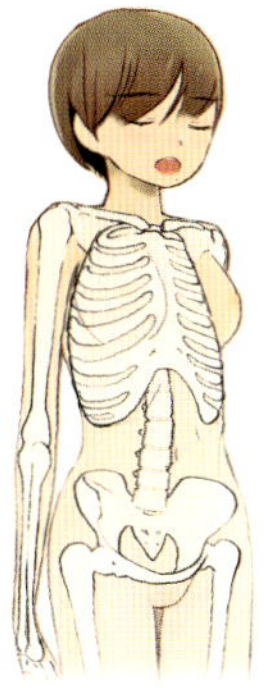

骨ってこんな感じだよね。

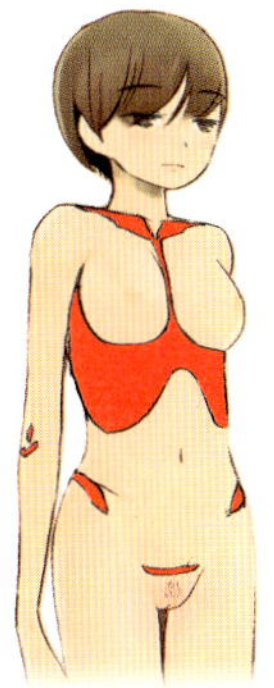

体を触ったときに骨を感じる部分を、直感的に大まかな面で捉えました。

硬い素材でも、骨の部分なら動きの邪魔にならないのかな。

上図の形を利用して塗ってみると、肘に変わった模様が出てきました。

D カゲから形を取り出してみよう

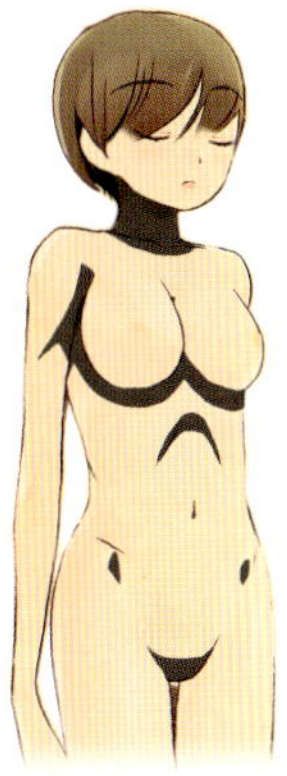

上からの光源で出来るカゲ。

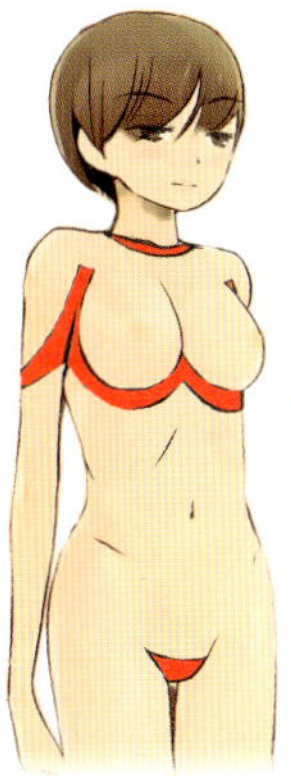

カゲから、赤い形を抽出しました。

赤い形を支えるリボンとおっぱいを隠す布をつけて、なんとなく色を塗りました。

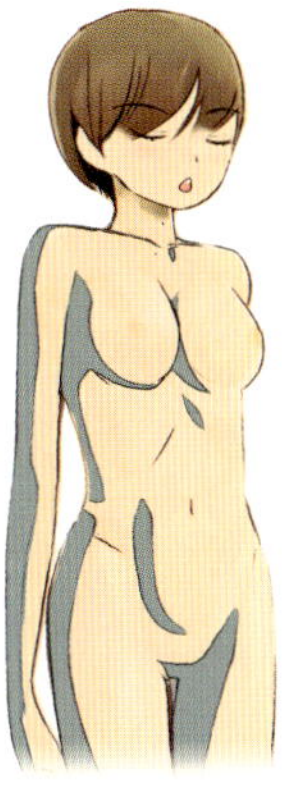

横からの光源で出来るカゲ。グレーで塗りました。

グレーの部分を緑色に塗り替えました。そこに白黒のドットと濃い肌色部分を塗り足すと、ウルトラマンの隊員みたいな服になりました。

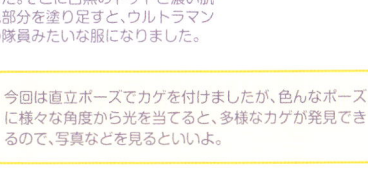

今回は直立ポーズでカゲを付けましたが、色んなポーズに様々な角度から光を当てると、多様なカゲが発見できるので、写真などを見るといいよ。

E

ポイントから形を取り出してみよう

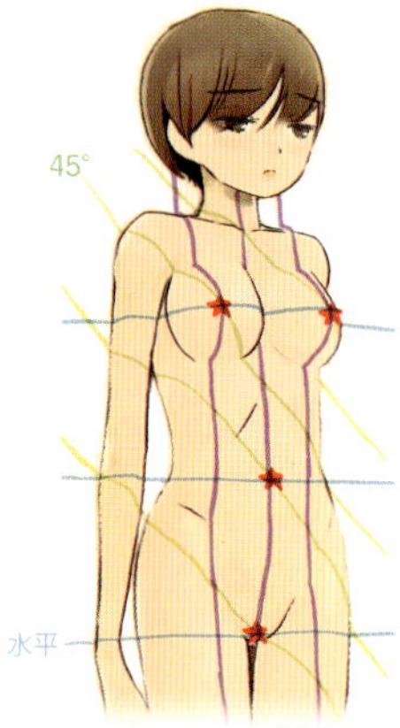

赤い星は「乳首」「へそ」「股間」を示しています。そのポイントを通るラインを探ります。

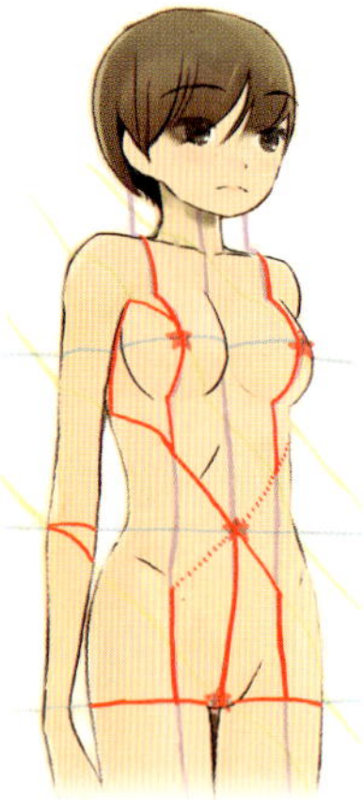

ラインの中から赤い線を抽出します。

形に合わせて色を塗ると、服のようになりました。

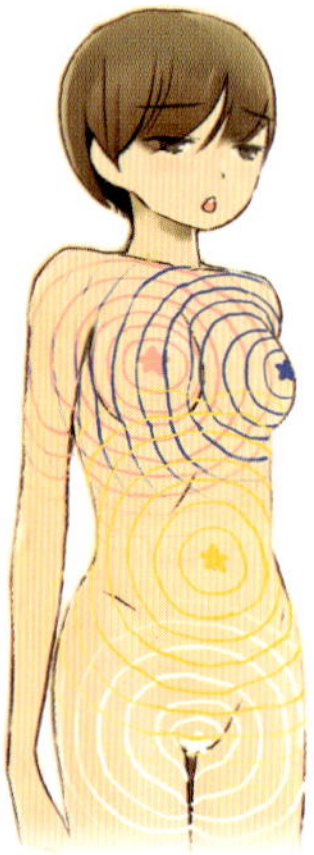

星印を中心にした同心円です。身体の凸凹も反映させた形をしています。

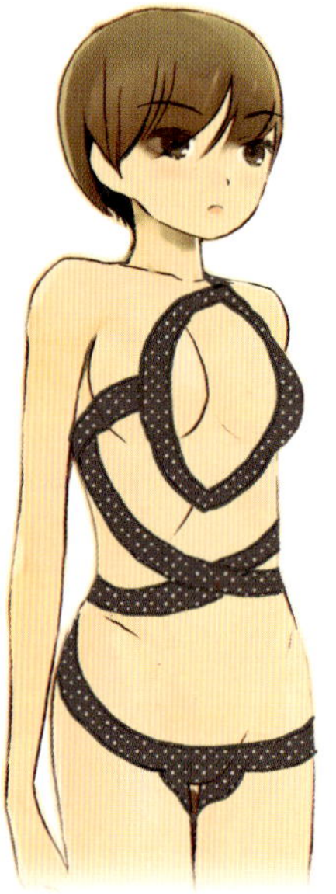

同心円から適当に線を拾って塗りました。SF的な下着ですね。

身体のラインを解説！

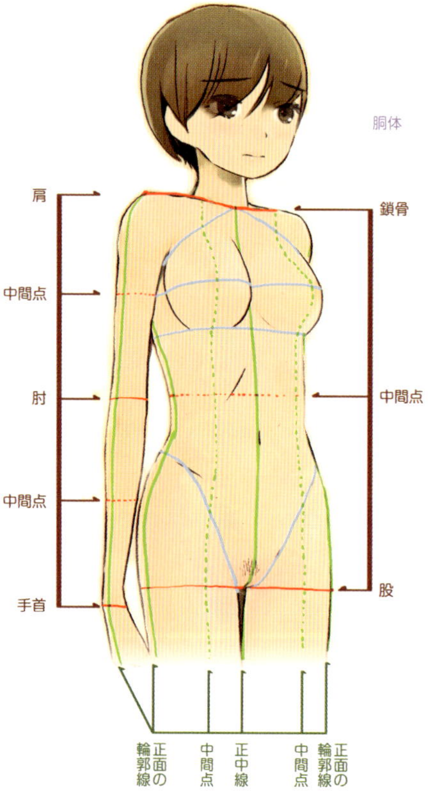

水色のライン
◎首の付け根と脇の下を通るライン
◎股下をくぐり、骨盤に乗るライン
◎おっぱいの下と頂点

水色のラインは複雑なデザインのときに目印を入れておくと便利です。漫画を描くときにも重宝します。

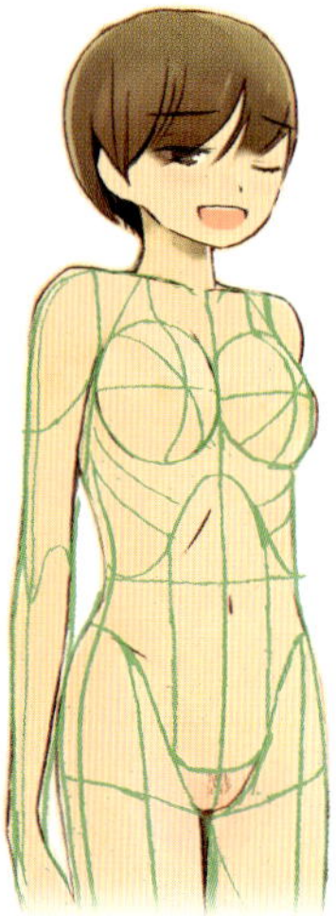

描いて消したり、消した線から形を拾うなど色々な線を探してみよう！

ラインはこの他にも色々なものが考えられます。乳首やおへそのラインを背中で一周させたり、おっぱいのラインを拡大したり。何度も描くデザインに使うなら覚えやすそうなのがいいな。

column

男女で異なる服のラインを考えてみよう

何気なく着ている服も、観察したり着てみると発見があります。
服のラインから縞パンの色の話まで、面白い違いに出会えます。

okama　女性の服はボディーラインを強調するものが多くて、男性の服はストンした直線が多いです。女性と男性の服はTシャツひとつでもだいぶ形に違いがあります。以前プリントが気に入った女性もののTシャツを購入したとき、着られたけれど脇毛が丸見えになったことがありました。女性の服はそでが斜めにカットされていたり胸回りがキュッと狭いので、体のラインを強調できる形なんですよね。襟首も広いものが多いです。

ラインといえば僕たちオタクは「縞パン」が大好きですよね。でもなぜか水色ばかり。色は変更したらダメなのでしょうか……。僕は色々と変更して試してみたいです。

オマケ

連載時、雑誌の特集テーマが「おんなのことおとこのこのあいだ」ということだったので、男性的なラインからブラを考えました。大胸筋のカゲの形と、前鋸筋→肋骨弓→腹筋のスジに沿ってひもを通したら、こんなことに。パンツを着けると、飛行機みたいで面白いですね。ブラじゃないよ！

まとめ

下着を様々なラインを元に描きました。ラインがわかるとデザインの要素が入れやすくなりますね。僕は洋服を作ったことがないので分からないのですが、このラインってカッティングってことなのかな〜。

服のデザインを考えていると、おなか周りのデザインが寂しいなってことがよく起こります。そんなとき、このラインは役立ちますね。ラインが引ければ、そこからさらに「ちょい足し装飾」も乗せられるので、ラクチン&便利に不足感を補えます。ちょい足し装飾はのちほど登場します。

PART3-2

「上着」を描いてみよう

服の装飾に使われることが多い「ファー」を上着に取り入れてみました。暖かい質感で季節感が出せたり、ボリュームのアクセントになるファーは、上着に限らず下着や帽子、小物などにも応用可能な素材です。毛の質感を描き分けられると、何種類ものファーを同時に使った豪華な衣装ができあがります。

A だいたいフサフサ系ファー

ファーはいろんなアレンジができる楽しい素材。基本的に髪の毛と同類ですからね。ここでは出来るだけたくさんバリエーションを描いてみました。パーカー・袴・袖・すそ・ポケット・パイピング。お財布などのアイテムにワンポイントで入っていても可愛いくなりますね。ネイチャーな感じや高級感も演出できます。

B だいたいモコモコ系ファー

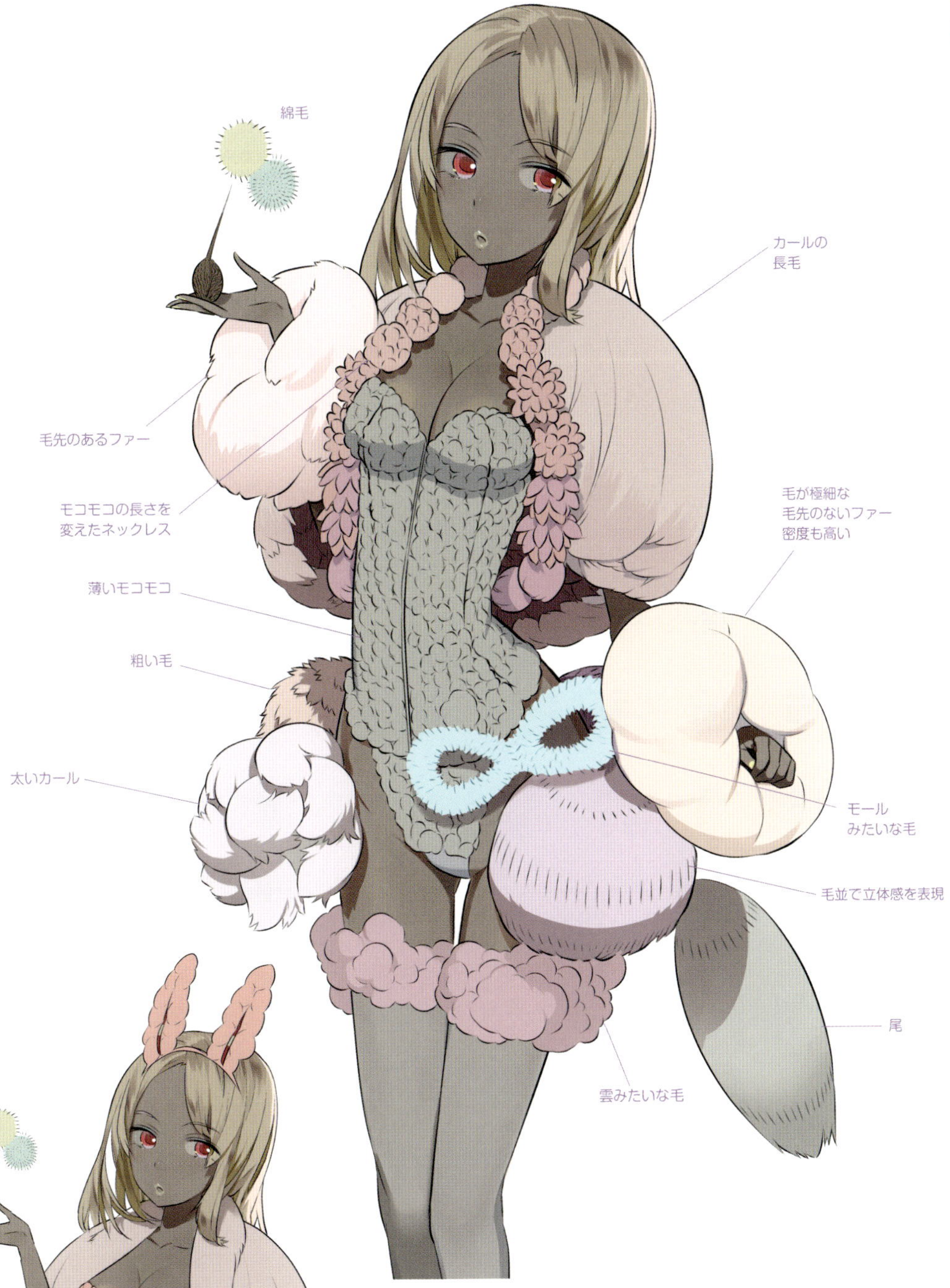

バニーちゃんの装飾は、このくらいなら普通にありそうかもしれない。

模様があるとさらに毛皮らしくなります。色は黒・白・灰・茶・黄・赤など、アースカラーが安パイです。毛並みがバサバサだと柄は乗せにくそうですね。

D 応用系ファー

左から爪･鱗･羽･葉･蝶･花。
同一のモチーフを面から生やしたら
ファーになると拡大解釈しました。
ファーで作ったリボン
ドコにでも合う
便利なポンポン
羽を象った毛
腰のスパイラルな毛に
ファーを植えました。
ウロコ状の束になっている
細い毛
テキトウなファー
光沢で毛を描写
スパイラルな毛を巨大化
数が少なくてファーじゃないか……。
ラッパ型にウェーブ
裏地･
羊毛皮ふうのモコモコ

ファーの変化の素

この3パターン6種を組み合わせると、3の6乗＝729通りのファーを作れるよ！

硬さ

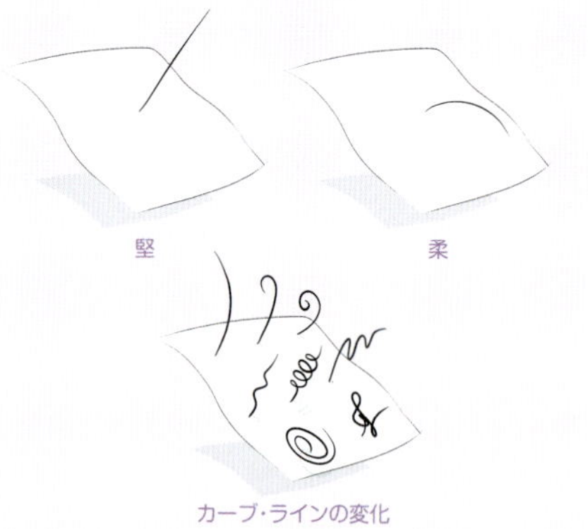

長さ

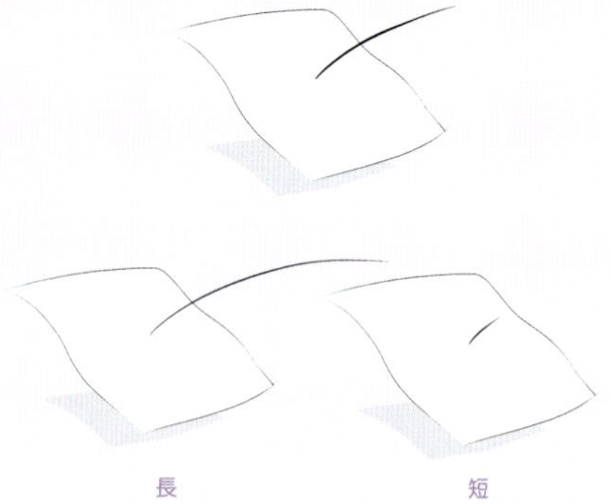

密度

太さ

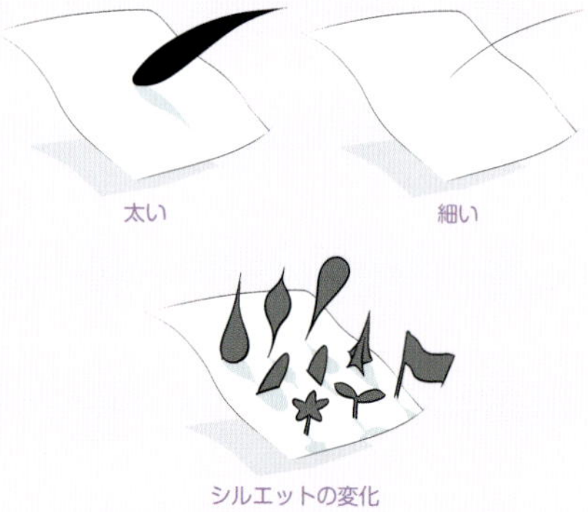

方向

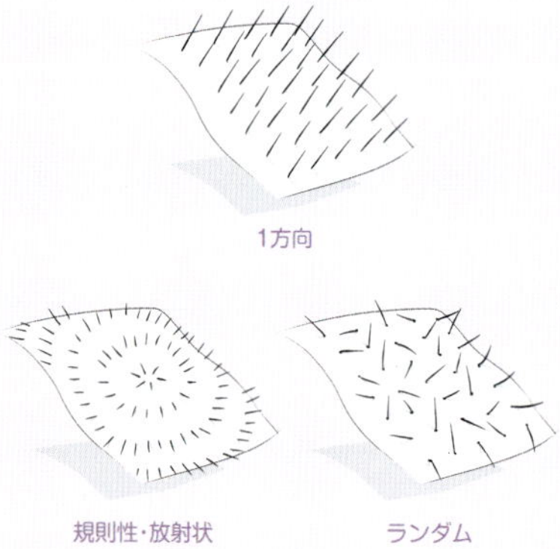

配置

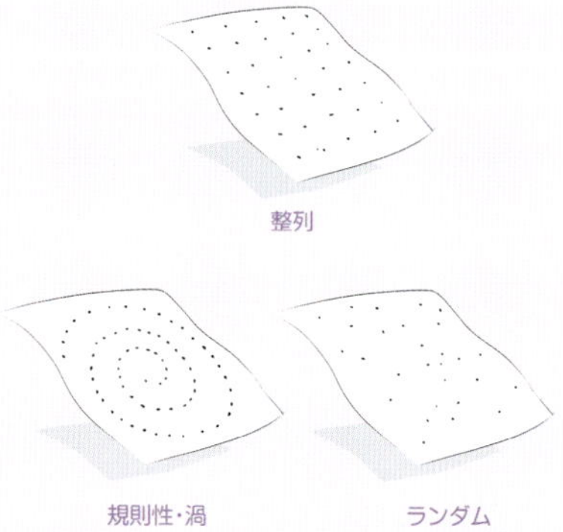

special lesson

おま毛犬

「多い少ない」「短い長い」「位置の違い」を意識すると、デザインのバリエーションが増えますよ。似たキャラクターが並んでしまったとき、試しに髪や服の質感を変えてみてください。パッと雰囲気を変えられますよ。

ウエーブ
右は波の大きさや細さをバラバラにしたランダムな毛です。整った波のほうが立派な感じがしますね。

量
左の毛が多い犬はワサワサと描きます。少ないほうは、ところどころチョンチョンと毛を出す程度にして、体のラインを出しました。

サイズ
毛の大小の違い。毛玉が小さいほうが素直そう。耳と足のサイズを変化させたら、また印象が変わると思います。

位置
この2匹は上下を変化させました。位置どりは、前後や左右、斜めやまだら模様などいろいろです。毛が下にあるほうが年寄りに思えるかな。

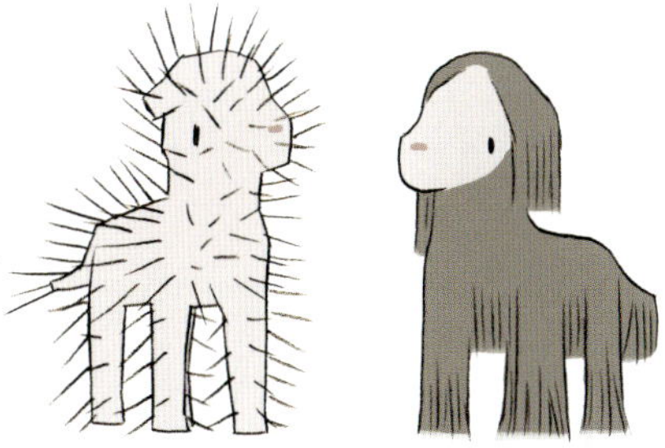

硬さ
硬い毛は外側にツンツン。柔らかい毛は重力に従ってストンと垂れています。柔らかいほうが優しそう。

長さ
短いほうがよく走り回りそう。でも長いほうが、動いたときの絵が面白そうですね。

初出:月刊ニュータイプ 2008年4月号

special lesson

デザインのハーブ

僕はデザインするとき、素材や要素の組み合わせや数、大きさ、長さなどを常に脳内で変化させながらイメージを固めていきます。今回はその発想の調味料みたいなものを、花びらに置き換えて現してみました。だけど、この花たち、みんな気持ち悪いですね。

素材感

ビニールやガラスなどの透き通る素材は、端から少し色をグラデーションさせると、より透明感がでます。布は縫い目を、毛皮は毛を描きましょう。

花びら

5種類の花びらを組み合わせました。「モノとモノを組み合わせる」これはアイデアの基本です。ひまわりは色も変えています。

ことばのイメージ

「カサカサ」は水分がなくなり小さくなった状態。「ボロボロ」はおからをイメージして崩れそうな感じに。「ボコボコ」は大小さまざまな膨らみを描き、「チクチク」は細かいトゲを。「シワシワ」はおじいちゃんのキンタマで表現しました。

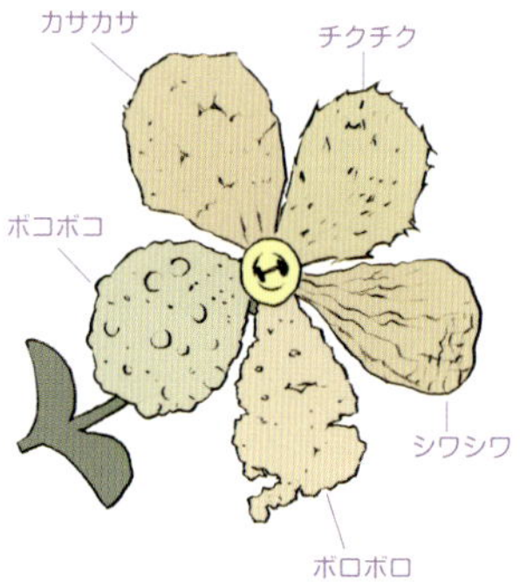

花の要素

花の要素を抽出したデザイン。トゲを花びらに付けたり、根を無理やり花びらにしたり。置き換えてみました。

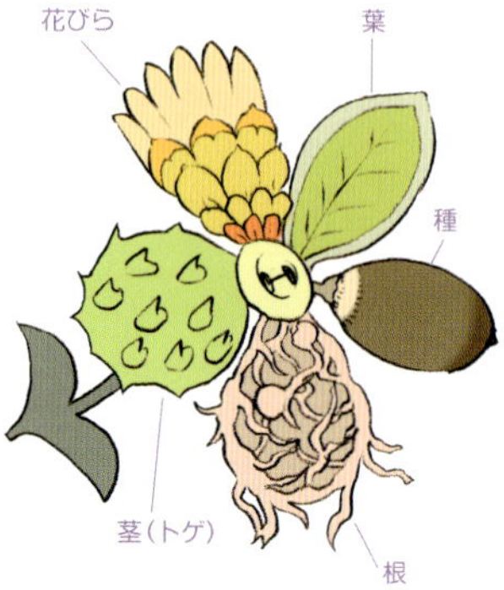

メカ

花びらのシルエットに寄せて、丸みをつけたメカたちです。ヘロヘロな感じに描きました。花とかけ離れたモチーフだけど、なんだか面白いですね。

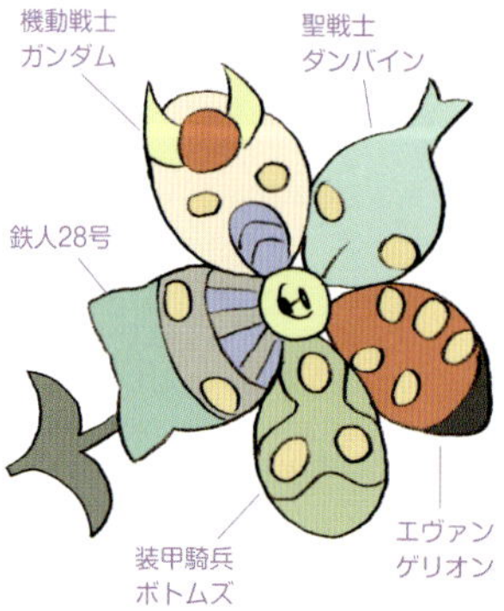

自然界の要素

自然界の要素の表現を覚えると、絵の幅が広がって楽しいですよ。金属は厚みをだしてエッジを立てました。

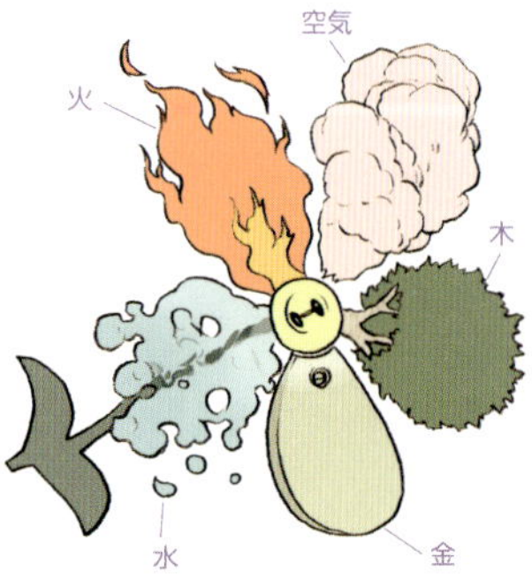

初出:月刊ニュータイプ 2008年5月号・6月号

special lesson

デザインのハーブで服を作ろう

隣ページで描いたデザインのハーブの素材から「毛皮・布・ガラス・紙・ビニール」を選んで服をデザインしてみました。

布の服
ニットみたいですね。布は縫い目がポイント。ボタンやポケットを描くと素材感がでます。

毛皮の服
ゴワゴワした重たいものから、ふわっと綿毛のような素材まで色々。毛は線のタッチで表情豊かに。

下着
手のひらを見せておけば、その部分もデザインできますね。

ガラスの服
ガラスの服と急須を掛け合わせました。和風な感じになったので、靴底にビー玉をつけて下駄風に。手に持ったドクロは意味不明です。

紙の服
紙風船やちょうちん、新聞の柄や紙のリングで素材が紙だということをアピールしています。

ビニールの服
「ビニール袋」がモチーフ。結び目のデザインが特徴的ですね。未来的な印象かな。

初出：月刊ニュータイプ 2008年7月号・8月号・9月号

special lesson

テクスチャを使ってみよう

質感や密度を出せるテクスチャ素材を使ってシンプルな服を華やかにしましょう。絵に乗せるだけで印象が変わりますよ。Photoshopなどデジタルで描く場合は、感覚的に絵をゆがませられる[ゆがみツール]や[変形/ワープ]を一緒に使うのがオススメです。テクスチャの形や柄を自由に調整できます。

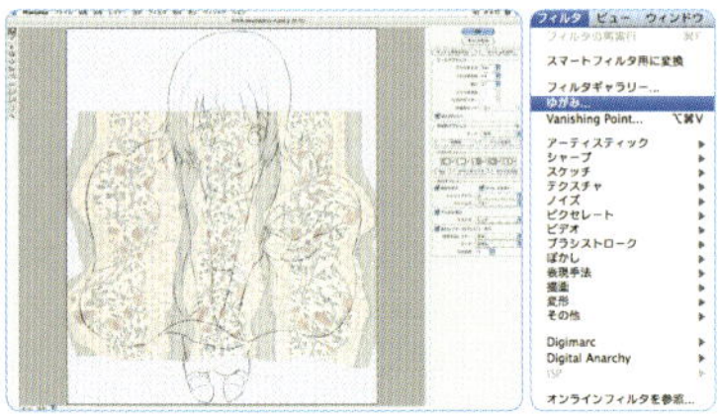

ゆがみツール
プレビュー表示をしながら、スカートの凹凸にあわせて、ゆがみをつけます。

元の状態
テクスチャを貼る前に、カゲをつけました。

テクスチャ用の素材
今回使用した柄の素材の一部。細かな花柄やボーダー柄などを用意しました。

花柄・明るい
柄を入れたあとでイメージにあわせて明るく色変更しました。

花柄
縞状の花柄なので、変化がよく分かります。[ゆがみツール] のおかげで、自然な感じになりました。

細かい花柄
シワの線と重なる所(茶色の部分)を消して、絵に馴染ませました。貼ったあとで整える作業は面倒。ですが、やっぱり必要になりますね。

チェック柄
スカートに巻き込まれた太ももの立体感がよく出ています。

地球柄
フリー素材も便利。地球の写真もスカートに貼りつけると不思議な質感に。

初出:月刊ニュータイプ 2009年2月号

part

4

コスチュームのデザイン辞典

PART4-1

スカート

コスチュームはキャラクターの印象や世界観などを伝える重要な要素です。「デザインが決まらない、マンネリになってしまう」というお悩みを解決すべく、形の種類や名称と、デザインを加えるためのヒント、okamaさん流のアレンジ方法を紹介します。まずは種類も描く場面も多い「スカート」から紹介していきます。

スカートといえばミニスカート。だけど世界には他にもいろいろな種類のスカートが存在します。見たことはあるけど、描いたことはない形に挑戦してみると、新鮮な気持ちになれますし、デザインの幅も広がりますよ。

ベースのキャラクターを描こう

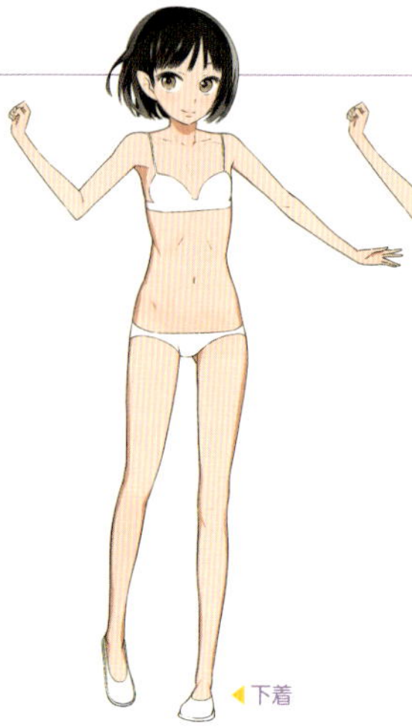

下着

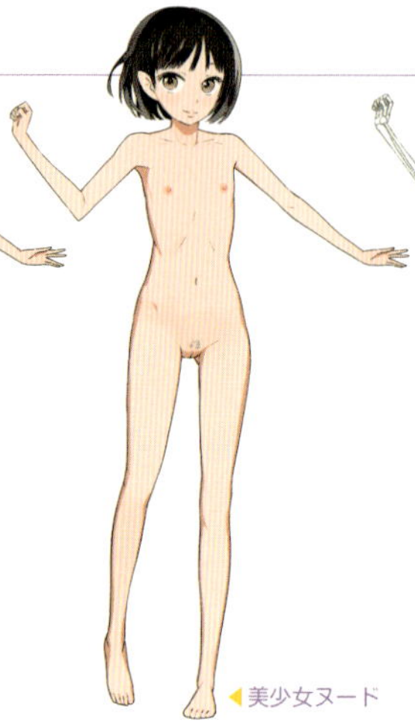

美少女ヌード

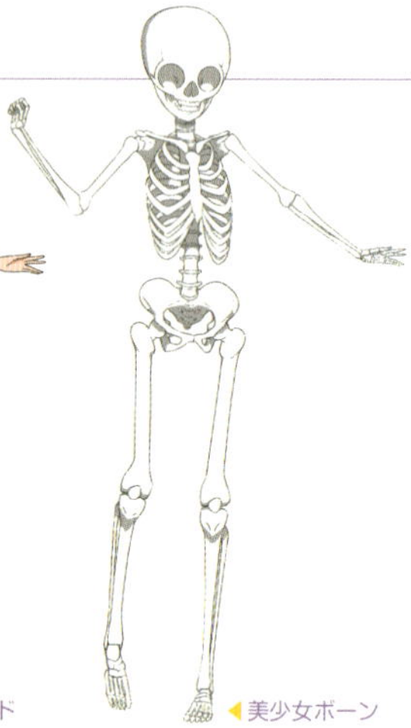

美少女ボーン

スカートの形の種類

Aライン
すそに向かって形が広がります。

ボディ・コンシャス
体にピッチリ。

◀ フレア・スカート ▶
動くと広がります。

▲ トランペット・スカート
途中までストレートで
すそのみ広がります。

ベル・スカート（アレンジ）▶
ミニスカートにして
すその膨らみを強調。

◀ ベル・スカート
腰から膨らんで
すそも広がります。

▲ バルーン・スカート（アレンジ）
下を膨らませたら何て呼ばれるのかな。
バルーンかな？

◀ バルーン・スカート
真ん中が膨らみます。

チューリップ・スカート ▶
腰は膨らみますが
すそは狭いです。

シルエットの違い

スカートをはいた状態。

クリノリン
スカートを膨らますために使用します。

バッスル・シルエット
おしりが膨らみます。

パニエ
スカートの両わきを広げるために使用します。

スカートと重ねた状態。

バッスルだけの状態。

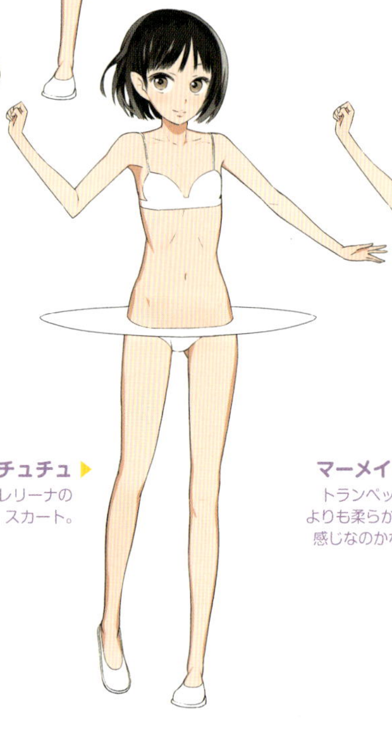

チュチュ
バレリーナのスカート。

マーメイド
トランペットよりも柔らかい感じなのかな。

ギリシャ風
胸下からストンと落ちます。

布のつき方の違い

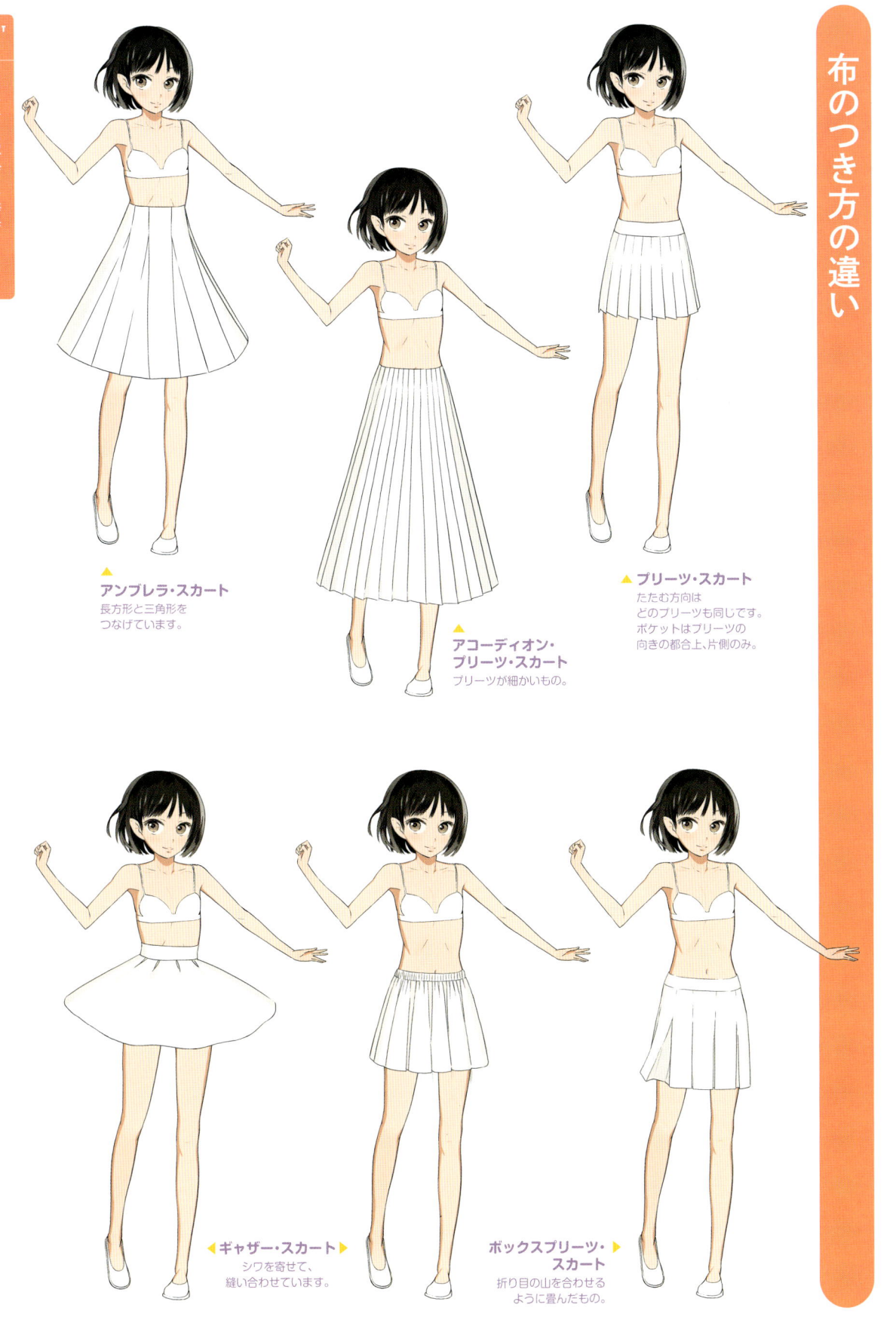

アンブレラ・スカート
長方形と三角形を
つなげています。

アコーディオン・プリーツ・スカート
プリーツが細かいもの。

プリーツ・スカート
たたむ方向は
どのプリーツも同じです。
ポケットはプリーツの
向きの都合上、片側のみ。

ギャザー・スカート
シワを寄せて、
縫い合わせています。

ボックスプリーツ・スカート
折り目の山を合わせる
ように畳んだもの。

形を変化させるアレンジ

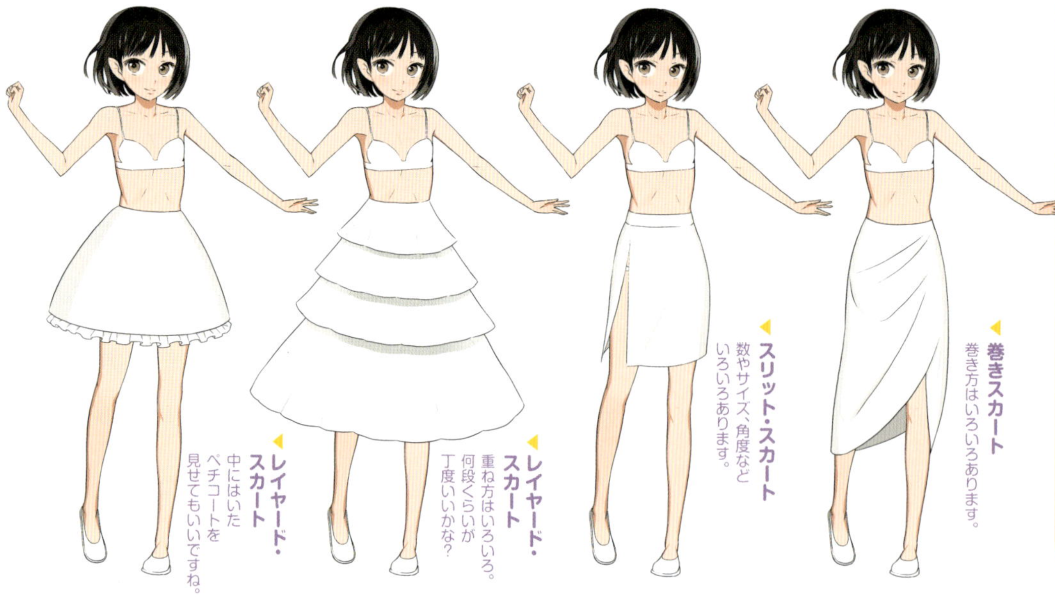

レイヤード・スカート
中にはいたペチコートを見せてもいいですね。

レイヤード・スカート
重ね方はいろいろ。何段ぐらいが丁度いいかな？

スリット・スカート
数やサイズ、角度などいろいろあります。

巻きスカート
巻き方はいろいろあります。

スカートのすそが広がる角度の違い

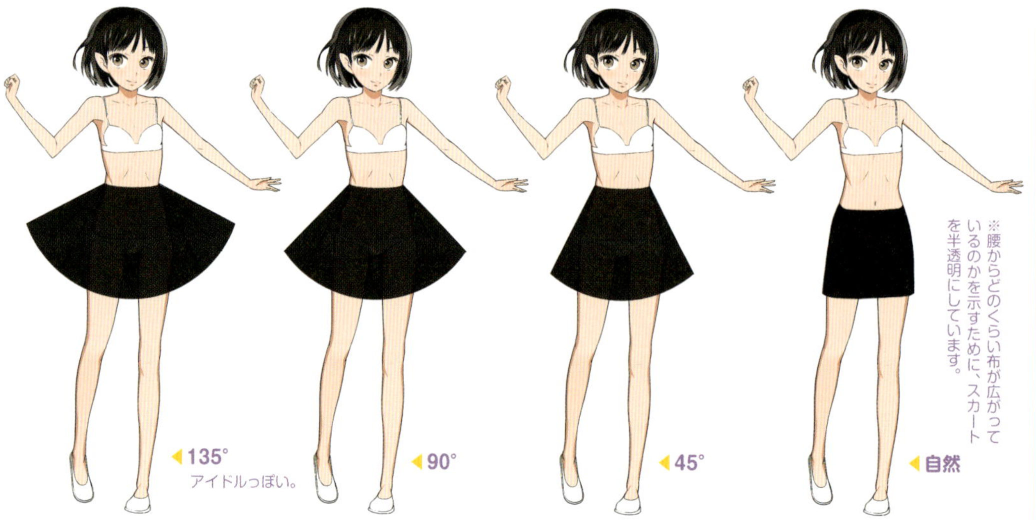

135°
アイドルっぽい。

90°

45°

自然

※腰からどのくらい布が広がっているのかを示すために、スカートを半透明にしています。

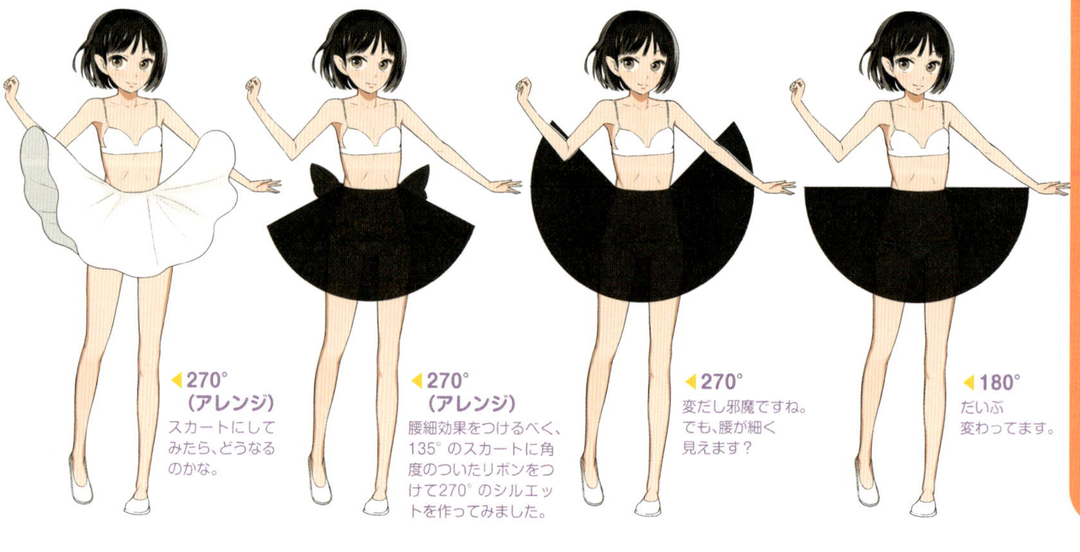

270°（アレンジ）
スカートにしてみたら、どうなるのかな。

270°（アレンジ）
腰細効果をつけるべく、135°のスカートに角度のついたリボンをつけて270°のシルエットを作ってみました。

270°
変だし邪魔ですね。でも、腰が細く見えます？

180°
だいぶ変わってます。

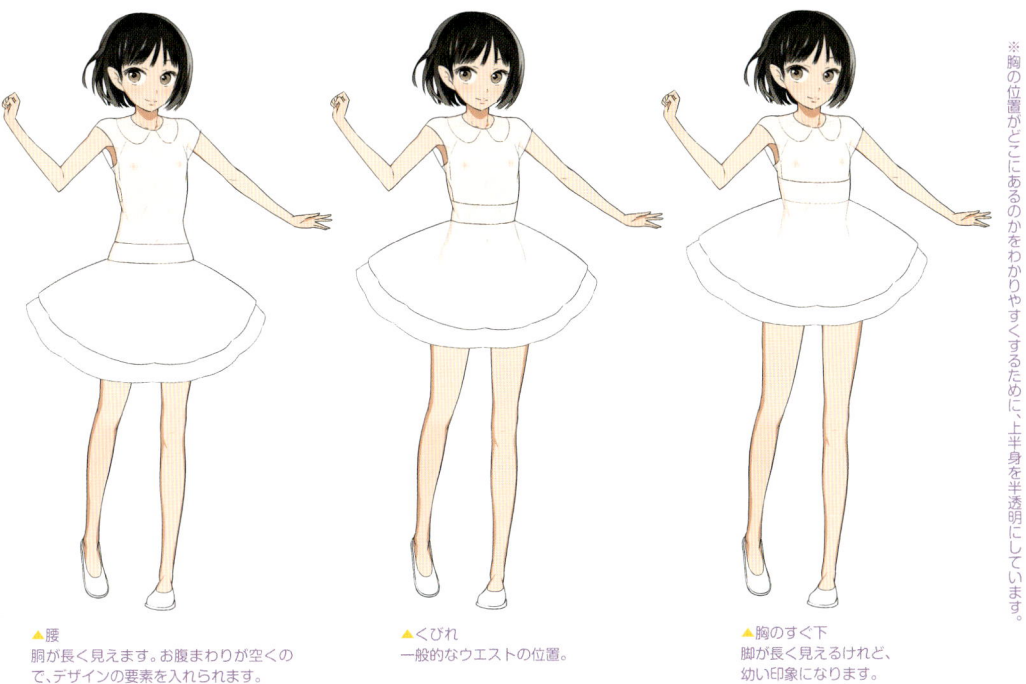

ウエストの切り替え位置の違い

※胸の位置がどこにあるのかをわかりやすくするために、上半身を半透明にしています。

▲腰
胴が長く見えます。お腹まわりが空くので、デザインの要素を入れられます。

▲くびれ
一般的なウエストの位置。

▲胸のすぐ下
脚が長く見えるけれど、幼い印象になります。

okamaさん流アレンジ

プリーツを途中からはじめたもの。

スカートのあるべき部分に布がない感じ。普段着には使えなさそう。

◀**バレリーナ風メイド服**
メイドのスカートをチュチュにしました。

マーメイドとミニ丈のベル・スカートをレイヤード状に合わせました。

巻きスカートのデザインをミニからロングに。クリノリンを下に履かせてチラ見せさせても良かったかな。

PART4-2

パンツ・ズボン

「パンツ」はスカートやドレスに比べると大胆なフォルムの変化が出づらいアイテムなので、デザインが単調になりがちです。しかし、長さや幅には細かく種類があり、それぞれに名称も異なります。オリジナルデザインも含めた54種類のパンツ・ズボンを紹介しますので、ぜひ参考にしてみてください。

パンツ丈の種類

▶ボクサー・パンツ
こんなの履いてるボクサーいないよね。

▶ショート・パンツ
ランナーっぽい。

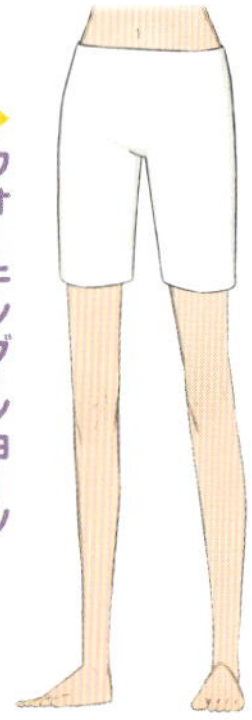

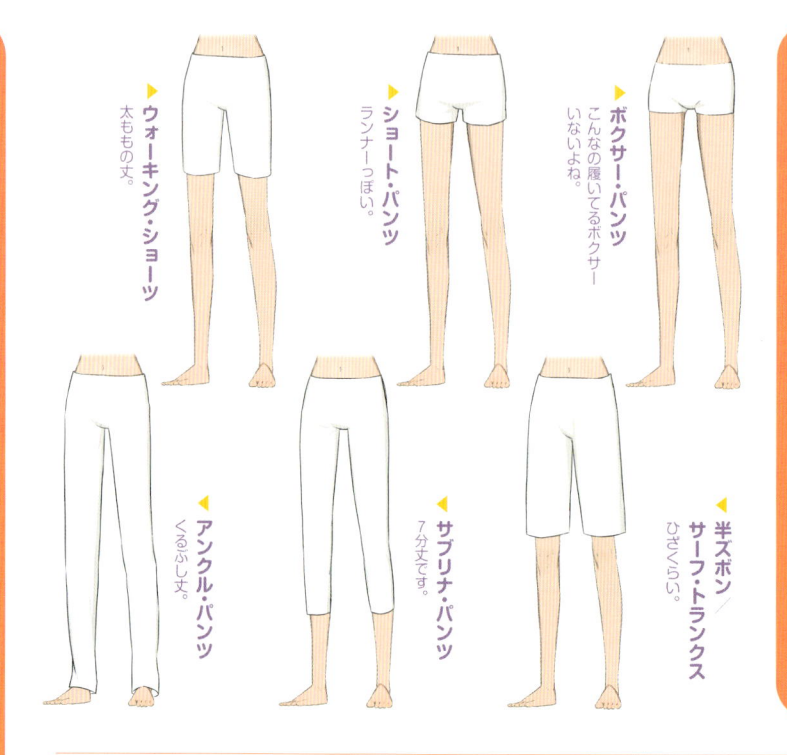

▶ウォーキング・ショーツ
太ももの丈。

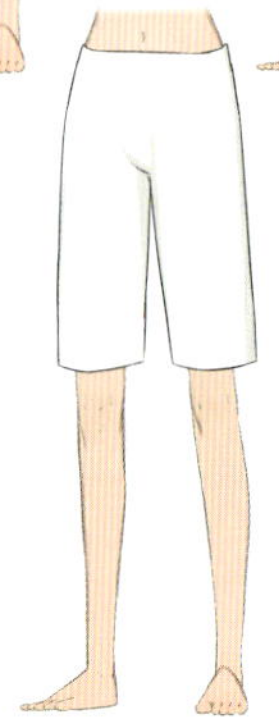

▶半ズボン／サーフ・トランクス
ひざくらい。

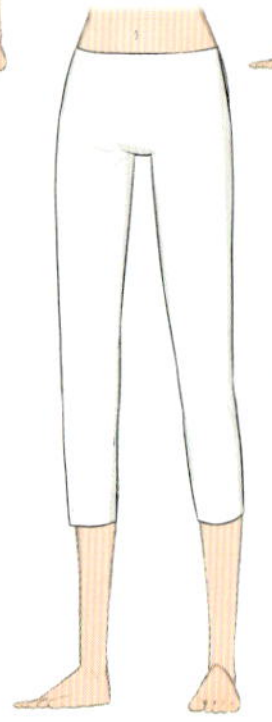

▶サブリナ・パンツ
7分丈です。

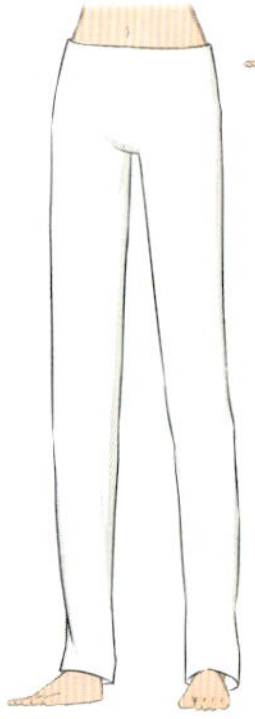

▶アンクル・パンツ
くるぶし丈。

スパッツタイプ丈

▲ジャムズ
男性用の水着。

▲サイクリスト・パンツ
自転車乗り用。

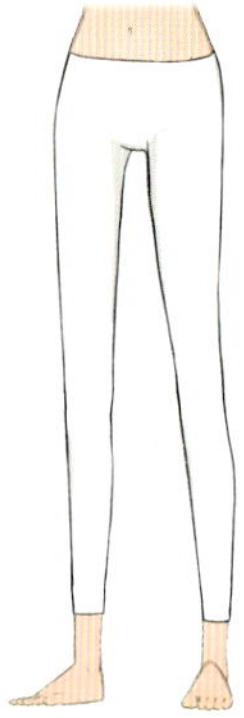

▶スパッツ／レギンス／カルソン
カルソンは男性用ズボン下。近年は女性用のパンツで呼ばれることも。長さはイロイロ。

股下の長さの違い

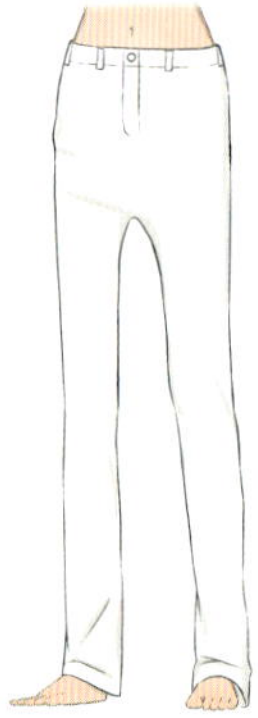

▲ロークローチ
デカチン用。

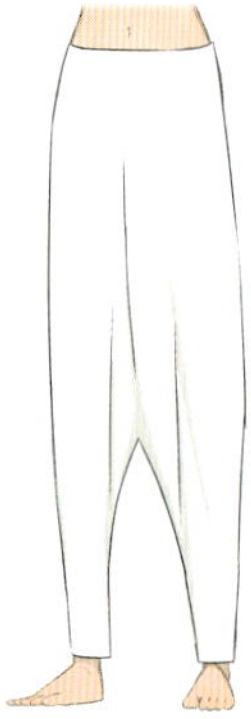

▲サルエル・パンツ
M・C・ハマー知ってる？

特徴的な形のパンツ

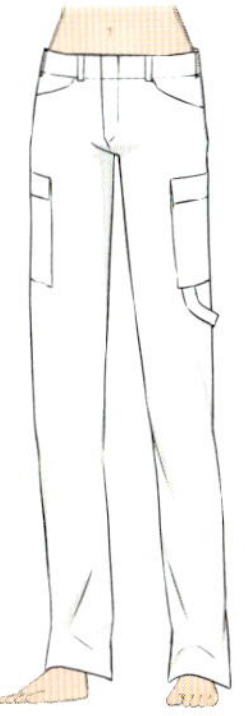

▲**作業着**
ペインター、ワーカー、カーゴ・パンツ。ポケットがいっぱいで、ハンマーループなどがついている。

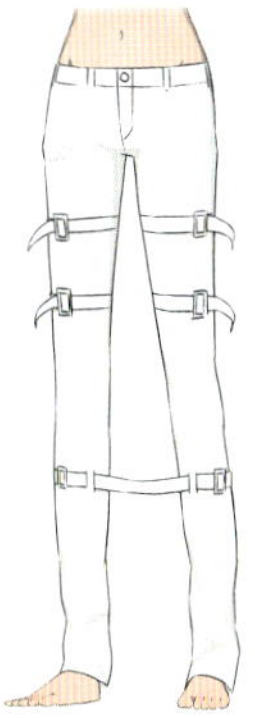

▲**ボンデージ・パンツ**
ベルト付きのパンツ。リボンに変更してもボンデージなのかな？

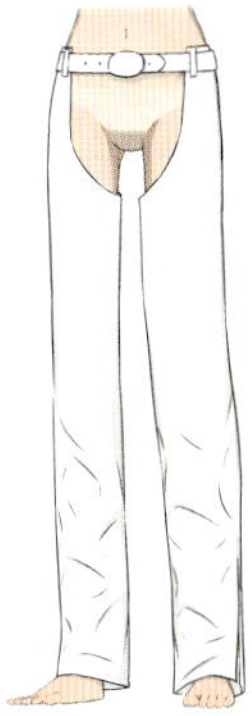

▲**チャップス**
ズボンの上に履く。裸だとハレンチ。

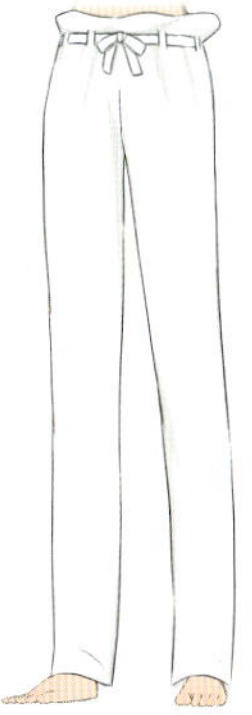

▲**ペーパー・バック・パンツ**
ウエストを巾着みたいに縛った感じ。リゾート感が出る？

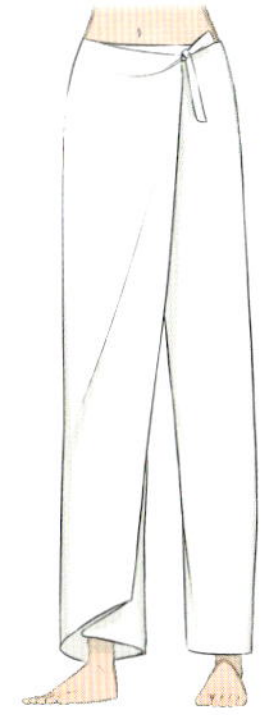

▲**ラップ・パンツ**
幅広の部分を巻きつける。寒がりにはムダじゃないかも？

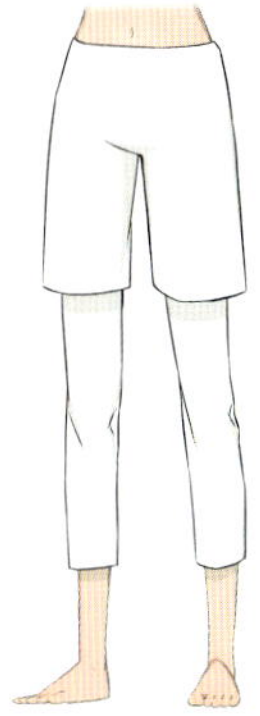

▲**オーバー・パンツ**
二重履き。

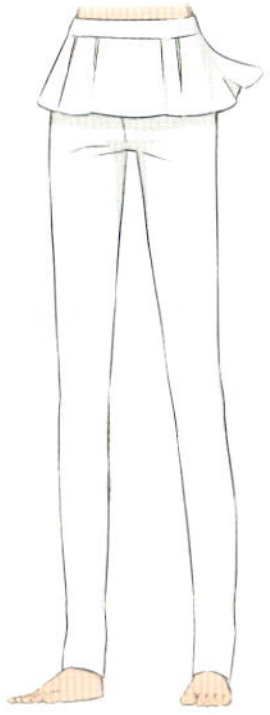

▲**ペプラム・パンツ**
フリルが付いている。

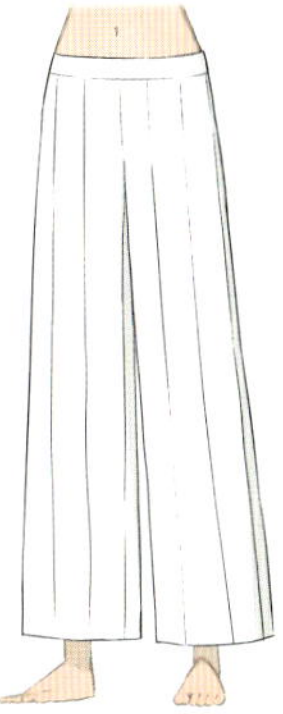

▲**パラッツォ・パンツ**
ロングなキュロット？

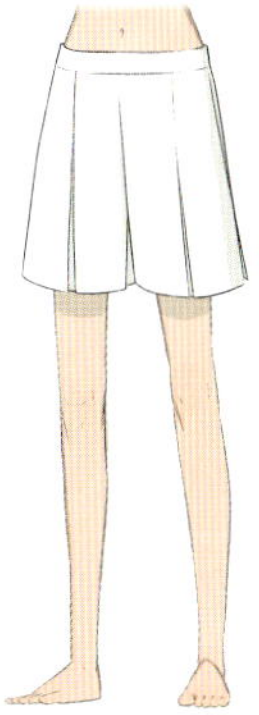

▲**キュロット**
お馴染みのパンチラ防止スカート。

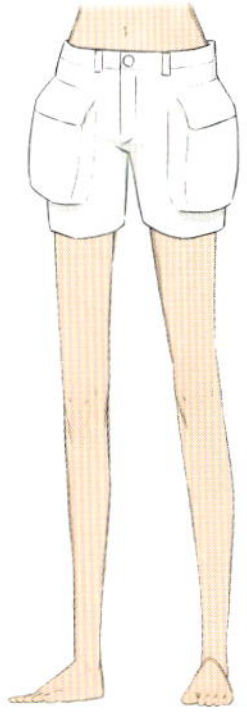

▲**キャンプ・ショーツ**
ポッケがでかい半ズボン。

●アレンジ

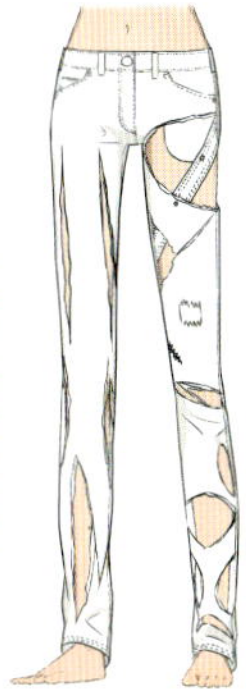

チョット手を加えると日常服ではなくなっちゃうね。

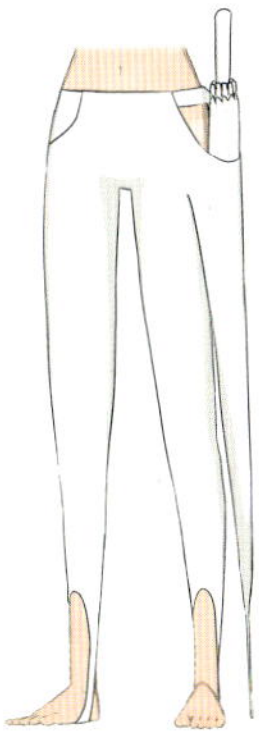

穴が3つあるズボン。カサ入れに。

すその切り口の角度を変えてみました。

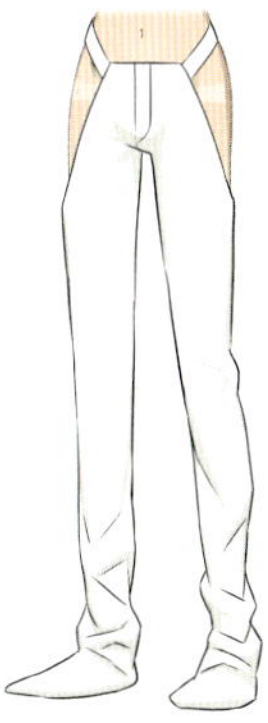

これは何と呼べば……？すそ、塞がっています。

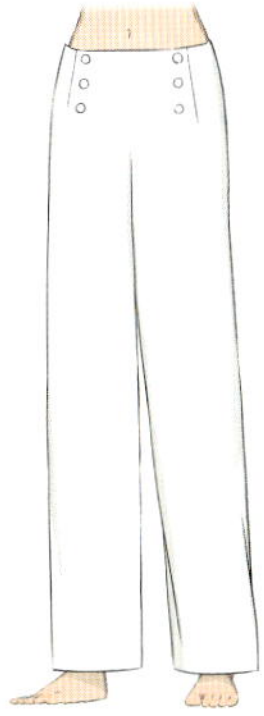

▲**セーラー・パンツ**
前開きがダブルになっている。

▲**スティラップ・パンツ**
土踏まずにまわす帯つきのパンツ。

▲**カット・オフ／クロップド・パンツ／パンタクール**
丈を切ったデザイン

【パンツ・ズボン・トラウザーズ（礼服）・スラックス（礼服よりカジュアル）・パンタロン】ズボンの変化は「丈・太さ・色・柄・素材・ポケット・ベルト通し」です。デザインをイロイロ加えたくなるけれど、太ももは意外と細いので、ポケットを横並びに２つ付けると、消しゴムしか入らない大きさになってしまいます。

股上の長さの違い

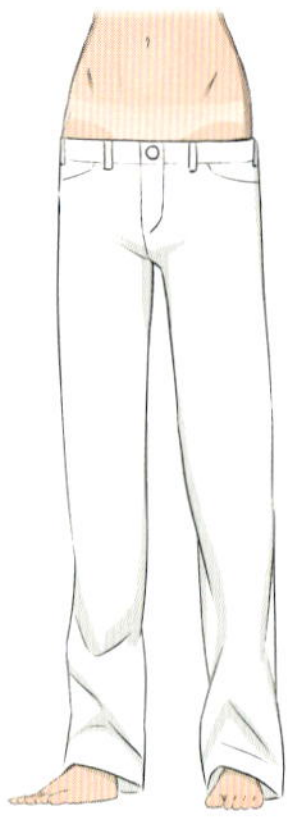

▶腰パン
白ブリーフでやるのはNGらしいよ。

◀ハイ・ウエスト
おなかが冷えない度が強いですね。

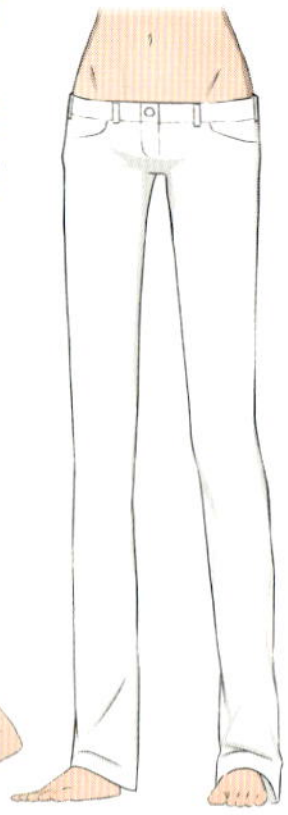

▶ロー・ライズ
股上が浅い。太っても履ける。

◀クラウン・パンツ
サスペンダー付き。

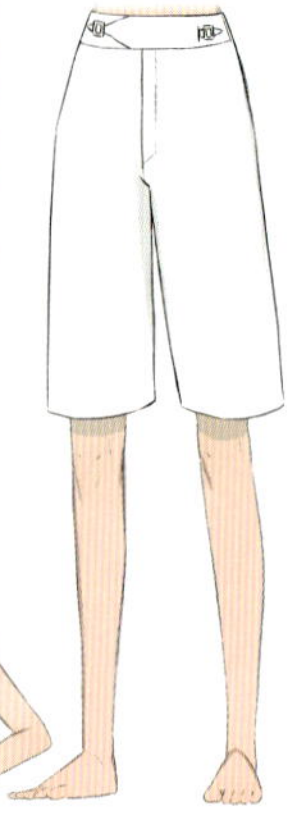

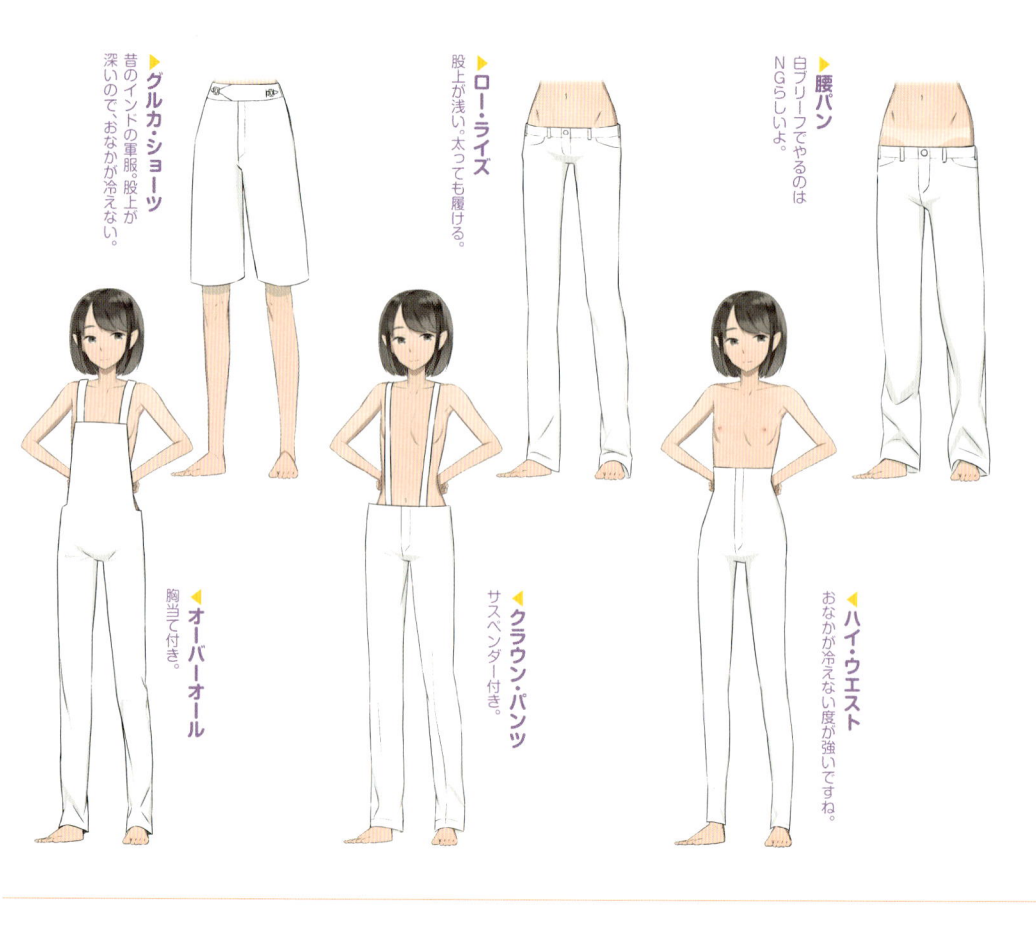

▶グルカ・ショーツ
昔のインドの軍服。股上が深いので、おなかが冷えない。

◀オーバーオール
胸当て付き。

幅の違い

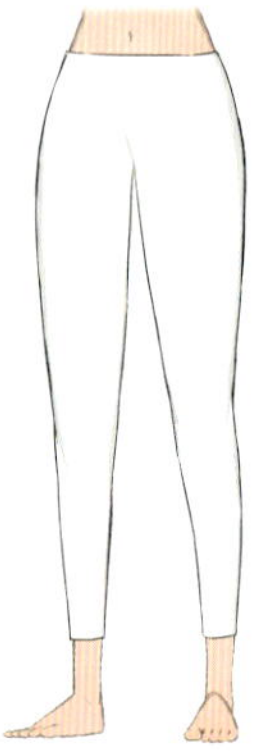

▶ペグ・トップ・パンツ
洋梨型。動きやすそう。

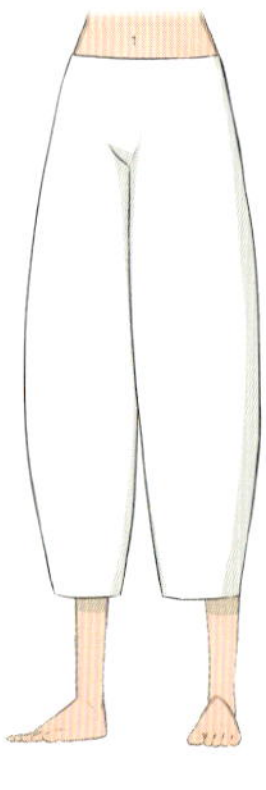

▶ボール・パンツ
中程がふくらむ形。関節に優しいということ？

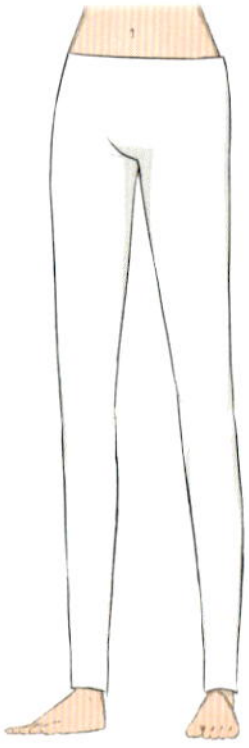

▶テーパード・パンツ
すそが細くなります。

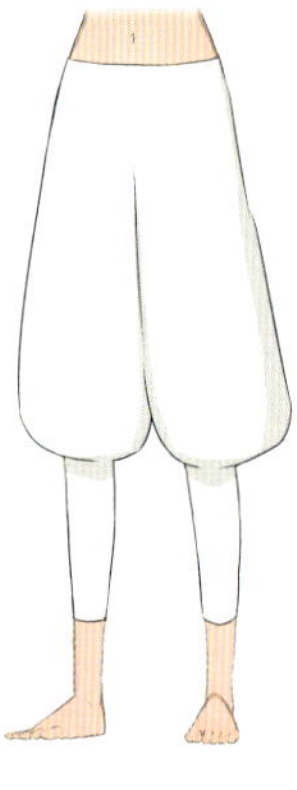

▶コルセール
海賊のパンツ。

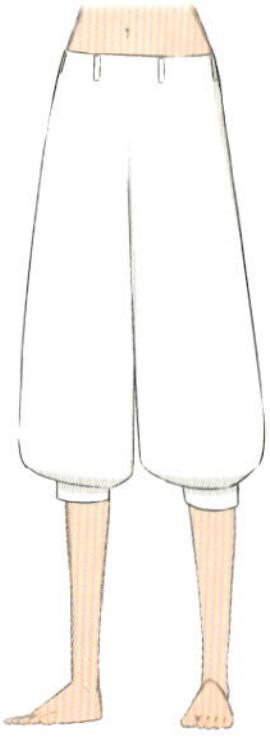

▶ニッカーボッカーズ／ニッカポッカ
太ももも丈もある。工事現場ではくるぶし丈だよね。

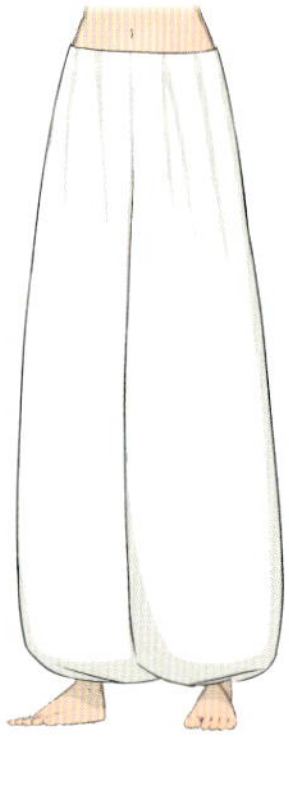

▶ズアーブ・パンツ
砂漠ではゆったりした布がありがたい。

太さの違い（ストレートの場合）

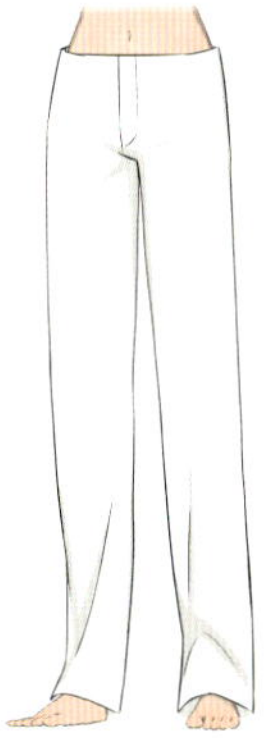

▲オックスフォード・バッグズ
太め

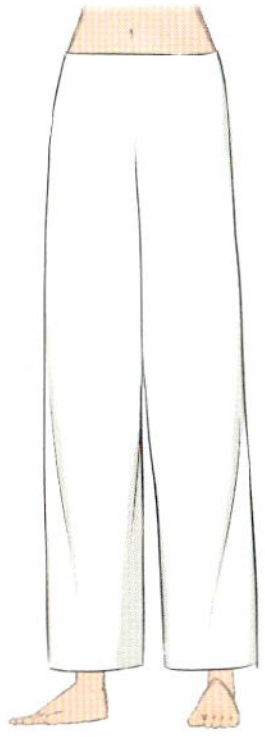

▲バギー・パンツ
極太

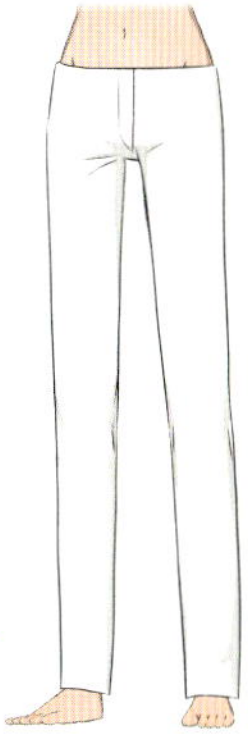

シガレット・パンツ▶
細め

シルエットのボリュームの違い

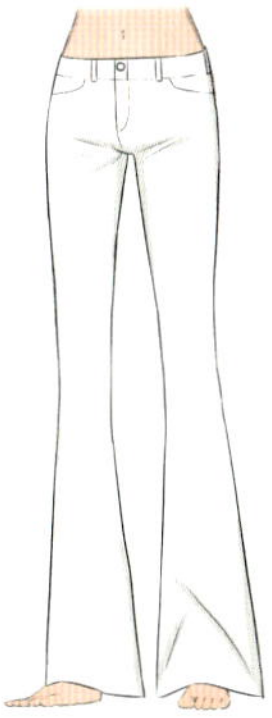

◀ベル・ボトム・パンツ
すそが釣り鐘型。

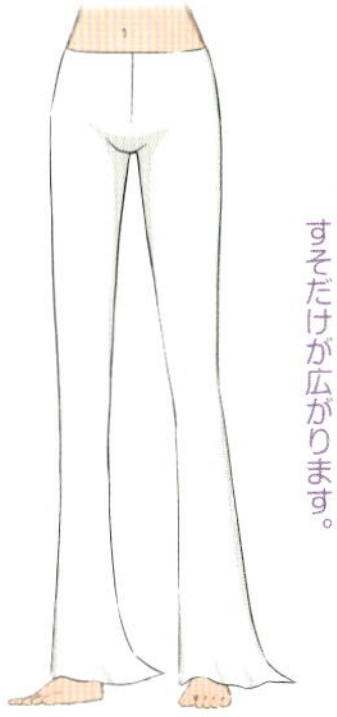

◀フラメンコ・パンツ
すそだけが広がります。

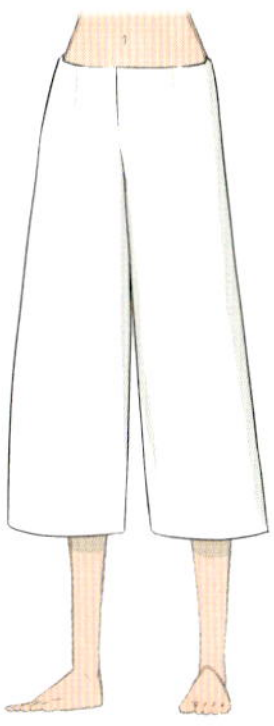

◀ガウチョ・パンツ
足の細さを演出。

◀エレファント・レッグ・パンツ
すそが大きく広がります。袴みたい。

生地の違い

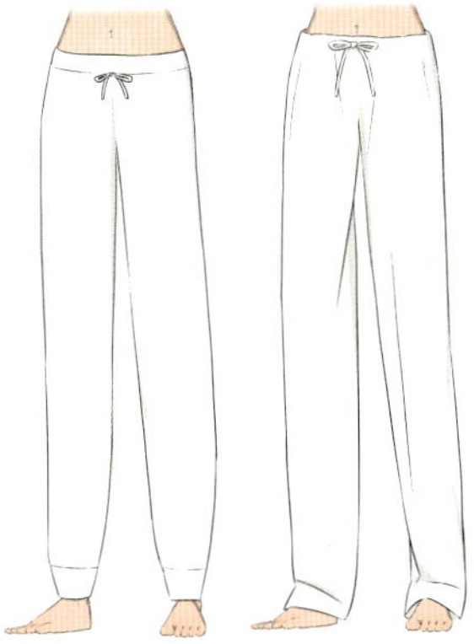

▲イージー・パンツ
絞りヒモ付き。ボクの普段着。スウェット、ジャージは素材違い。

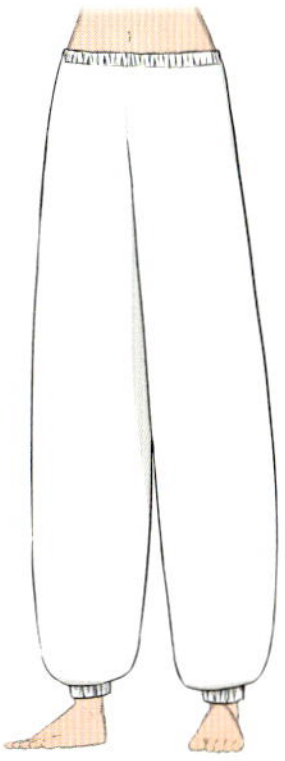

▲カンフー・パンツ
時代的に伸縮しない布だから、ゆとりがあります。

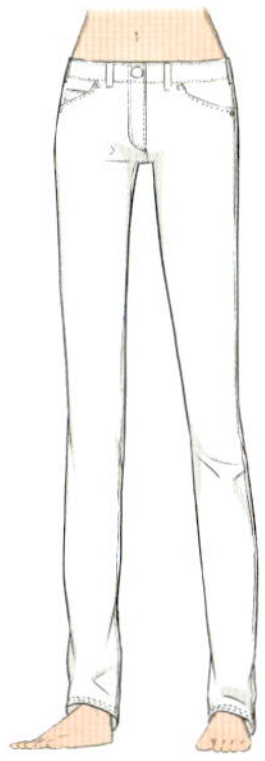

▲ジーンズ
お馴染みの布。特徴は縫い目と鋲打ち。

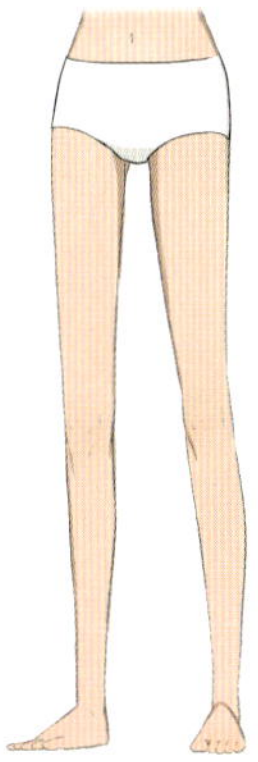

▲ブルーマーズ／ブルマー
骨盤の形をしている。昭和のイメージ。

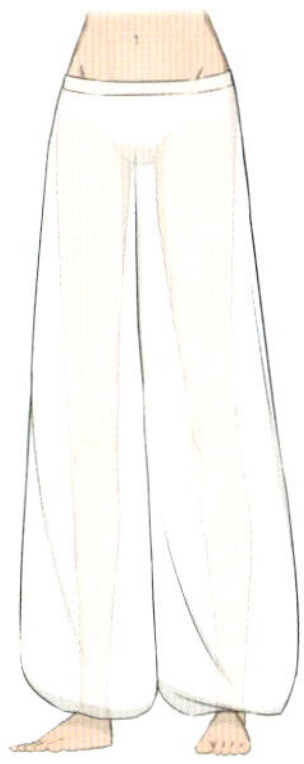

▲ハーレム・パンツ
透けてる？

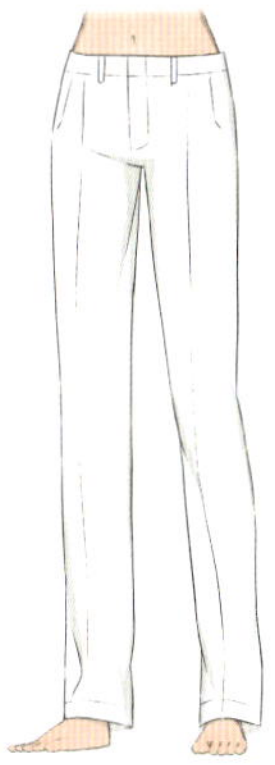

▲チノ・パンツ／チノパン
コットンのパンツ。

PART4-3

コート

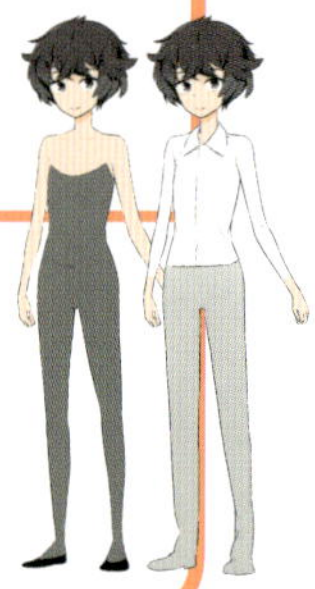

「コート」は種類や差違があまり紹介されていないアイテム。防寒具や雨具といった機能的なコートから、卒業式やスポーツ観戦用など、着る場所や用途のあるデザインもあります。かぶるだけのシンプルなものから、ポケットやベルト、レースなど豪華な装飾つきまで、54種類のコートが登場します。

打ち合わせの種類

合わせは【シングル】【ダブル・ブレスト】が一般的。男女で合わせは逆になります。ボタンを一番上まで留めると襟も変化。前を開けるとリラックス。

袖のないコート

ケープ・コート
袖穴と合わせのあるポンチョ

ポンチョ
穴が空いた布

カパ
フードがついたマント

マント
布です

アレンジ

ケープの丈を短くして、ダブルに。ベルトとパイピングと“S”のピンバッジをつけました。色々できますね。

ジレ・コート／ベスト・コート
寒くないの？

クローク
長いケープ

伝統的なコート

プールポワン
鳩胸になるように詰め物してるみたい。

ジュストコール／アビ・ア・ラ・フランセーズ
装飾がいっぱいついた貴族服。

ルダンゴト
腰細ですそが広がります。

インバネス
ケープつきのコート。

アルスター
取り外しできるフードやケープもあるようです。

チェスターフィールド
上襟がベルベット。

リーファー・コート
船乗り愛用。打ち合わせの左右を替えられます。

ポロ・コート
すそが長くてラクダ色。

マッキノー
デカいチェック模様。

礼装系のコート

モーニング・コート
昼の礼装。

燕尾服（えんびふく）
夜の礼装。

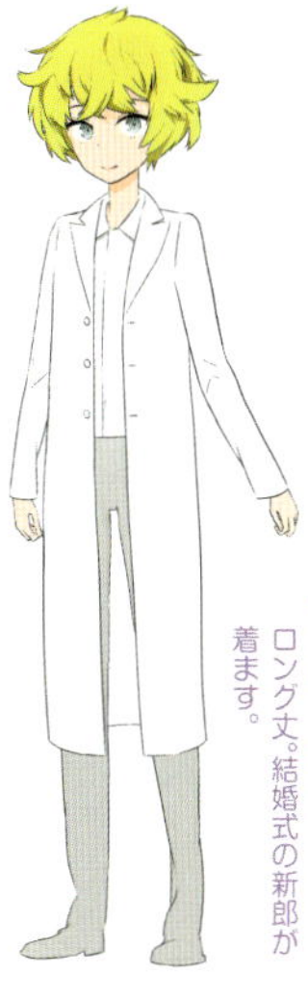

フロック・コート
ロング丈。結婚式の新郎が着ます。

バチェラーズ・ガウン
卒業式で見ます。

目的別のコート

▲レインコート

▲サポーター・コート
試合観戦に
おそろいで着たり、
チーム名が書いてあります。

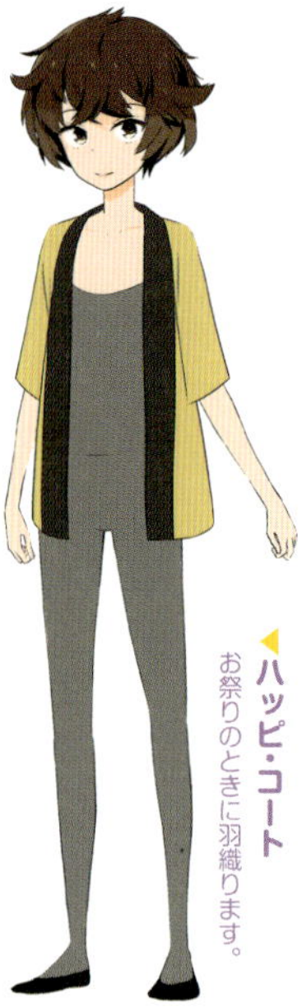

▲ハッピ・コート
お祭りのときに羽織ります。

▲スリープコート
寝るときに着るものです。

▲スモック・コート
作業着。

▲モッズ・コート
シワシワな印象。

▲マッキノーコート
フィールド
ジャケット風です。

▲ノーフォーク・ジャケット
シューティングコート。
両肩と肘に狩猟用ガンパッチ付き。

▲バイカー・コート・その1
ジャケットじゃないんだ!?

▲バイカー・コート・その2
ダブルのジッパーが印象的。

素材や柄の違い

ダウンコート
中が羽毛のキルティングコート。一番あったかい。

キルティングコート
中綿が入っています。

ランチ・コート
シアリングコート。羊の毛皮。

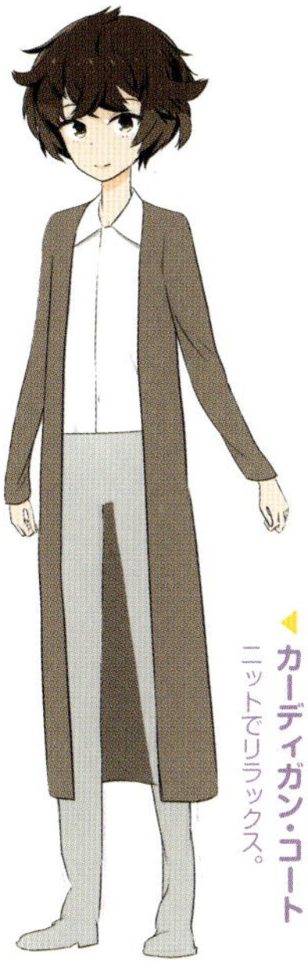

カーディガン・コート
ニットでリラックス。

シルエットの違い

ブランケット・コート
ヒラヒラ。

チャビー・コート
モコモコ。

プリンセス・コート
上ぴったりですそ広がり。衿と袖にファー。

スワガー・コート
すそ広がりだけど丈が短い…のかな？

ラップ・コート／タイロケン
留め具がベルトだけ。

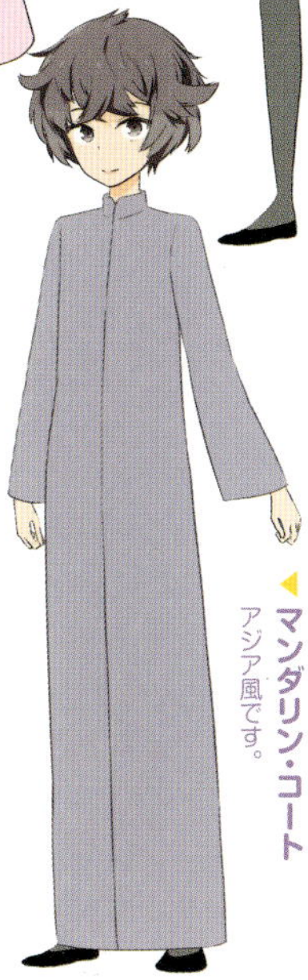

マンダリン・コート
アジア風です。

バレル・コート／コクーン・コート
ぽっこり膨らんでいます。

現在よく着られているコート

トレンチ・コート
防水素材でベルトのついたダブル・ブレスト。

ステン・カラー・コート
衿が四角いラグラン袖。サラリーマンがスーツの上によく羽織っていますね。

バルマカン
ウール素材のラグラン袖。

ピー・コート
縦ポケットのあるショートコート。ネイビーブルー。

ダッフル・コート
トグルつきのコート。

スパニッシュ・コート
襟がリブでホカホカ。

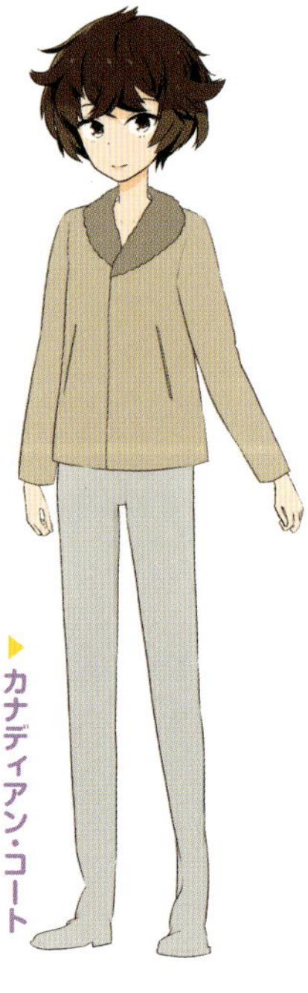

カナディアン・コート
襟がボアでポカポカ。

ササール・コート
日本人向けに作られたトレンチコート。

コートは種類もいろいろあって面白いですね。webサイト「モダリーナ」の“イラスト図鑑”に、デザインがたくさん置いてあります。オススメですよ！

PART4-4

和服

着物や浴衣、袴などの「和服」も、和風の世界観やキャラクターデザインでは欠かせないコスチュームです。調べてみると職業や時代による着こなしには、細かな違いがあります。柄や色の組み合わせも美しいですが、ここでは着こなしやフォルムに関する和服の違いを紹介します。

和服の下着

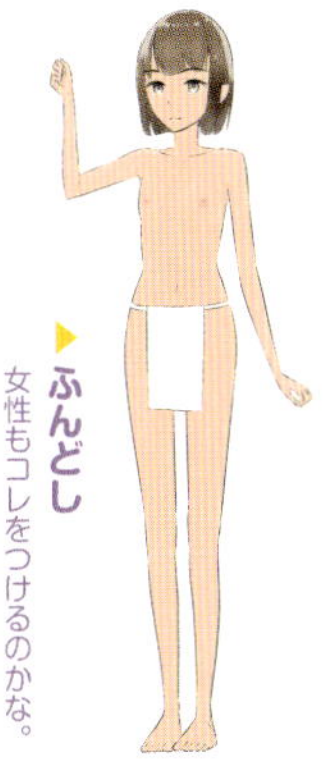

▶ふんどし
女性もコレをつけるのかな。

▶晒（さらし）&湯文字（ゆもじ）
下着セット。

▶半襦袢（はんじゅばん）
汗を吸う、ガーゼふうの素材。

着物の重ね方の違い

帯の位置が男女で違います。女は胸から腰で男は腰。モデルは関係なく全員女子です。

▶小袖（こそで）

▶男性着物

▶浴衣
浴衣は重ねないのかな？

▶振袖（ふりそで）
柄がないとさみしい。

▶打掛（うちかけ）
前のあわせは掛けるだけで止めないのかな？

▶花魁（おいらん）／太夫（たゆう）
帯の結びが前にあります。

▶腰巻き
ニットを腰に巻くように着物を巻いています。

▶大腰袴（おおこしばかま）
片がけ袴。新手のオーバーオール？

▶汗衫（かざみ）
すそがズルズル。

▶十二単（じゅうにひとえ）
重ね着の限界。腕はあがるのかな？

羽織の形の違い

羽織（はおり）
ギザギザの水色柄なら新撰組。

法被（はっぴ）
平成で一番人気の和服。

どてら
僕はひざ丈のどてらを持っています。

ちゃんちゃんこ
還暦までがんばるぞ！

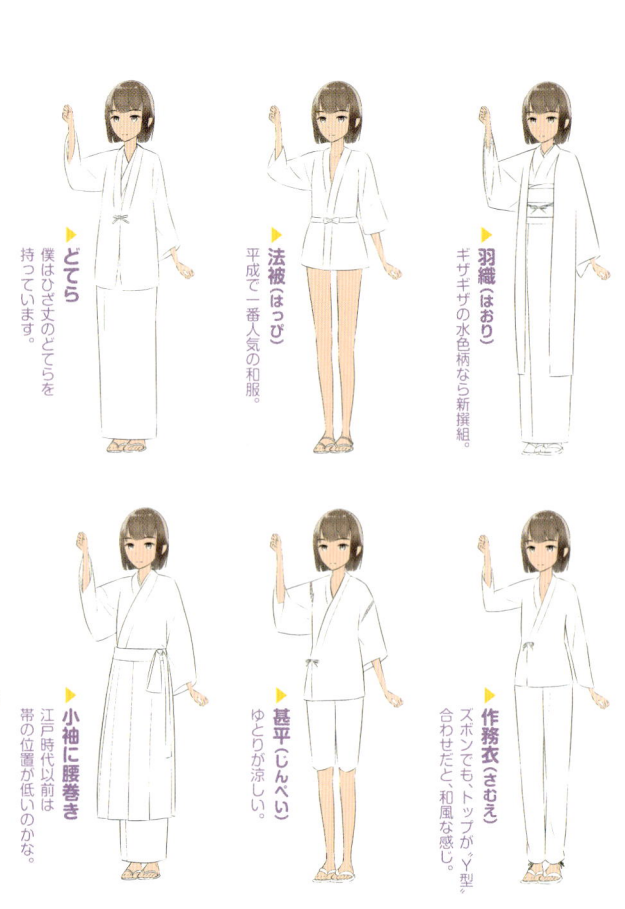

割烹着（かっぽうぎ）
給食当番でも着ました。

作務衣（さむえ）
ズボンでも、トップが〝Y型〟合わせだと、和風な感じ。

甚平（じんべい）
ゆとりが涼しい。

小袖に腰巻き
江戸時代以前は帯の位置が低いのかな。

白川女（しらかわめ）
花などを頭に乗せて売る女性。働くママ。

女学生
この袴、キュロットじゃなくてスカートらしい。

時代や身分の違い

古墳時代
ハニャー。

狩衣（かりぎぬ）／水干（すいかん）
和服は小袖か狩衣か、2タイプに分かれる感じです。

鎧
時代や国でデザインもイロイロ。

直垂（ひたたれ）
もののふ系。

素袍（すおう）
デスクワークの武士。

束帯（そくたい）
蟻先って知ってた？

忍者
頭巾もイロイロ。

肩衣袴（かたきぬばかま）
戦国時代の正装になる裃（かみしも）。

裃（かみしも）
大岡越前。

演芸の衣裳

能・羽衣天人（はごろもてんにんまたは、あまんと）
合わせが交差していてオモシロい。

歌舞伎・小忌衣（おみごろも）
エリマキ。

歌舞伎・暫（しばらく）
良いデザイン。

職種で異なる着こなしを見てみましょう

僧・袈裟（けさ）
ブッタ。

武者・僧兵（そうへい）
ほぼ忍者。

修験者・山伏（やまぶし）
ボンボンと法螺貝はマストなのかな。

祭官・小忌衣（おみごろも）
たすきを二本肩からかけた感じ。

修行僧・雲水（うんすい）
歩くからひざ丈がいいのかな。

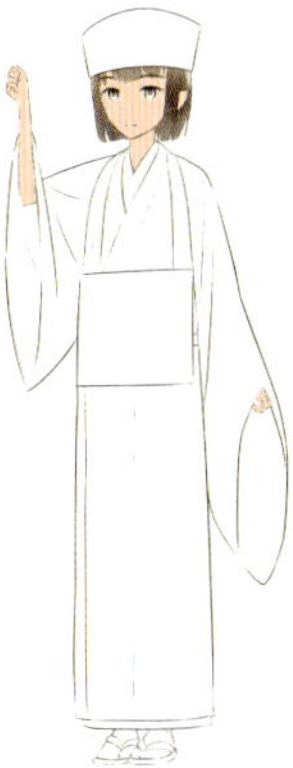

茶人
前にかけてる四角いのはお茶？

旅人・合羽（かっぱ）
足は濡れるね。

武家婦人・虫の垂れ衣（むしのたれきぬ）
着物を頭から被るスタイルもあります。

虚無僧（こむそう）
かぶり物に雨が染み込みそう。

俳人
帯がないとすっきりしています。

武家婦人・壷装束（つぼしょうぞく）
肩に帯を巻いている旅装束。

PART4-5

帽子

顔周りに近い「帽子」は、キャラクター性を強めたり、見た人にデザインを印象づけることができるアイテムです。着脱可能なので手に持ったり、かぶらせたりと、仕草のなかに取り入れる事がでるのも便利なところ。メジャーな帽子から、名前をはじめて聞く帽子、少しずつ形の違うデザインの差違まで、77通り描きました。

ハット系

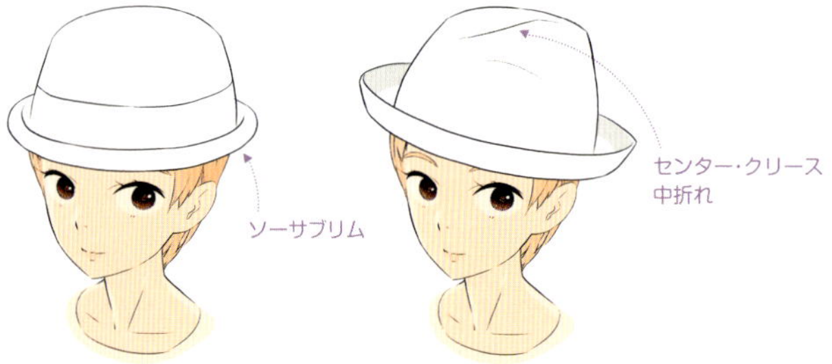

ハットはフチがついている帽子。頭にかぶる部分は"クラウン"フチは"ブリム"と呼ばれています。オシャレポイントとして、反り返ったブリムを【ソーサブリム】、クラウンの真ん中が折れているものを【中折れ帽】【センター・クリース】といいます。

▲ **シルク・ハット**
上が平らなまま伸びています。

▲ **ホンブルク**
中折れの山高帽。

▲ **ポーク・パイ・ハット**
クラウンが凹みます。

▲ **カンカン帽／ボーター／カノティエ**
上が平らになります。

▲ **山高帽／ボーラー**
ブリムの横が反っています。

▲ **スカラハット**
ブリムを上げます。

▲ **スカラハット**
ブリムを下げます。

▲ **フロッピー・ハット**
ビラビラがジャンボに。

▲ **カプリーヌ**
ブリムをめくってかぶってみました。

▲ **カプリーヌ**
ブリムが広がりました。

●ハットのワンポイント分析

【山高帽】は頭部に馴染む上品なデザイン。ブリムも反り返り、キッチリ感がでます。一方、【カンカン帽】は素朴だけど文明的。【ポークパイ】のようにクラウンにへこみがあると、カジュアル感がでます。【ホンブルク】は上品で軽さもある。【シルクハット】はパーティー用だよね。【フロッピーハット】は大女優みたい。オシャレすぎて、かぶりたいけれどかぶれない。【ガウチョ】はリゾート感。【ウエスタン】は活発で反抗的な印象。【麦わら帽子】は僕も2つ持ってます。【トーク】は上品な感じ。【クロッシュ】は使いやすそう。【チロリアンハット】は後ろのブリムが畳んであって、キャップとの中間的なデザインに見えるのがいい感じ。【ファティーグ／サファリ／トーピー】は冒険3兄弟。【ボンネット】は日本ではキャラが立ち過ぎかな。

▲ **魔女の帽子**
みんな大好き！

▲ **麦わら帽子／ストロー・ハット／ベンジー**
素材が麦。

▲ **ウエスタン・ハット／カウボーイ・ハット／テン・ガロン・ハット**
ガウチョを反らせています。

▲ **ガウチョ・ハット**
幅が広いブリム。

▲ **ピーター・パン・ハット**
とんがりチロリアン。

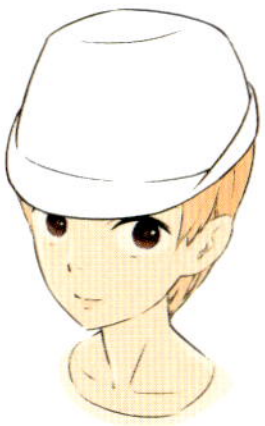

▲ **チロリアン・ハット**
小ぶりなブリムを上げ下げ。

▲ **トーク**
小ぶりな形。

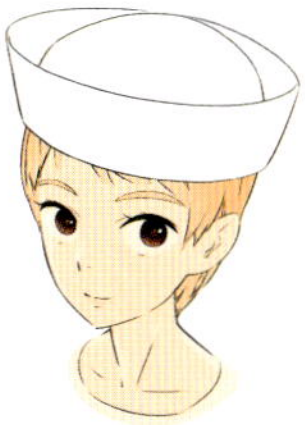

▲ **セーラー・ハット／ゴブ・ハット**
スパッとあげます。

▲ **ビコルヌ／ナポレオン・ハット**
ブリムを折り上げます。

▲ **チューリップ・ハット**
つぎはぎのブリム。

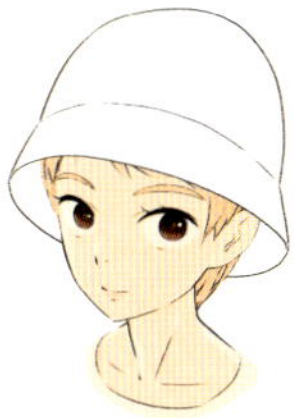

▲ **クロッシュ**
ブリムのが短い釣り鐘型。

▲ **カートホイール・ハット**
ディスクみたいな形です。

▲ **ベルジュール・ハット**
ツルペタなクラウン。

▲ **ファティーグ・ハット**
野外活動のときに。

▲ **サファリ・ハット**
探検のときに。

▲ **トーピー**
冒険のときに。

▲ **シュー・ハット**
ふわふわです。

▲ **クエーカー・ボンネット／ブロード・ブリム**
前しか見ません。

▲ **ボンネット**
ブリムを巻き付けます。

キャップ系

◀反りあげたり、
ミミをつけたり。

◀傾けてかぶったり。
つばがあると
前後にもかぶれます。

◀つばを
折りました。

つばが寝ている状態に、特別な呼び名はあるのかな？

キャップはワンポイントをつけられたり、かぶり方でもアレンジ可能。つばの長さやクラウンのカーブの形が決まっている分、自分のこだわりを詰め込むことができます。

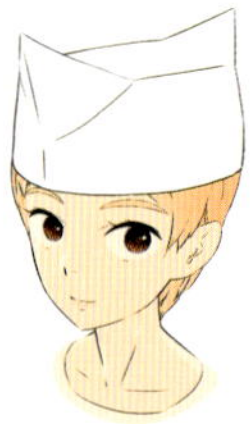

▲ **G I キャップ**
ナースキャップみたい。

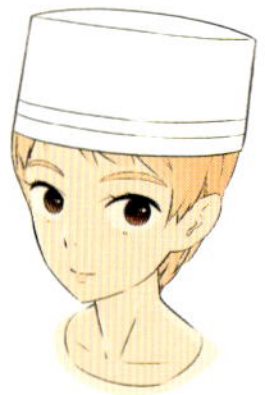

▲ **ベルボーイ・キャップ**
つばが無いのは
室内でかぶるから？

▲ **角帽**
式典用。

▲ **角帽**
頭が四角。

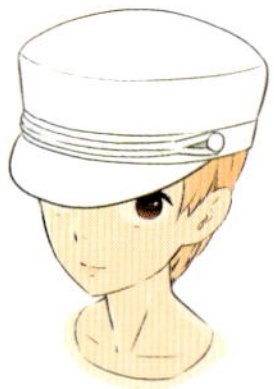

▲ **マリン帽**
頭が平ら。

▲ **ハブロック**
日差しから
首を守ります。

▲ **飛行帽**／
フライトキャップ
ポカポカ耳あてです。

▲ **鹿狩り帽**／
ディアストーカー／
シャーロック
耳をあげます。

▲ **カスケット**／
キャスケット
女性用の鳥打ち帽。

▲ **鳥打ち帽**
クラウンがひさしに
乗っています。

▲ **アポロ・キャップ**
月桂樹マークが特徴。

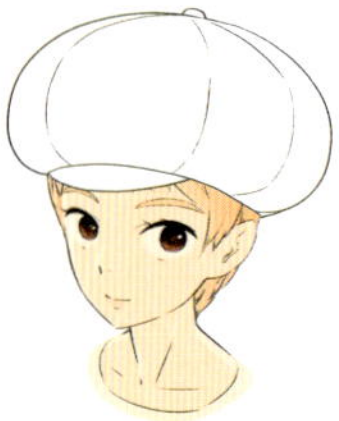

こんなビジュアルの
帽子はなんだろう？

▲ **タモシャンター**
団子がつきました。

▲ **ベレー帽**
深くかぶっても
いいですね。

▲ **ベレー帽**／**軍隊ふう**
つばがなくて
柔らかい。

スカルキャップ系

▲ **ウォッチ・キャップ**
北の海のニット帽。

▲ **カロ**／**キャロット**
ちょいのせ。

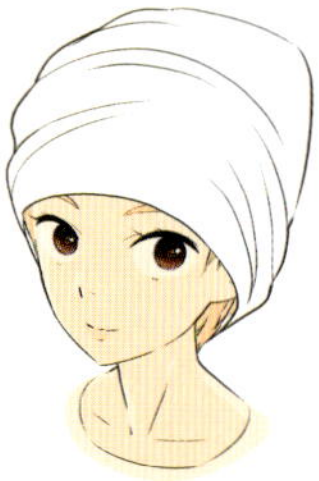

▲ **ストッキング・キャップ**
シワシワです。

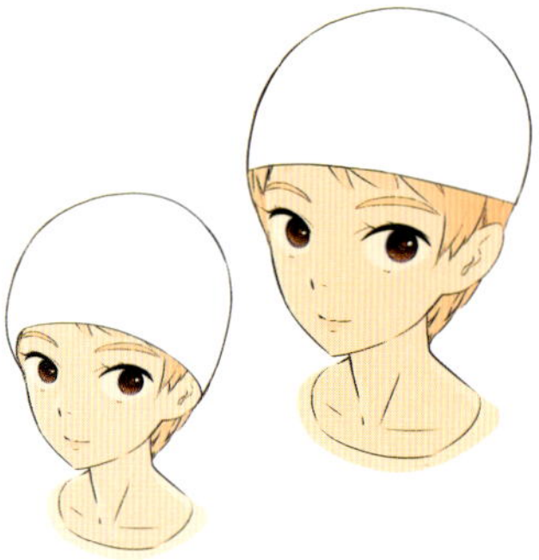

▲ **スカルキャップ**
深くかぶるとこんな感じ。

その他

ケープルックは色々とアレンジできそう。ウィンプルもパーカーのフードをかぶった形に似ています。ヘッドバンドやはちまきは帽子なのかな…。

▲ **ベール**

▲ **ターバン**
布を巻いたら・その2。

▲ **ケープルック**
布を巻いたら。

▲ **ウィンプル**
首まで巻き込んでいます。

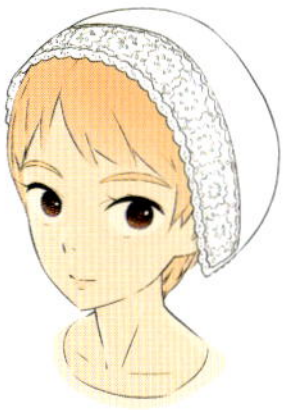

▲ **コワフ**
レースがあしらわれています。

▲ **ビギン**
赤ちゃん。

▲ **ヘルメット**
種類はいろいろ。

▲ **スペース・ヘルメット**
まんまるで透明。

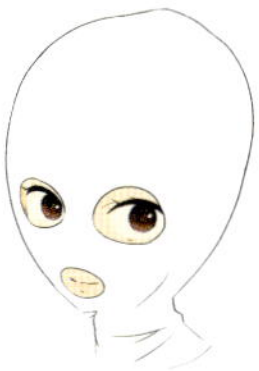

▲ **目出し帽**
強盗御用達。

防炎、作業用、工事用、スポーツ、自転車、バイク、軍事と種類はいろいろ。SFものなら見せ場ですね。ヘルメットは種類が多すぎるのでここでは割愛。機能が必要となったときはネットで検索してみてください。

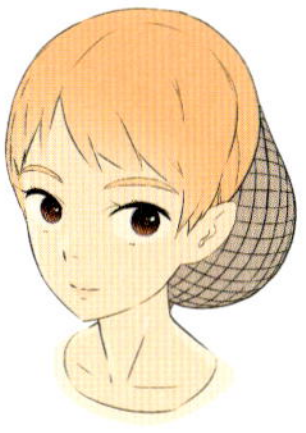

▲ **スヌード**
髪をまとめるネット。

▲ **ナイトキャップ**
眠い。まだ寝れない！

▲ **クーンスキン・キャップ／デービー・クロケット・ハット**
シッポがあるよ。

▲ **シニョン・キャップ**
小さな髪かくし。

▲ **ヘッドバンド**
ほとんどヘアアクセサリー。

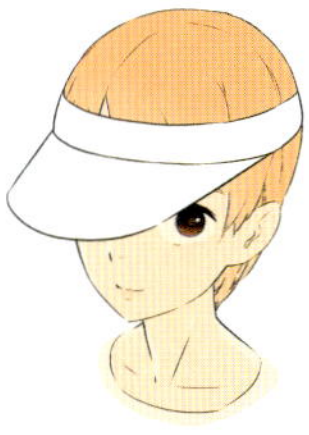

▲ **サン・バイザー**
ひさしだけだよ。

▲ **イガールとクーフィーヤ**
輪と布。

▲ **王冠**

アレンジ

ブリムだらけのハット。▶

◀ ベルトをスカルキャップにしてみたよ。

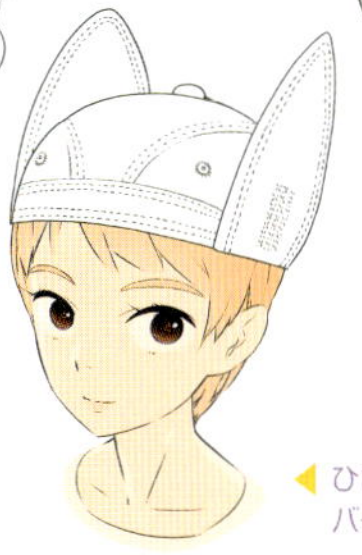

◀ ひさしが2つバージョン。

◀ ボンネットを乗せてみました。

◀ 帽子を2つかぶってみました。

PART4-6

靴

靴は装飾や先端の丸み、ヒールの高さなど、よく見るとデザインが細分化されています。「おしゃれは足元から」という言葉がありますが、それはイラストでも同じではないでしょうか。丁寧に描き分けることでデザインに統一感が出たり、キャラクターに合う靴を履かせられると思います。

サンダル系

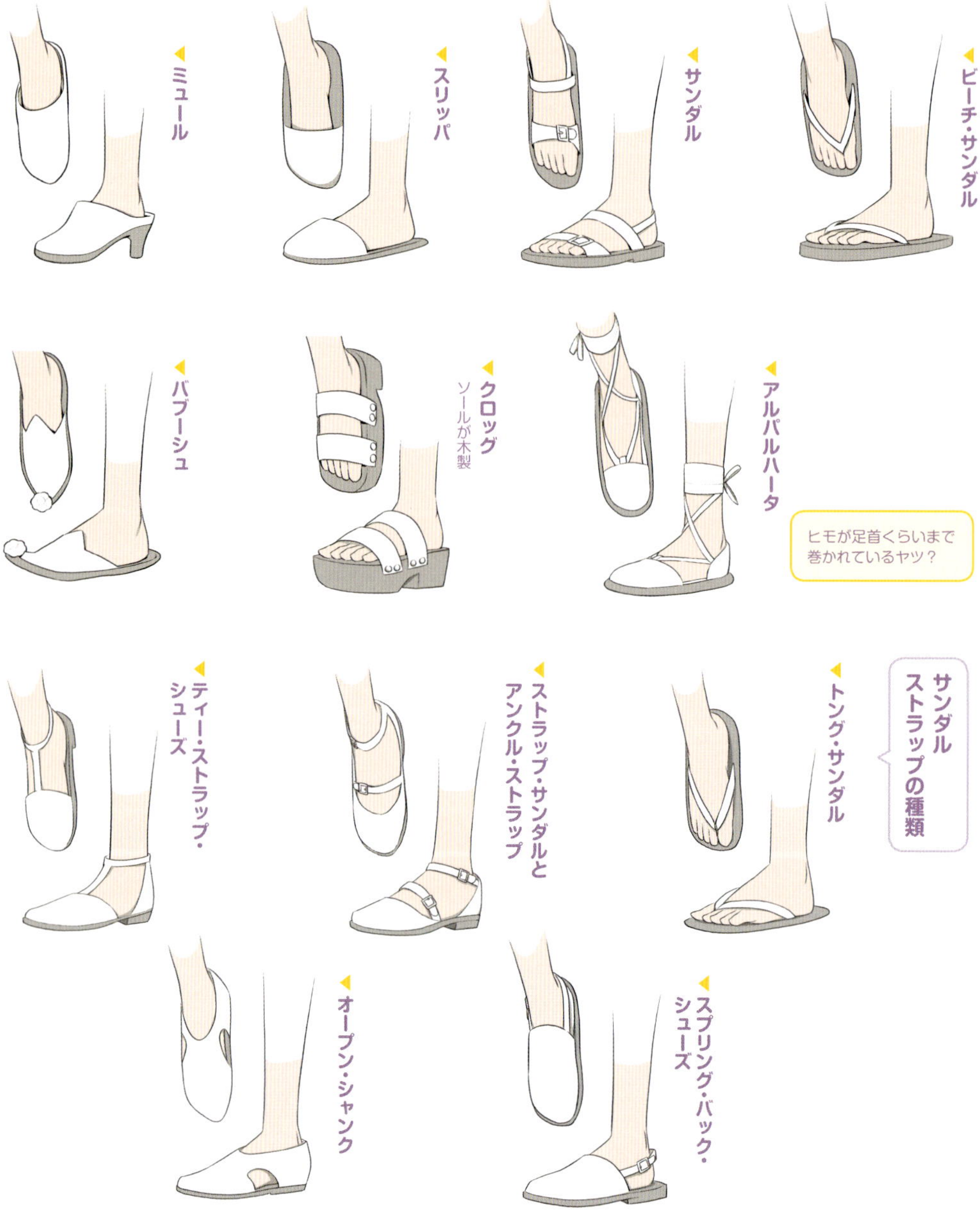

シューズ

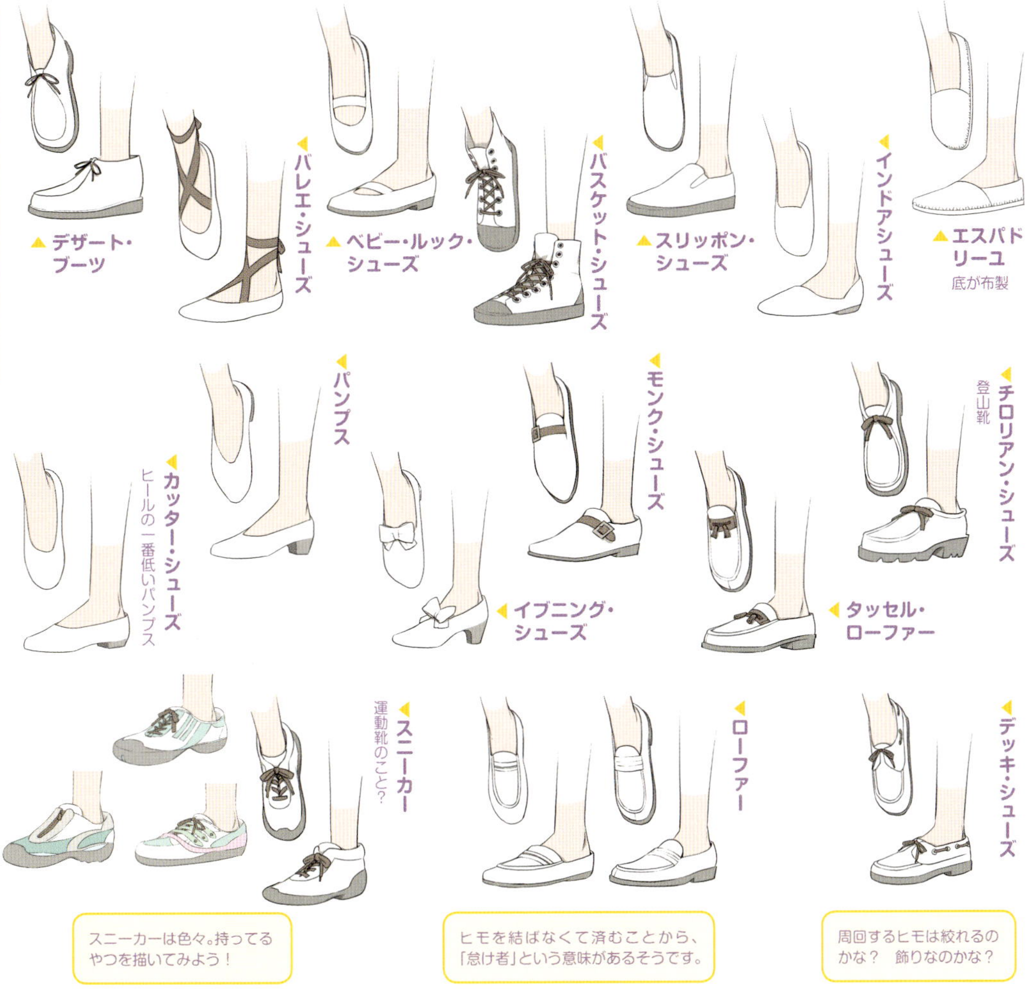
デザート・ブーツ
バレエ・シューズ
ベビー・ルック・シューズ
バスケット・シューズ
スリッポン・シューズ
インドアシューズ
エスパドリーユ
底が布製
パンプス
カッター・シューズ
ヒールの一番低いパンプス
イブニング・シューズ
モンク・シューズ
タッセル・ローファー
チロリアン・シューズ
登山靴
スニーカー
運動靴のこと？
ローファー
デッキ・シューズ
スニーカーは色々。持ってるやつを描いてみよう！
ヒモを結ばなくて済むことから、「怠け者」という意味があるそうです。
周回するヒモは絞れるのかな？ 飾りなのかな？

革靴

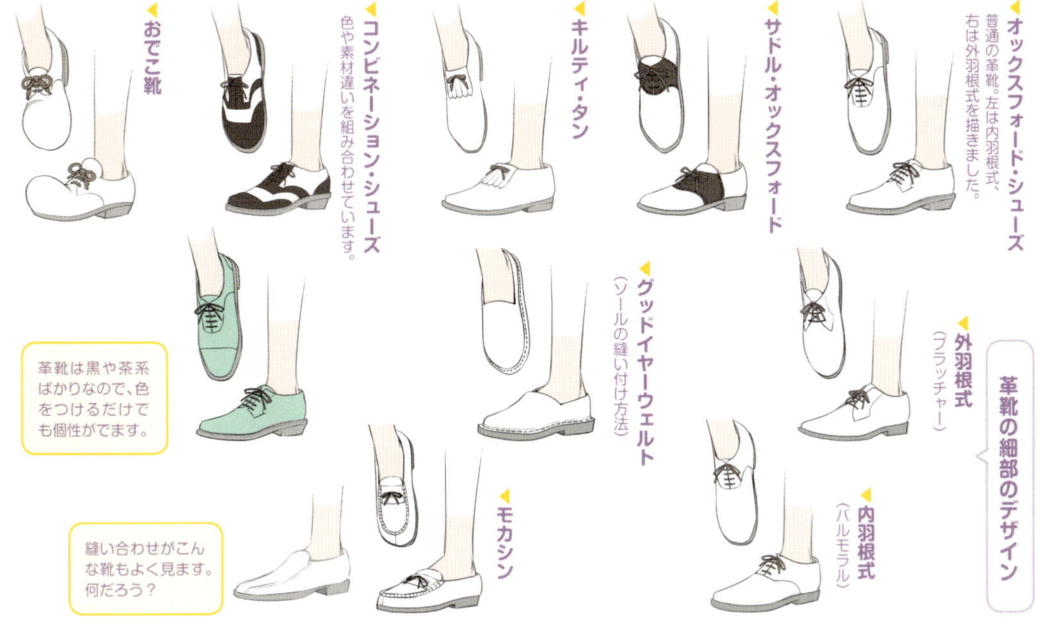
オックスフォード・シューズ
普通の革靴。左は内羽根式、右は外羽根式を描きました。
サドル・オックスフォード
キルティ・タン
コンビネーション・シューズ
色や素材違いを組み合わせています。
おでこ靴
革靴の細部のデザイン
外羽根式
（ブラッチャー）
内羽根式
（バルモラル）
グッドイヤーウェルト
（ソールの縫い付け方法）
モカシン
革靴は黒や茶系ばかりなので、色をつけるだけでも個性がでます。
縫い合わせがこんな靴もよく見ます。何だろう？

つま先のバリエーション

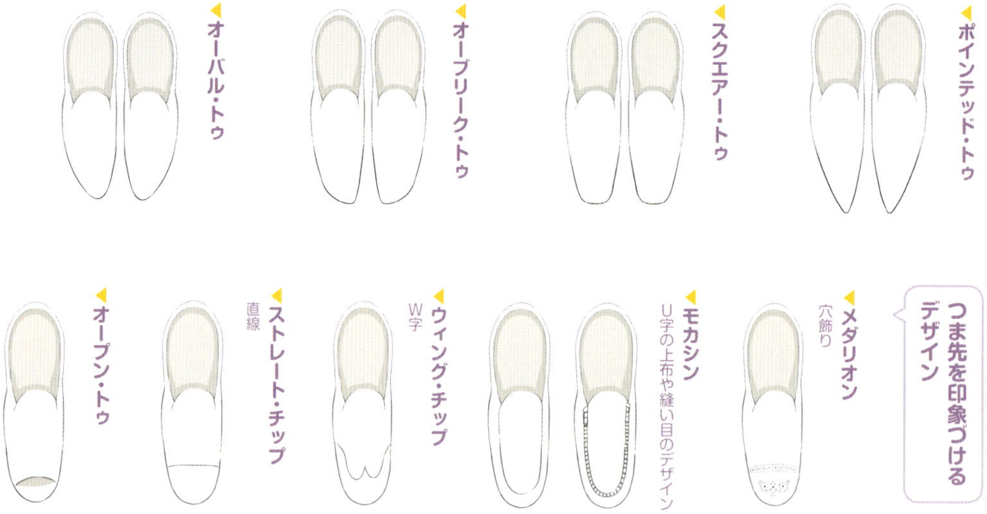
ポインテッド・トゥ
スクエアー・トゥ
オーブリーク・トゥ
オーバル・トゥ
つま先を印象づけるデザイン
メダリオン
穴飾り
モカシン
U字の上布や縫い目のデザイン
ウィング・チップ
W字
ストレート・チップ
直線
オープン・トゥ

ブーツ

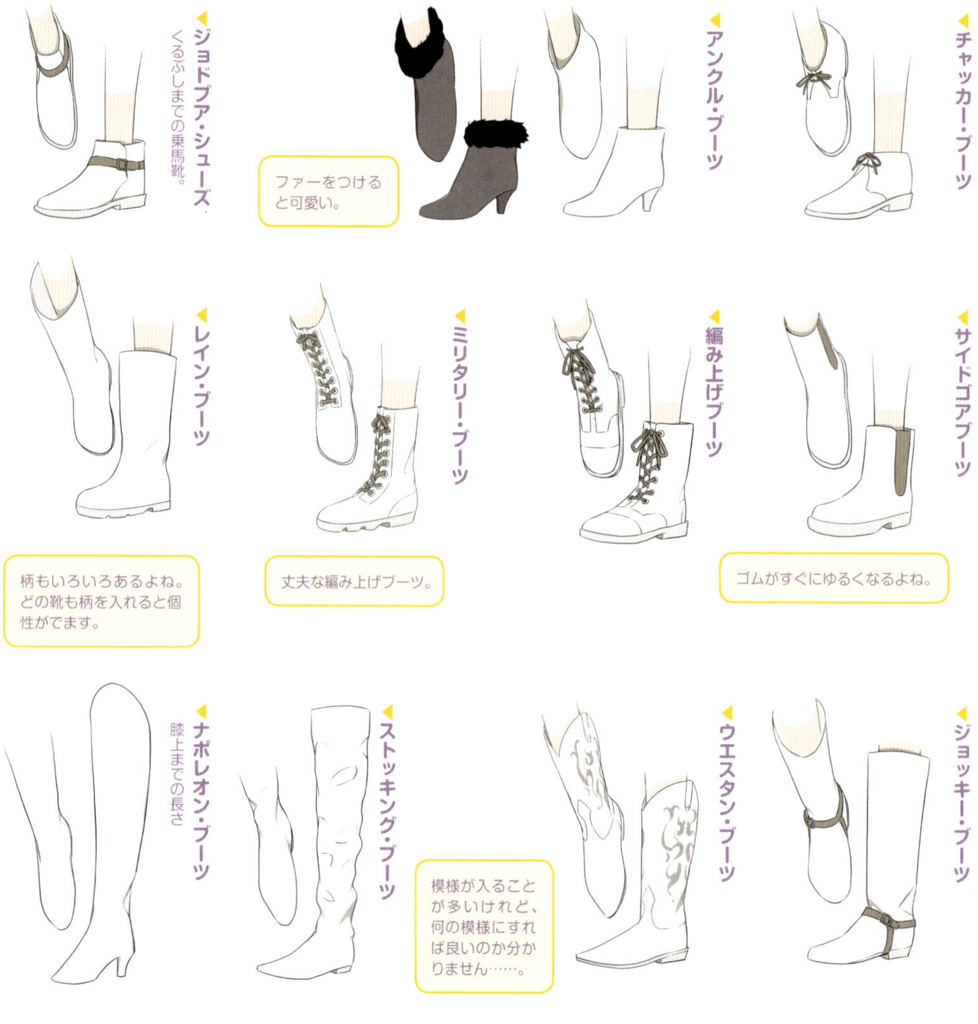
チャッカー・ブーツ
アンクル・ブーツ
ファーをつけると可愛い。
ジョドプア・シューズ
くるぶしまでの乗馬靴。
サイドゴアブーツ
編み上げブーツ
ミリタリー・ブーツ
レイン・ブーツ
ゴムがすぐにゆるくなるよね。
丈夫な編み上げブーツ。
柄もいろいろあるよね。どの靴も柄を入れると個性がでます。
ジョッキー・ブーツ
ウエスタン・ブーツ
模様が入ることが多いけれど、何の模様にすれば良いのか分かりません……。
ストッキング・ブーツ
ナポレオン・ブーツ
膝上までの長さ

装飾を加えてみよう

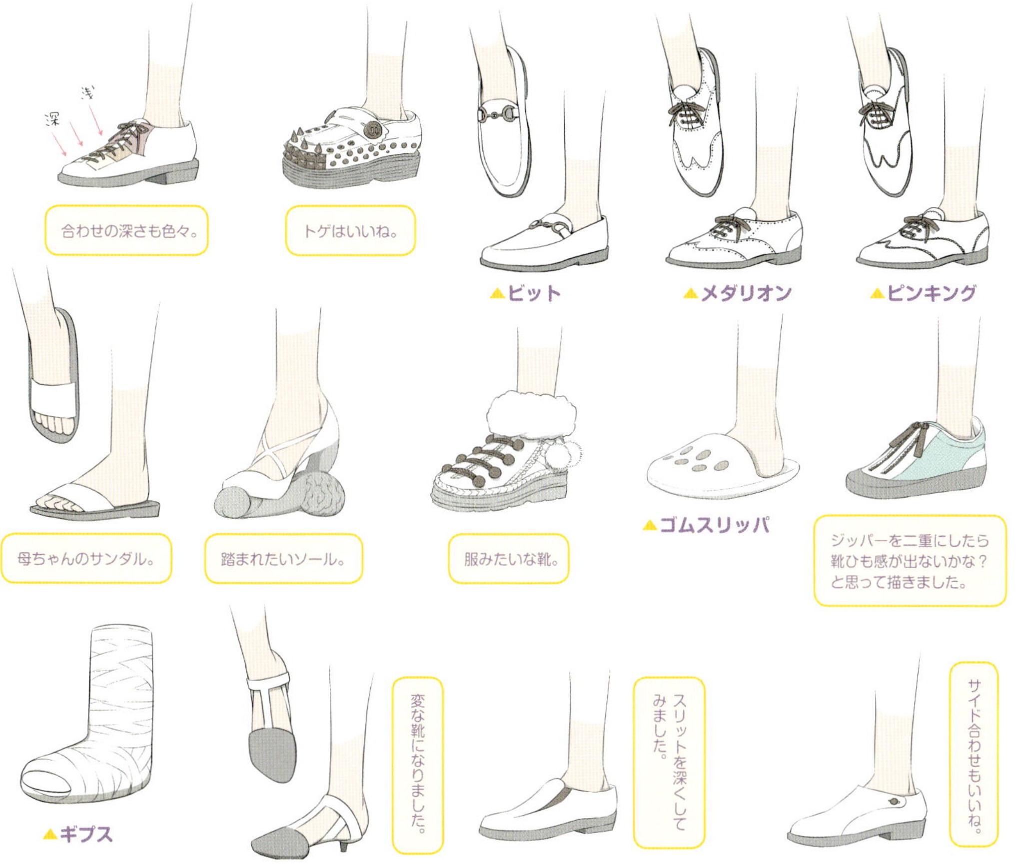
深
浅
合わせの深さも色々。
トゲはいいね。
▲ビット
▲メダリオン
▲ピンキング
母ちゃんのサンダル。
踏まれたいソール。
服みたいな靴。
▲ゴムスリッパ
ジッパーを二重にしたら靴ひも感が出ないかな？と思って描きました。
▲ギプス
変な靴になりました。
スリットを深くしてみました。
サイド合わせもいいね。

ソールの色々

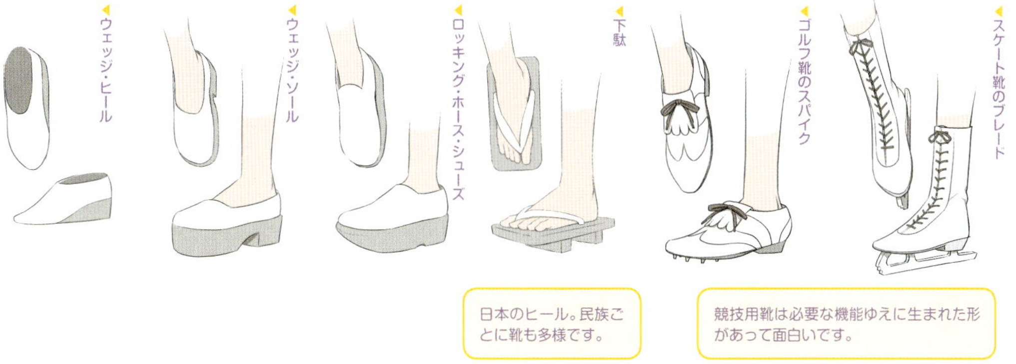
◀ウェッジ・ヒール
◀ウェッジ・ソール
◀ロッキング・ホース・シューズ
◀下駄
◀ゴルフ靴のスパイク
◀スケート靴のブレード
日本のヒール。民族ごとに靴も多様です。
競技用靴は必要な機能ゆえに生まれた形があって面白いです。

ヒールの形

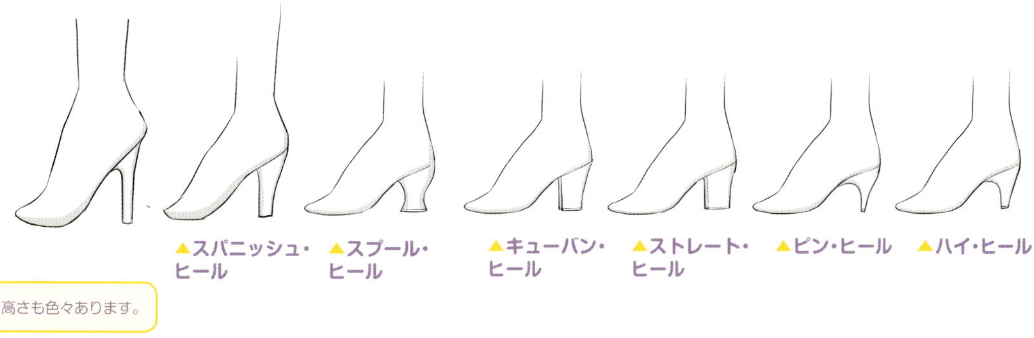
▲スパニッシュ・ヒール
▲スプール・ヒール
▲キューバン・ヒール
▲ストレート・ヒール
▲ピン・ヒール
▲ハイ・ヒール
高さも色々あります。

PART4-7

ちょい足し装飾をしてみよう

主な服の種類は、これまでの辞典から探すことができると思います。ここからはコスチュームのベースに何を足すとオリジナリティが出せるのか、そのコツを「お手軽デザイン」として紹介します。デザインを入れる場所を知れば、迷わずに差違が作れると思います。難しく考えずに加えられる発想方法で楽しく描いてみましょう。

3点盛りで考える

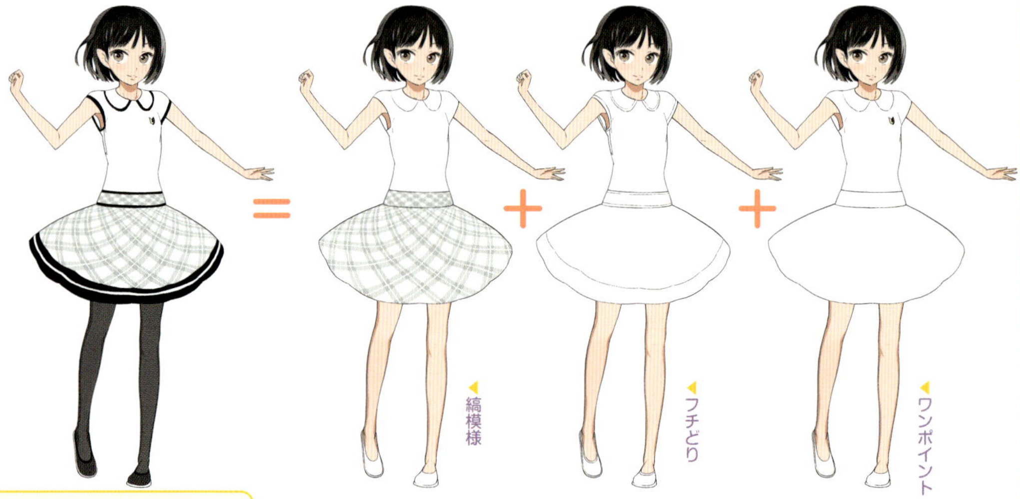

「ワンポイント」「フチ取り」「縞模様」全部加えると学生服みたいですね。

【点】のデザイン・1 ワンポイント

おすすめは三角形。ゆがんでいても気にならないので、最高にラクチン。

数字、文字、記号は丁度いいアイテム。モチーフに悩んだら、マイケル・マハルコ『アイデア・バイブル』のブルートシンク発想法でランダムな単語を拾ってくるのもオススメです。

【点】のデザイン・2 サイズ

青い丸は上から順に、指先のサイズ（シャツ用ボタン）指より大きいサイズ（コート用ボタン）握り拳サイズ（大きめのワッペン）パーのサイズ（ポケット？）胴のサイズ（カバン？）をイメージしています。

【点】のデザイン・3 服の機能をつける

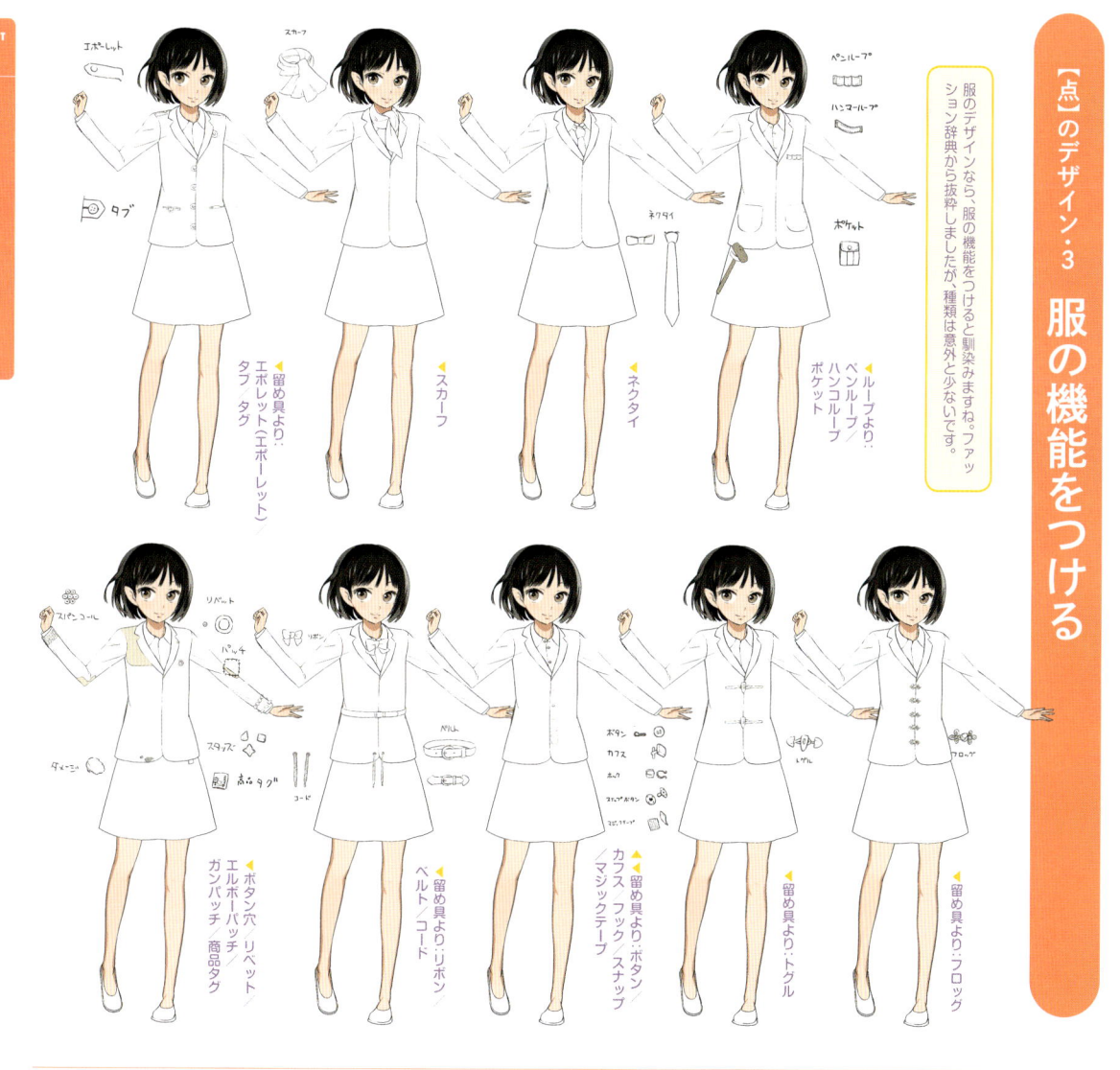

服のデザインなら、服の機能をつけると馴染みますね。ファッション辞典から抜粋しましたが、種類は意外と少ないです。

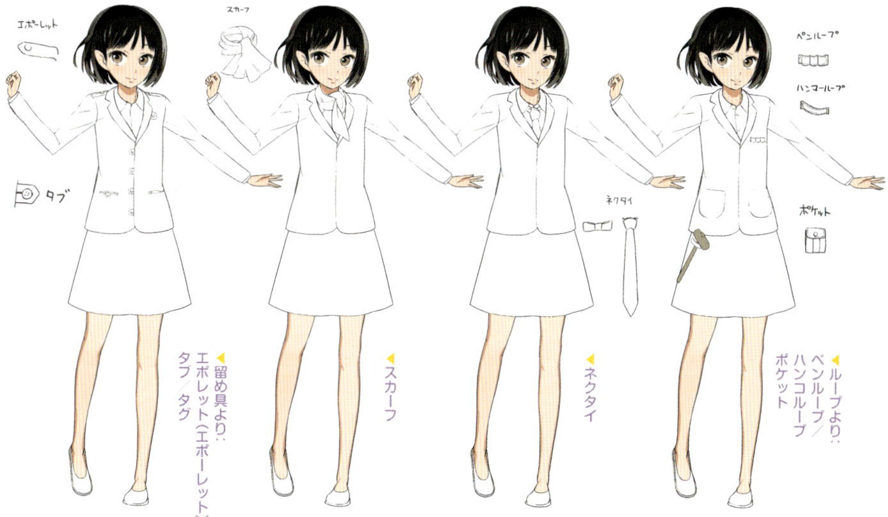

◀留め具より：エポレット（エポーレット）／タブ／タグ

◀スカーフ

◀ネクタイ

◀ループより：ペンループ／ハンコループ／ポケット

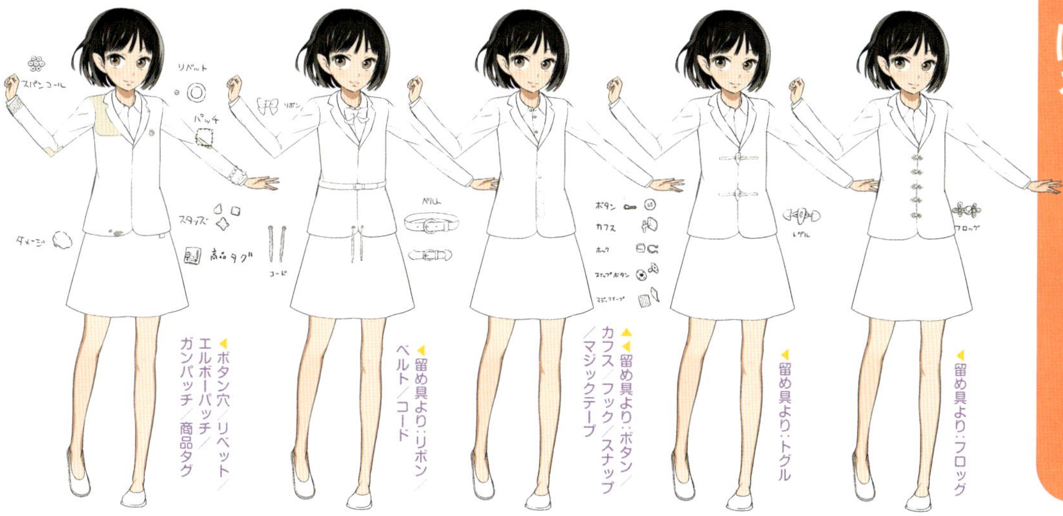

◀ボタン穴／リベット／エルボーパッチ／ガンパッチ／商品タグ

◀留め具より：リボン／ベルト／コード

◀留め具より：ボタン／カフス／フック／スナップ／マジックテープ

◀留め具より：トグル

◀留め具より：フロッグ

【点】のデザイン・4 装飾

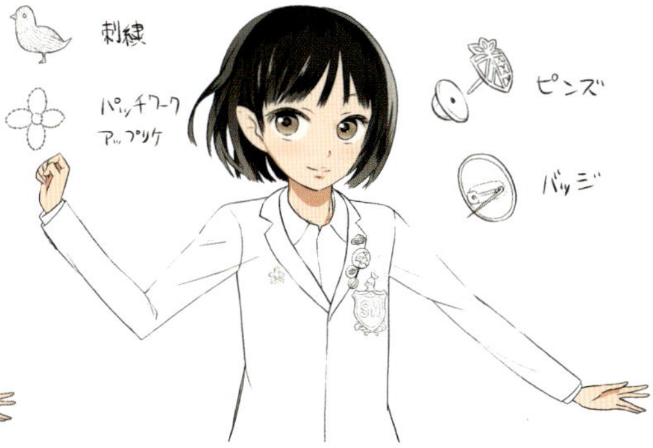

花やハンカチを胸に飾るのは鉄板です。眼鏡、万年筆、時計、なんでも装飾になりますね。普通はキャラクターのイメージを伝えるためにモチーフを選びます。でも、テキトウなモノを付けてみたら、世界観が膨らんで面白くなった、ということも多いです。

▲ピンズ／バッジ／スタッズ／プリント／ペイント／刺繍／アップリケ／パッチワーク／スパンコール

何もかもが装飾になるけれど、これらはファッション辞典にあったので間違いないです。

【点】のデザイン・5 ドット柄

柄で楽なのは水玉。サイズで印象が変わります。

小さいほうが使いやすいかな。

スカートに入れたらどうだろう。

全部にしたら、なんだか嫌だな。
ワンアイテムだけのほうが良いですね。

少し抜いたところも作ってみます。

服の形を変えて、スーツ的なデザインにしてみましょう。

スカートに置いたドットの白黒を反転させてみます。

ドットだけでなく、ラインを入れた方が良いかも。

ラインを入れたくなったのは、シャツとスカートのコントラストが強すぎたためかもしれません。グラデーションを入れてみます。

グラデーションの色を調整。
このくらいの方が良いかな。

●ドット柄のアレンジについて

上着を変えてみたら、グラデーションが合わなくなりました。

黒ベタに戻したら良い感じになりました。

【線】のデザイン・6 ストライプ・ボーダーを描く

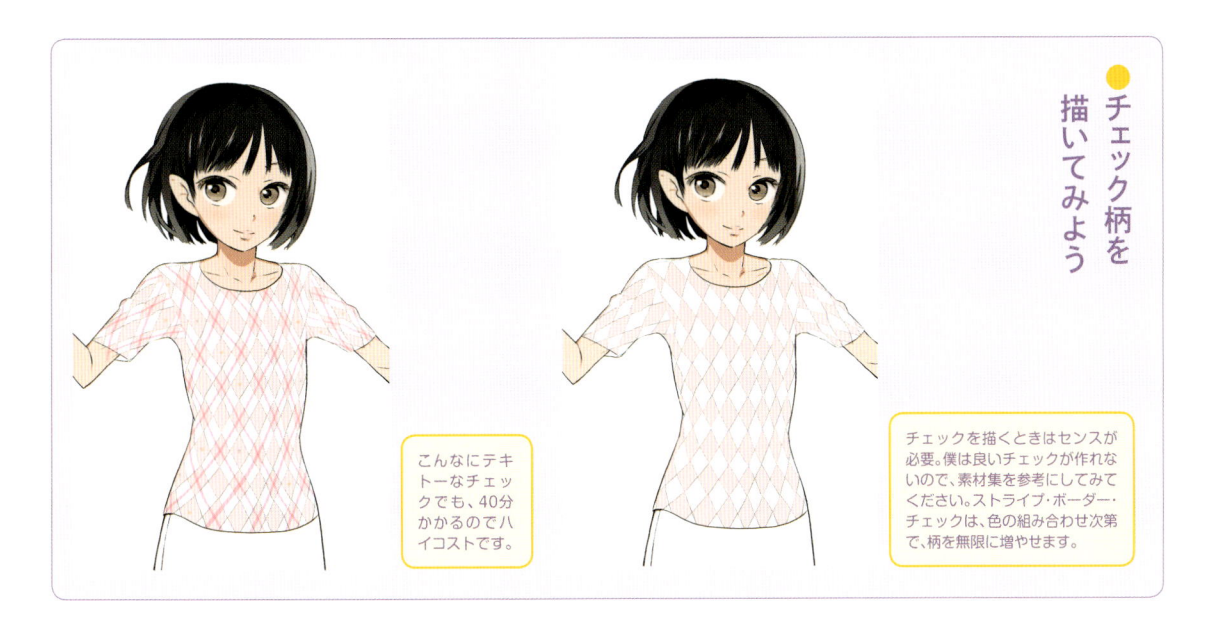

ストライプとボーダーは、アイテムの中心から、ケーキを切り分けるようにラインを割っていくと描きやすいです。真ん中が解らないと常に小さいケーキしか食べられないよ。

ストライプ

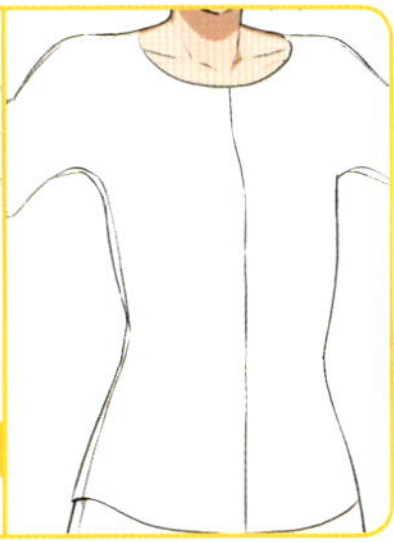
左右の中心に線を引きます。

分割した左右それぞれの中心線を引きます。

さらにその中心に線を引いて等間隔に分けます。

分割する回数は好みで。徐々に細かくなりました。

かなり細かいストライプができました。

ボーダー

今度は上下の中心に線を引きます。

分割した上下それぞれの中心線を引きます。

さらにその中心に線を引いて等間隔に分けます。

分割する回数は好みで。徐々に細かくなります。

ラインを体に沿わせて描くと立体感が増しました。

応用

同じ回数、縦横に分割した状態。

分割を抑えると、チェックに見えます。

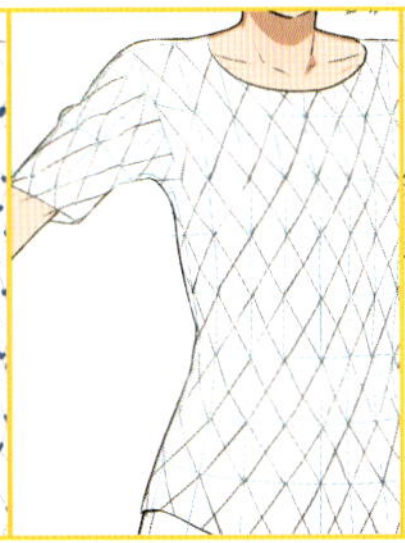
縦横に引いた交点を結ぶと斜めのチェックができます。

交点にワンポイントを置くのがポイント。ハートを描いてみました。

斜めチェックに色をつけると市松模様に。色々できますね。

チェック柄を描いてみよう

チェックを描くときはセンスが必要。僕は良いチェックが作れないので、素材集を参考にしてみてください。ストライプ・ボーダー・チェックは、色の組み合わせ次第で、柄を無限に増やせます。

こんなにテキトーなチェックでも、40分かかるのでハイコストです。

【線】のデザイン・1
ラインを引く

▶内側にもう一本増やせばブレード。

◀服のフチにそってライン(線)を引けばパイピング。

◀▶ドンドン増やすと柄になりますね。布そのものが糸を編んだものだから自然に見えます。

▶地色とパイピングに色をつけはじめたら無限に悩めます。

【線】のデザイン・2
ラインにデザインを加える

ラインにも色々あります。エッジやウエーブ、点線、それらのリズムを意識すると良いです。

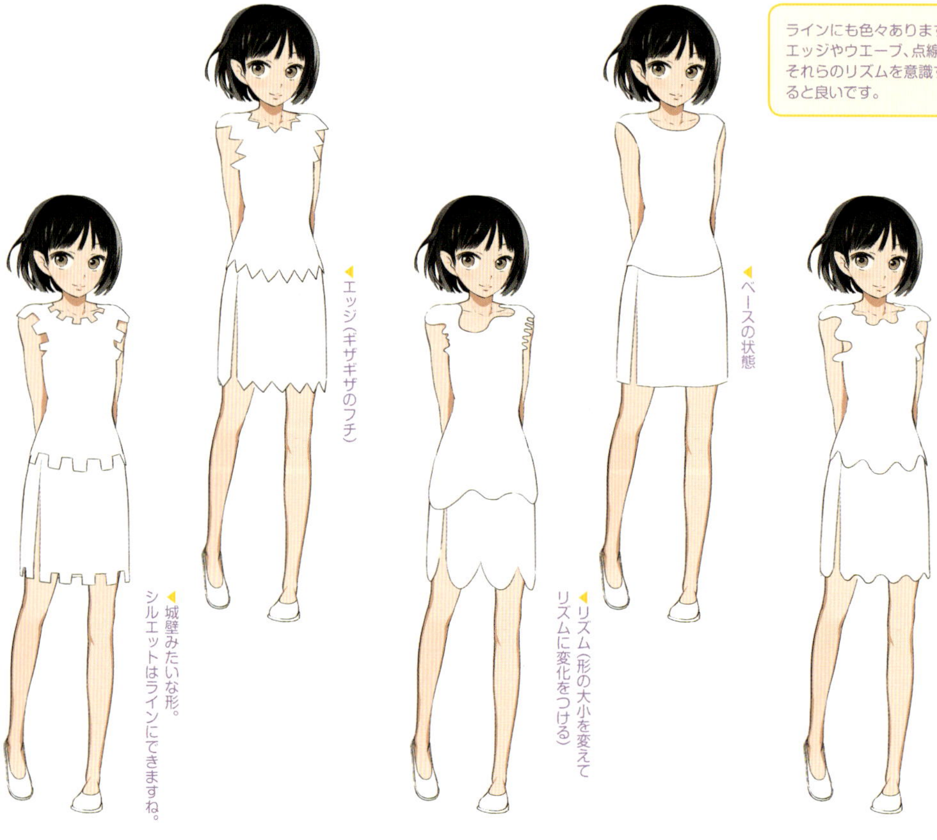

◀ベースの状態

◀エッジ(ギザギザのフチ)

◀城壁みたいな形。シルエットはラインにできますね。

◀リズム(形の大小を変えてリズムに変化をつける)

◀ウエーブ(やわらかいフチ)

【線】のデザイン・その3

ヘムを変化させる

※「ヘム」は布や衣服のへりのことで、「フチをとる」「フチ縫いをする」などの意味もあります。一般的にはスカートのスソの折り代を指す場合が多いですが、袖口・シャツのスソ・フリルの外フチも含まれます。（ファッション辞典より）

▶ベースとなる状態

▶レース

▶ピコ・パイピング

▶フリル

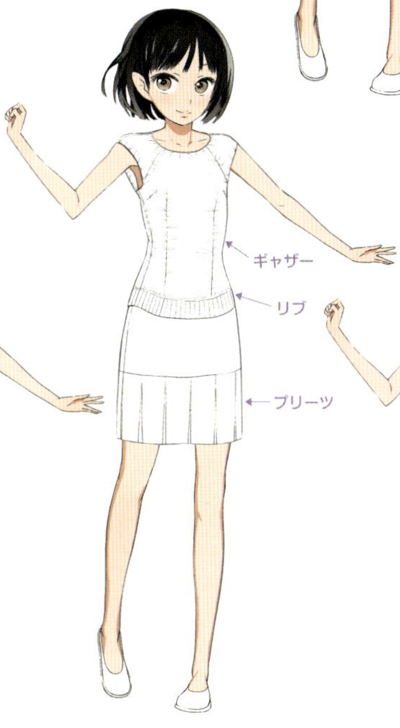

▶アレンジ

▶フリンジ（ふさ）

折り返して襟をつけたり、その素材を変化させたりすると、変化がでますよ。

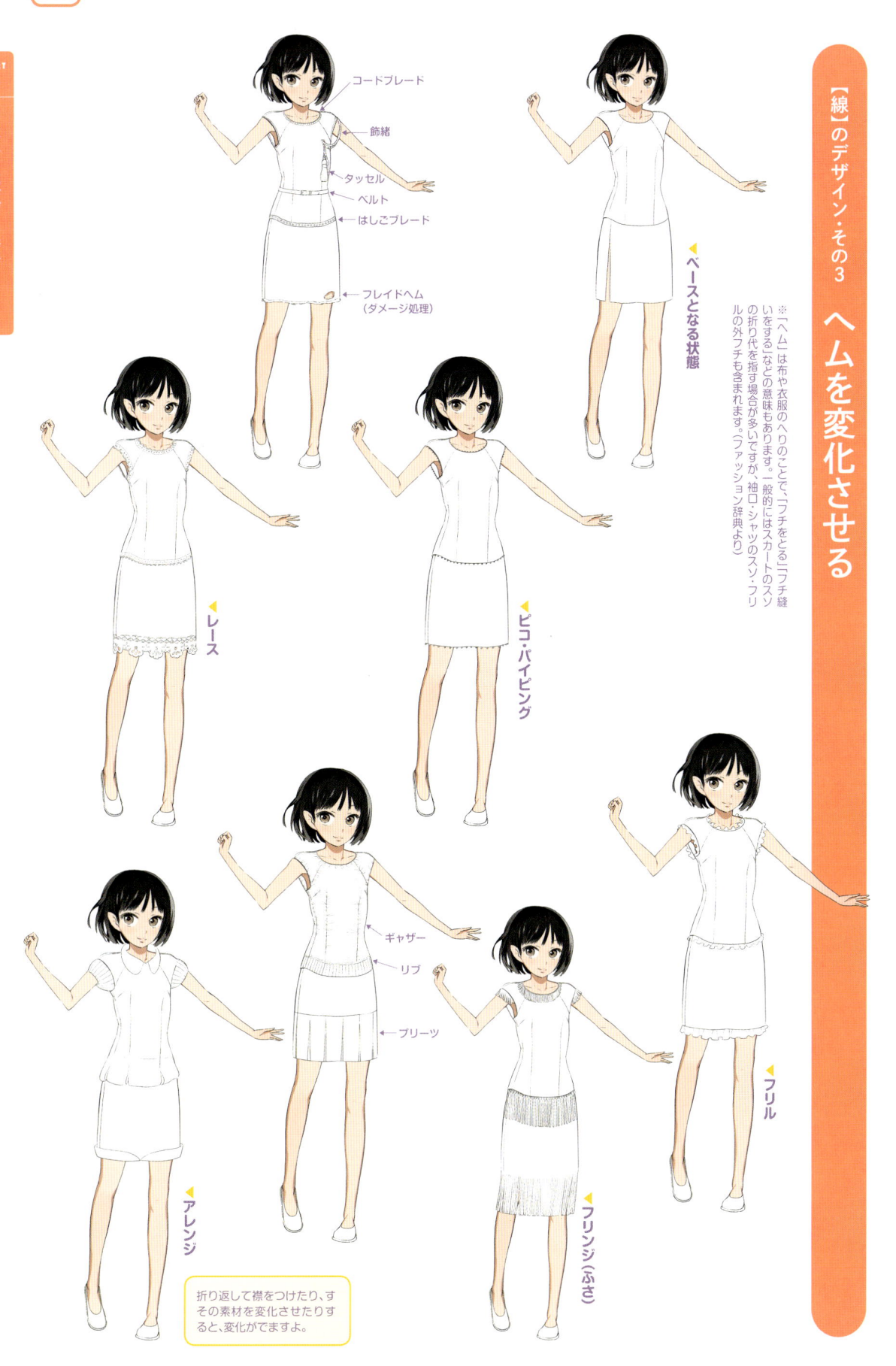

【線】のデザイン・4 ダーツを変化させる

※「ダーツ(darts)」は、体型に合わせて立体的な丸みやふくらみを出すために、布の一部をつまんで縫うことを指します。デザイン的な効果としても使われます。(ファッション辞典より)

場所によって名称が変わるダーツ

- ショルダーダーツ
- ゴージダーツ
- アームホールダーツ
- センターダーツ
- フレンチダーツ
- サイドダーツ
- ウエストダーツ

【線】のデザイン・5 シームを変化させる

▼アローヘッド

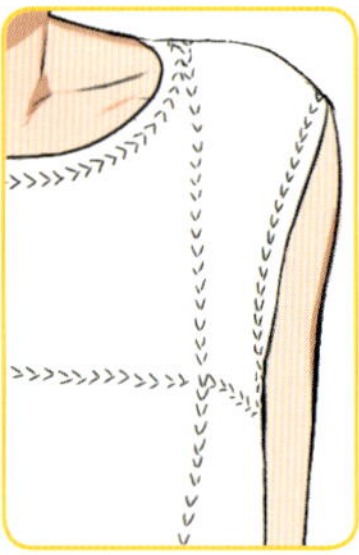

▼ランニングステッチ

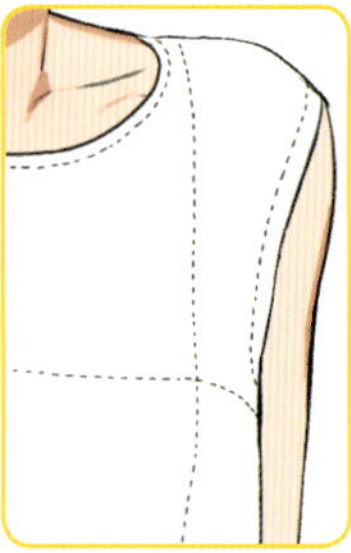

※「シーム(seam)」は、縫い目、接ぎ目、とじ目、切り替え線のこと。素材を縫い合わせて出来る線や、縫い目に見えるような折り目の線のことも指します。(ファッション辞典より)

縫い目の種類も色々あります。辞書に書いてあったものを描いておきます。でも、使う場所や機能は解らない……。縫い目は大きめに描いても、違いが見えにくいですね。

▼ノッティドステッチ

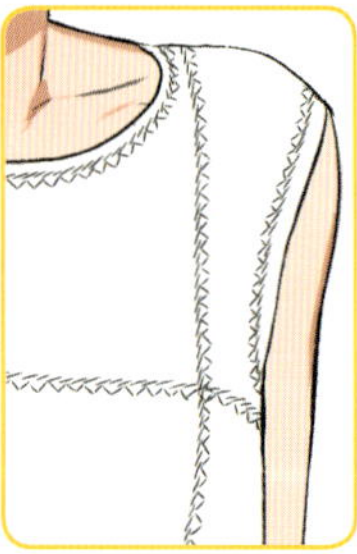

▼ヘムステッチ

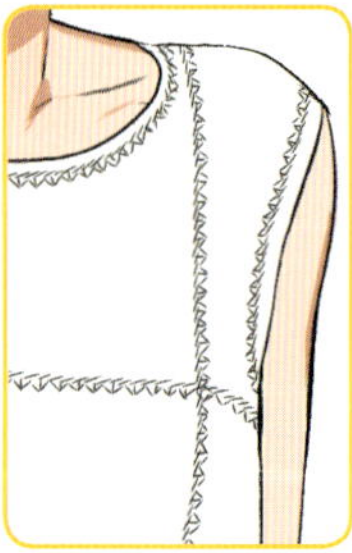

▼ブランケットステッチ

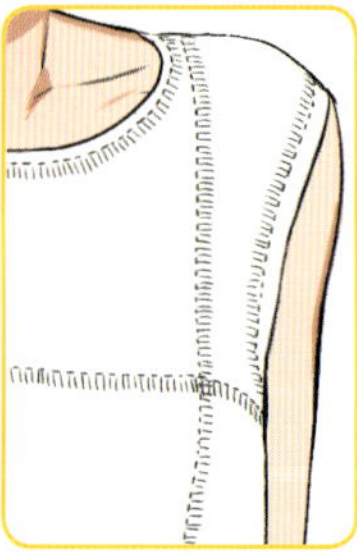

▼ハティドステッチ

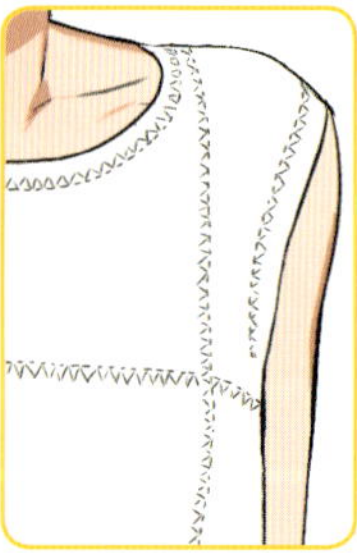

▼チェーンステッチ

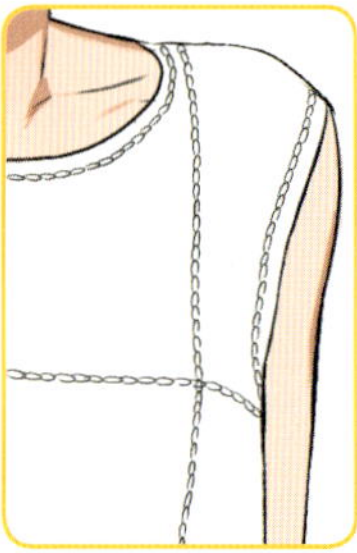

▼フェザーステッチ

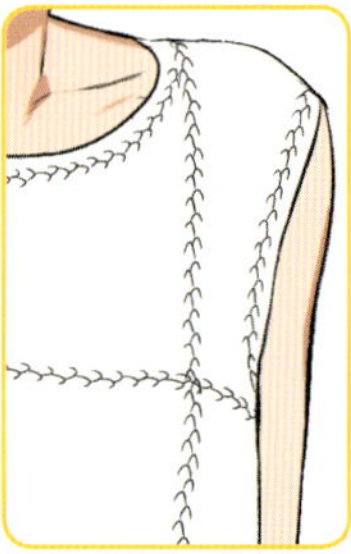

▼ヘンリボーンステッチ

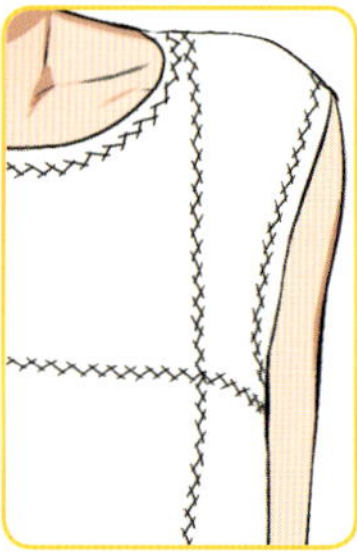

▼ワーンステッチ

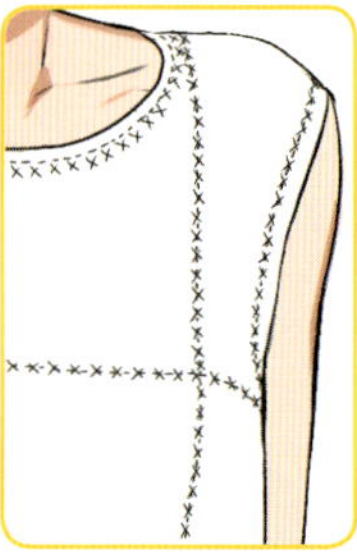

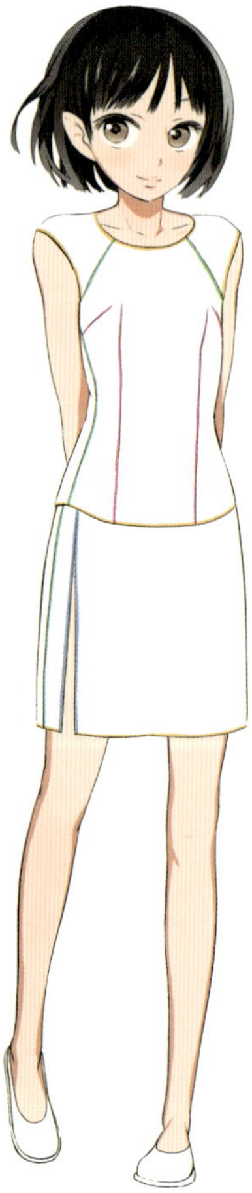

【面】のデザイン

服の構造を意識する

ベースとなる服

服は面の集合体。シームの項目で紹介した生地が切り替わる場所やパーツにわけて面に色をつけてみます。

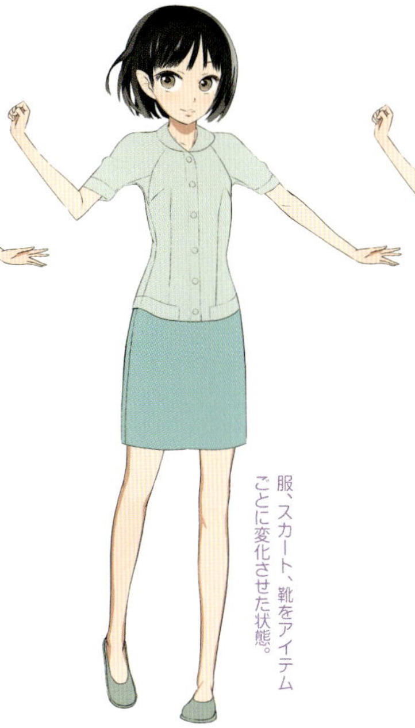

服、スカート、靴をアイテムごとに変化させた状態。

アイテムのパーツごとに変化させた状態。シャツの襟やすその色を変えました。

布が縫い合わさる場所ごとに変化させた状態。服の構造を意識して塗り分けました。

構造とは関係なく、上下などにくっきりと面を分けたセパレート配色。

自由に面を作ると、イレギュラーな感じ。

模様だけでなく素材を変えたり組み合わせることも、デザインになります。例えば、麻・コットン・絹と、フリース・ニット・厚い布・堅い布・防具になる布・スエード・革・毛皮では、シワのつきかたも変わります。レース・メッシュ・網などの透ける布も効果的ですね。また、ステッチの入れ方で服の印象も変わります。体に沿ったラインだけでなく、綿やパットを服に詰めればシルエットも変化させられますよ。

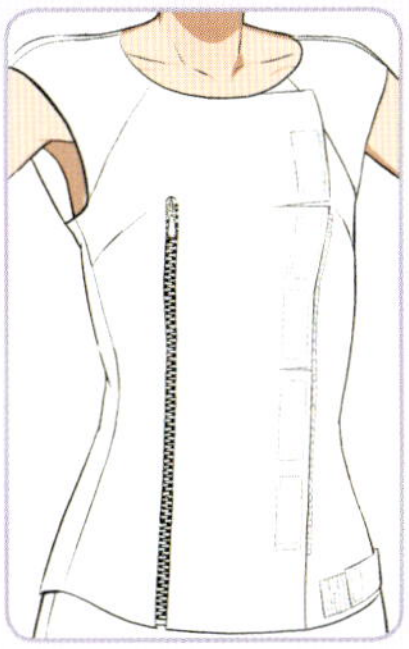

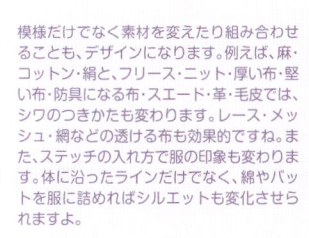

シームが入る場所には、ジッパーやマジックテープなどをつけて、さらに変化を加えることもできます。

column

服のデザインは無限です！

デザインを入れる場所としてコスチュームはとても自由なアイテム。
流行りも積極的に取り入れてみましょう。

okama 服はデザインの集積地。自由に作れるのが楽しいところです。バリエーションは無限に広がっています。着たい服を、見たい服を、描きましょう。でも、服に興味のない人にとっては、辛い作業だと思います。何が正解なのか分からないですよね。僕も野球少年が好む服をデザインしてと言われたらお手上げです。自分の好きなものしか分かりません。そんなときは、ファッション雑誌を参考にするのが最善策だと思います。ティーン向けの雑誌には今年流行るモノや真似するべきポイントなどが大きく書かれているので、素直に従っちゃいます。例えば、「ジャージ」が流行っているなら、ジャージを着せて、「チェック」が流行るなら、どこかにチェックを入れます。宇宙服を描いているときでも「今年は肩を出す」というCMを見たら「よし、肩出し宇宙服だ！」となる感じです。宇宙飛行士の腕は爆散してしまいますが、流行とは大きな流れに追従することなので、しっかり波に乗っていきましょう。

【スカート】

みんなのデザインの幅を広げるために、この資料を使っていただけたら嬉しいです。最終的にはサイコロでデザインを決められたら良いんですけどね。着せ替えみたいに上下を決めて、すそや襟をつけ替えたり、布の柄を変えたり、ちょい足し装飾もしてみたり。その偶然できた服をコンセプトやテーマに合うようにアレンジして仕上げたら、いつもより斬新なデザインが生み出せるかもしれません。ミニスカートは避けられるはずです。

【パンツ】

ズボンはシンプルなデザインでも、長さや太さ、特徴の違いで意外と差が出ましたね。ベルトも一緒に紹介しようと思ったけれど、調べても素材が変化する程度で、種類が少ない感じでした。

【コート】

防寒用、雨具といった機能的なものから卒業式、スポーツ観戦用。羽織るだけのシンプルなものから、ボタンやベルト、レース装飾付きのものまでいろいろ。

コートの打ち合わせを閉じたり開いたりさせれば、着こなしでも遊べますね。

【着物】

資料はつたない知識と「風俗博物館」のHPです。参考にしながら差違がつくように描いてみました。一助となれば幸いです。

江戸時代の着こなしは、浮世絵を見ると、職業ごとに細かい変化があるので面白いです。現代でも剣道や柔道、相撲や弓道などスポーツ用の和服がありますね。和服は布が多いので、ガバガバと布を自由に動かして描けるのも楽しいところです。見返してみて、やっぱり着物には柄がほしいな~って思いました。

和の世界は面白いですね。帯の結びかた、紐の結びかた、髪型、手ぬぐいの巻きかたなど、調べていくと奥深いです。

【帽子】

帽子は便利です。「髪型が被ったら、帽子をかぶせる！」といった感じで気軽に乗せていきましょう。ワンポイントや柄、リボンをつければキャラも立ちますね！　デザインは、メッセージが伝わって、シンプルであって、しかし物足りなくはない、そんなバランスがいいんだと思います。

【靴】

4、5人キャラクターが並んだとき、全員オックスフォードを履いてたら。まぁいいけど良くないですよね。資料を参考に、モンクやデッキとかを混ぜてみてください。この資料は、ひも・バックル・調整具は茶色、ソールはグレーで描いてあります。靴ひもは「細いと上品」「太いとカジュアル」。ヒールは「低いとリラックス」。そんな感じで細部の違いが印象に影響を与えてくれます。

そしてこの資料、シンプルに見えますが地味に時間がかかっています！　でも、僕も勉強になりました。街ゆく人の靴って意外と種類が少ないですね。スニーカーかブーツで、革靴はだいたいオックスフォード。装飾が付いている靴も多いけれど基本は同じ。スニーカーがデザインをガンバっているかな。靴を見ていたら「ソールを固定する方法がヒモかベルトだとサンダル」「布で覆われて、かかとが無いとミュール」「布だとシューズ」「足首以上のシューズはブーツ」という感じがしました。

【ちょい足し装飾】

「点」「線」「面」がある所には、わりとどこでも使えます。例えば、服の機能も装飾の一部にして、打ち合わせのボタンやラインを点線にして描けば、その一点一点がワンポイント装飾を置くための座標になりますよね。さぁ、装飾を入れられる場所を発見したら、体力が尽きるまでどんどん盛っていきましょう！

参考：ファッション辞典、コトバンク、モダリーナHPのイラスト図鑑、ウィキペディア、風俗博物館HP

part
5

キャラクターの魅力をアップさせる配色や背景

PART5-1

色で変わるイメージ

キャラクターのデザインができたら、次に気になるのが「色」です。色もまた性格や印象を決めるポイントとなりますが、さらに絵の印象にも関わる大きな要素でもあります。配色のポイントや印象づけたい色を効果的に見せる方法を、具体的な作例とともに紹介します。

1 色を置いてみましょう

1 線画が出来たら、まず肌と髪を塗ります。

一カ所でも色が決まっていると、他の色を選ぶ目安になります。

背景は描かないので、グレーを塗っておきます。明るい色の変化を見やすくするためです。肌を塗り終えて、これから服の色を決めていきます。

2 とりあえず適当に色を置いて、それから細かく考えます。

一番面積が大きくなる布が、ベースカラーになりそうですね。とりあえず紺色にしました。ビビッドカラーにしたいところは赤にして、他の色もテキトウに決めました。モコモコのリボンは羊のイメージで白くして、頭の左端にある細いリボンは虹をイメージして置きました。塗るパーツが多いときは、同色を全体に散乱させるように配置して、画面に一体感を作ります。色はテキトウに思いついた後でダメなところを直していくのが僕のやりかたです。なんだか、この状態で終わりでもいいかも。でも、もうちょっとガンバリます。

3 目立たせたい主題を決めます。

この絵は顔が主題です。顔の周辺に視線が集まるように、顔周辺の配色のコントラストが高くなるように調整しました。

●赤いリボンの印象の違いを見てみましょう

コントラストの差で印象が変わります。

▲コントラストが高い
赤と紫、水色との色差が大きく、全体に派手な印象。

▲コントラストが低い
紫と水色にまとまって、落ち着いた印象。

主題を目立たせるコントロールは、主題の面積を大きくしたり、構図の誘導で行います。色相の差をつけることもポイントです。主題の彩度を上げたり、強い黒でフチ取るのもアリですね。円や直線など、整った立体を入れても目立ちます。逆に主題以外で出てきた杭は控えさせましょう。目立たないようにするには、物の形を曖昧にしてゴチャゴチャと詰め込んだり、明度・色相の差を小さくして彩度を落とすといいです。周囲の色に馴染ませるのも有効で、この絵の場合は、面積の大きいテーマカラー・肌色・背景のグレーのどれかにします。

4 主題を引っ張っているリボンに変更すると、どうなるでしょうか。

色変更前

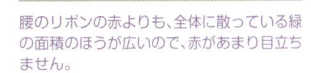

腰のリボンの赤よりも、全体に散っている緑の面積のほうが広いので、赤があまり目立ちません。

引っ張っているリボンを目立たせるために他のリボンの色を調整。悪目立ちする色を抑えて、服も肌の色に近づけています。

色変更後

髪のリボンなどに暖色系が増えました。緑が抑えられて、自然と赤いリボンに目がいきます。

5 主題にするリボンを変えてみます。

A

胸にある1つのリボンを主題にします。
（なんか黒リボンのほうが目立つ気がするなぁ）

B

全体のリボンを主題にするとこうなります。

A: この絵は胸にある紫のリボンが目立つように色を置きました。他はベースカラーにした水色に近づけて抑えています。紫を散らしているので、統一感が出ていますね。でも、黒いリボンが一番目立ってしまっています。なぜもっと薄くしなかったのだろう。ヤングなミーは。

B: こちらはビビッドカラーをモザイクのように散乱させたバージョン。一色に片寄らないよう、色相の離れた色が隣になるように塗りました。

2 色から受ける印象の違い

様々な色を塗ったイラストを並べてみました。単色のイメージだけでなく、組み合わせによっても印象は大きく変わるので、好みの配色や雰囲気を見つける参考にしてみてください。

緑

自然な感じ。緑に見える色数は多く、360度の色相環で100度くらいあります。

青

クールな感じ。空と海の色。アクセントで入れると爽やかな印象。

紫

ミステリアスな感じです。青よりの紫は彩度が低めなので、顔の周りのビビッドなリボンが目立ちます。

ダークカラー

暗い、重たい、落ちついた、クラシックな感じ。大人っぽいイメージです。緑系を使うとナチュラルな感じがします。

パステルカラー

明るい、軽い、やさしい、可愛いという感じがします。子供っぽいイメージです。

白黒

清潔な感じ。白と黒、どちらを強く見せたいのか決めていないと、グレーの印象が曖昧になります。

モノトーン(緑系)

モノトーンの場合、アクセントで色を入れると、デザインがまとまりやすいです。

赤

赤は強くて、ピンクは可愛い感じ。色のなかで、赤と黒は強い印象を与えます。

黄

明るい印象。黄色は色相環の幅が狭くて、360度の色相環で20度くらい。彩度・明度が低いと緑に見えますね。

モノトーン(寒色系)

同系色でまとめると、静かで落ち着きました。寒色系だと控えめな感じです。肌の色が綺麗に見えますね。

ビビッド

楽しい、スポーティー、激しい、チープという感じ。夏のイメージもあります。

アースカラー

茶系。暖色系の色を使うと優しい感じです。黒を部分的に入れているので、シックな感じが出ています。

PART5-2

どのように配色を決めている?

キャラクターやカラーイラストを印象づける大切なポイントのひとつが「配色」。カラフルなイラストを描くokamaさんは彩色をする際、どのように色を決めていくのでしょうか? Photoshopの機能を巧みに使いながら彩色するので、少し高度な点もあるかもしれません。色を変えた理由なども解説しますので、彩色中のokamaさんの思考を覗くようなイメージで見てみてください。

okamaさんの着色から配色のポイントを見てみましょう

1 彩色前の下準備。背景とキャラクターのマスクを切ります。マスクを切ると、彩色作業の効率があがります。この段階では、まだ色を置きません。「適当な配色から、どのように色を決めていくのかを記録する」ということで、今回はグレーにしました。

2 適当に色を置きます。肌は「HSBスライダーの色相25・彩度20・明度100」。それ以外は適当な色で塗ります(Photoshop初期状態のスウォッチ、33番目から2つおきに配色)。残りの背景は50%のグレー。50%のグレーは中間的で、弱い印象の色として選びました。

3 色は適当でも、すぐに目がいく「絵の主役」は顔の部分。線が無い色だけの状態にして、目立つ場所をチェックしよう。

工程3でokamaさんが気になったポイント
・顔よりも左下の赤い葉が目立っている

4 顔周りに色をつけます。まずは目を描き込んでこげ茶に。次に、コントラストを操作して、人物を目立たせていきます。背景のチェーンのようなカーテンや葉っぱは、人物よりも引っ込んでいてほしいので、背景色を使って彩度を落としました。また、頭につけた花や豆、てんとう虫の色も変更。元々の反転色※にしました。
※「反転色」は色相と彩度が真逆の色のこと。

てんとう虫は赤！ 豆は緑！ 花はピンク！と思っていたけれど、色の操作をやりたいので、そういう気持ちを無視して進めます。

赤い葉は、工程❹で色を変えても印象が強いようです。工程❺でさらにグレーを使って色を薄めました※。隣り合う色が近くなるとコントラストが下がります。

※「薄める」というのは、半透明の色を上から塗って、下の色が少し透けている仕上がりのこと。

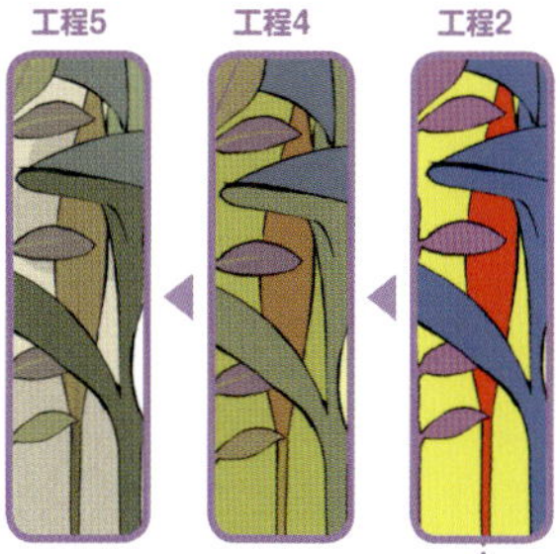

工程４でokamaさんが気になったポイント
- 黒い目の目立ち具合
- 髪の藤色にアイテムの花が溶け込んでしまった
- 穴の開いた葉っぱの水色よりも花を目立たせたい
- オレンジとピンクの花が髪の毛に溶け込んでしまった
- 左側の緑の花が、背景の黄色と色相も近いために溶け込んでしまった

アイテムと人物を溶け込ませる？目立たせる？

・アイテムと人物をそれぞれ独立させるには、人の色を反転させた色で薄めます。
・アイテムと人物を溶け込ませるには、人の色の半分で薄めて、コントラストを下げます。
※「人の色」肌と髪を混ぜた色

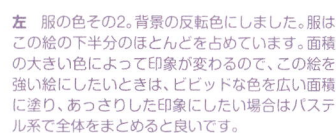

左　服の色その2。背景の反転色にしました。服はこの絵の下半分のほとんどを占めています。面積の大きい色によって印象が変わるので、この絵を強い絵にしたいときは、ビビッドな色を広い面積に塗り、あっさりした印象にしたい場合はパステル系で全体をまとめると良いです。

右　服の色を背景から離したいので、白に変更。白は強い色なので、目に塗られた黒の強さを支えてくれます。そう感じるのは、背景がグレーに近いからかもしれません。

▲白と黒で違う印象

花の色はカラフルに見えた方が良いというokamaさん。その配色を一番綺麗に見せられるのは、白か黒。この段階だと、紫の花の強さと背景の暗い黄色で、白の方が目立っています。黒だと紫の花と青い豆が見えづらいですね。

このとき、一番目立たせたい花はオレンジじゃないということに気がつきました。目立たせたい花の順位は「①緑②紫③その他」です。

▲工程⑥で水色の葉が目立っていたのは、ほぼ補色にあたるオレンジ色の髪が支えていたからです。彩度が高い色を際立たせるためには、補色や白黒の支えが必要です。今回は逆に考えて、水色の葉を目立たせないために、髪の色を反転した青緑にしました。青緑の髪にするとオレンジやピンクの花が目立ちます。その分、青い豆が髪と一体化してしまいました。

9

髪の色は背景の黄色よりも前に出つつ、緑から遠い色相にするのが望ましいので、緑の補色である紫に変更です。緑のてんとう虫は、緑色がぶつかり合うので変更します。はじめに目立っていた赤い葉の彩度をあげた色になりました。

●色を置くポイント

点描画みたいに、絵のなかに同じ色を散らしておくと画面に一体感が生まれます。それが目立つ色だったら、視線の誘導にもなります。だけど色を散らすとインパクトは減ります。例えると、暗闇にポッカリ浮かぶ月と、天の川の星々の中に浮かぶ月のような感じです。

10

改善案から背景の左端を髪の半分の色で薄める方法を選んだokamaさん。緑の花を目立たせるため、複数の色を加えます。

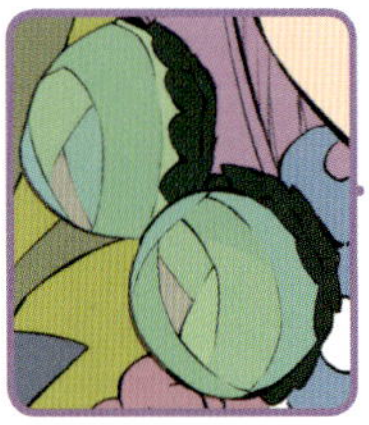

配色にゆらぎを出します。カマイユ※ですね。少しずつ色相をズラした色を配色していって変化をつけます。単色の面積が減ると強さも減るけれど、味わいが出ます。僕は、カマイユの中にグレーを差し込むことが好きです。地味に外れた色は、苦みを知った大人の色なのです。
※色相とトーンを共に近い色で組み合わせた配色。

11

工程11でokamaさんが気になったポイント
・彩度が高い方に視線は誘導される

配色にグラデーションを加えると、流れが作れます。そこで、彩度を変えるグラデーションを作成。塗る場所は穴のあいた水色の葉です。顔周辺に広い面積を占めているので、配色して変化を見ます。右の彩度が高い→低いグラデーションは、上の白い花に視線が誘導されて、左の彩度が低い→高いでは、胸元に視線がいくことがわかりました。

12

▶シアンを見ると、髪と背景の色が近く、コントラストが低いので溶け込んで見えます。背景をもう少し明るく変更します。ブラックは目しか形が判別できません。背景を調整してキャラクターの輪郭を出すことにします。

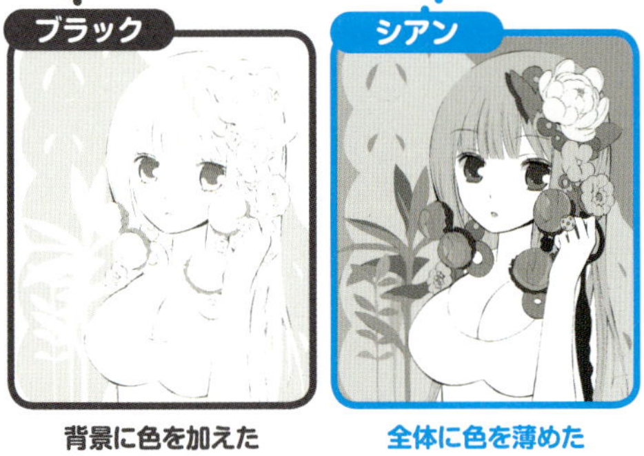

背景に色を加えた　全体に色を薄めた

シアン(C)とブラック(K)のチャンネルを変更しました。

チャンネルを確認して色を修正した状態。シアンを下げたことで髪が少し赤くなり、背景は加えたブラックで落ち着いた色になりました。

●チャンネルを確認

Photoshopにある「チャンネル」は、CMYKそれぞれの色を分解して見ることができる機能。チャンネルは色をグレーで表示するので、C・M・Y・Kそれぞれにコントラストの強弱や濃淡の入り具合を知ることができます。このチャンネルを見て配色を調整する場所を考えます。

背景のカーテンの色を少し変えたり、気になるところを調整していきます。例えば、ピンクの花が沈み過ぎたので、色相をずらしたり、頭の白い花が目立ち過ぎているのでカゲをつけて落ち着かせました。カゲに塗った色は、白い花の周りに緑色が少ないということで、緑の花の色を不透明度25%にして使用しました。蝶の羽裏にも緑を塗ってバランスをとります。

丸で囲んだオレンジの花を白く変更。頭の白い花との明度差を減らして、白い花の独立感を軽減させます。同時に、穴のあいた水色の葉と緑の丸い花の明度を上げて少し白く変更しました。緑を目立たせたい気持ちを忘れてきています。

工程14でokamaさんが気になったポイント
- 背景が暗い
- 紫と黄色の強さが張り合っていてクドい

改善案
- 黄色を弱める
- 緑色をスクリーンモードで敷いて背景色を薄める

再び髪を黒にしてみました。黒髪は可愛いですね。だけど、最初に黒くしたときよりも、花がくすんで見えますね。

黒の分量を増やします。髪のカゲに黒を50%重ねたり、模様などを描き込みました。また、光を入れて立体感も追加。光は背景に使った黄色系を使用します。

絵にボリュームが出るカゲを加えました。(立体感を出すために薄く入れるカゲ)カゲを入れるときは別レイヤーにグレーで描いてから塗っている色に合わせてカラーにします。グレーのままでも不透明度が10%くらいまでなら、色が濁った感じになりません。

改善

白が右側に片寄っているので、背景左上の黄色を少し白くしました。また、花が寂しいので黄色を加えて、オレンジの彩度も上げています。

工程17でokamaさんが気になったポイント
- 髪の左側の境界と背景の線が混雑している
- 背景とキャラの間にある隙間

改善した点
- 背景の線の一部を消して形を省略する
- 背景に草を増やす

上記はキャラクターを前に出すための改善案です。一番効果的なのは背景に何もないこと。それが出来ないとしても、キャラクターの近くにある形の輪郭がぼけていたり曖昧だとキャラクターが見やすくなります。そうすると、線をゴチャゴチャになるまで重ねても、密度差で見やすくなるはずです。

18

背景の緑色が緑の花を邪魔していたので、背景の明度を上げて白くしました。また、肌の色相を赤寄りにずらしたことで、緑の花の存在感が強くなりました。この状態で「チャンネル」を確認します。イエロー(Y)のバランスを見ると、背景のカーテンのひとつをより白くした方が良さそうです。シアン(C)は、髪色を薄くすると緑が目立ちそうなので変更して、より赤くしました。あわせて、丸で囲んだ葉の先に赤を入れました。なんとなく暖色が足りない領域だったからです。

ここまで12時間です。疲れました……。完成にします。配色の決定に必要なのは「絵の主題」。見せたいモノの順位づけがはっきりしていると、意思決定の助けになりますね。彩度が邪魔になる部分や、見せたいのに見えてこないモチーフを調整して、色の力関係を考えて配色していきます。主題には高いコントラスト、背景は溶かし込んでハーモニー。キャラクターの固有色や空など、変えられない色が多いとバランスを取るのが大変になりますね。その場合、カゲと光で調整するのかな。色相の離れた沢山の色を使って賑やかにするときには、チャンネルを利用しましょう。カラーイラストでも、白黒の感覚で色のバランスを調整できて便利です。色数が多いときは助けられますね。……そして完成した絵。10年経って再び見た感想は「地味に終わったな〜」です。絵は考えるより勢いのほうが大切ですね。でも、色を置くときの考え方は今もあまり変わっていないです。

完成

1つ前の工程で髪の方が緑の花よりも強くなっていたので、完成では髪の明度を上げて淡くしました。服の色も、緑がよく見える黒に変更しました。緑の花と肌以外の彩度を下げたので、シックな印象になっています。

目立たせたかった緑の彩度が27%しかないため、全体の彩度をこのくらい下げないと目立ちませんでした。

column

翼を目立たせる色彩を考えてみよう

翼を目立たせる配色を考えたイラスト。模様の有無では、右側の入っていないシンプルな青い翼の方が目立ちます。コントラストが強かったり、彩度の高い部分に目がいくので、翼に模様がなくても服に入れた暖色の方が飛び込んできてしまいますね。

下の2枚は服を黄色系に統一しました。服というアイテム内のコントラストを弱めています。なんだか寂しい感じになりましたね。青い翼をなくしたら安定するかも。いや、花のモチーフを全部白にした方が良い気がする……。色は悩みはじめたら終わりません。

PART5-3

イメージ背景を描こう

キャラクターの印象や心象を背景にデフォルメして描くのが「イメージ背景」です。模様や色、デザインで構成するなど、描き方は様々。実際の景色を描くのは大変、パースを考えるのが難しい……という方も、別の方法や考え方で背景を描くことができれば、絵に華やかさやインパクトを出すことができます。

1 背景のパターン・1 写真を加工して置いてみよう

キャラクターは描けた。「背景が白いけど、何を描けば良いの？ メンドイ！」そんなときの対処法を紹介します。

写真をチョット加工して、スナップ風に配置。白枠をつけると、より写真らしく見えます。

描けない人は写真を貼りつけよう！　右下の写真をチョット加工して乗せています。

デザイン的にするなら、ジオラマ風の表現もありますね。

写真がしっくりこないと悩むより、トレースするほうが楽です。花や道を描き足すのも◎。

写真がくっきりと見える事に抵抗があるならば、思い切りぼかしてみると良いですよ。

2 背景のパターン・2 写真からデザイン的な背景を描いてみよう

トレース嫌いな人にはこんな方法もありますよ。

主題（キャラクター）の彩度が低いので、背景の彩度を上げて鮮やかにしました。

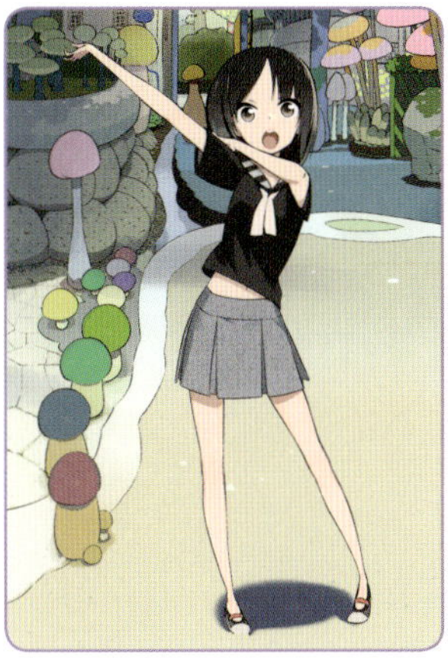

写っているモチーフを「きのこ」に置き換えながらトレースしてみました。

家の近所など、身近な場所で良いので、スマホやデジカメなどで撮影してみよう。

3 背景のパターン・3 イメージを描いてみよう

キラキラ。光は外側に向かって広がっていきます。木漏れ日や夜の車道のヘッドライトをイメージして描きました。

モワモワ。やわらかい輪郭のブラシをランダムに塗って作りました。

カゲ風。キャラクターのシルエットをそのまま使って、カゲのように置きました。

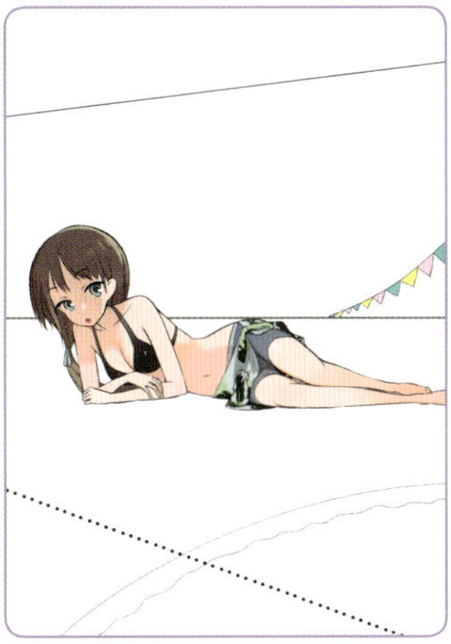

ライン。横線は水平線を意識させますね。2重線・点線・曲線なども入れました。三角の旗にするなど、装飾を加えることもできますね。

点。点は便利です。ダスト・雨・雫・雪・火の粉などがあります。使う色で意味をつけることもできます。

時間が無いときは、イメージ背景も効果的。背景の情報が減るので、キャラクターを強調できます。

4 背景のパターン・4

色・パターンを貼ってみよう

色によって印象が変わることは紹介しましたね。彩度が高ければ子供向けだし、ソフトパステルはベビー用品。ナチュラルカラーはやさしい感じ。パターンにも印象がありますね。迷彩模様は軍隊、チェックはカントリーや伝統的な感じ。シャボン玉ようなフニャドットは描き慣れるとラクチンで便利ですよ。

背景の強弱について

背景を描くときは、背景が主題よりも強くならないことが大切。出てくる部分は引っ込ませましょう。上図の３枚は面積比の調整の作例として作りました。右と中央を比べると手のひらが目立つのは中央。手のひらの表面積を強調するために、白い粉をランダムに配して周囲の広い面積を潰しているからです。左は、粉の数を少なくしました。点は便利なモチーフです。淡白なところや、引っ込ませたいところ、強すぎる線に、とりあえず点を打っておけば、前後や強弱の調整が楽にできて、画面が賑やかになります。

5 背景のパターン・5 グラデーションを利用しよう

水平

下側が濃いグラデーションは重力を感じます。上が濃いと、下から光が当たっている印象で不気味なイメージです。

オーラ

人物の周りを囲みました。中心に視線が集まりますね。外側へのグラデーションなので、広がりも感じます。

オーラ2

背景の白い部分を減らすように配置しました。色ベタで置いても効果があります。

フレーム

仮想のフレームを作ります。中心にあるモチーフ(顔)の周りを白くして、視線を導きます。

ボーダー

濃淡が交互についていると、光が差し込んでいるようにも見えます。

グラデーションによる印象の違い

グラデーションを入れる場所は、色々なアイテムを配置する際にも活用できます。

効果線のような速度を表した線にグラデーションやボーダーを足したイラスト。右図は角度をつけたシャープ塗りなので、スピード感があります。左図はグラデーションをつけたことで、空気が流れている印象です。爽快感もありますね。効果線は同じでも、色の塗り方によって違ったイメージを与えることができます。

6 背景のパターン・6 キャラと背景のバランスを考えてみよう

この例。うまくいっていないですね。4番目と最後の絵を比較したら、最後の方が背景の主張が強まったように感じます。

まずは、模様を感覚で描きます。隙間がまだ多いので、白い部分が目につきます。見る人が注目する人物の眉間のあたりを基準サイズにして、水色の丸を置いてみます。

置いた水色の丸と同じサイズでグリッドを引きました。このグリッドを見ながら背景の面積が広すぎる部分を探していきます。

眉間のサイズ（1マス）よりも広い面積を水色でマークした状態。大雑把だけど。

水色でマークした部分にハート柄を追加しました。サイズや数は感覚で足します。

再びグリッドを表示させて面積をチェックします。密度が上がったように思いましたが、空き過ぎている場所がまだありますね。

ハート柄をさらに追加した状態。右下の大きなハートに追加しなかったのは、「主題からの距離があるにつれて、大きさのルールを弱くしたためです」とのこと。全てに反映するのではなく、メリハリをつけるのがコツ。

7 イチゴ柄で実践

これまで紹介してきた内容を元に、イチゴを使った背景を考えていきます。

イチゴの素材を規則的に並べた状態。背景が強くて、人物が目立ちません。

小さなイチゴを隙間に置いて、面積のサイズを小さくしました。イチゴの主張が抑えられたけれど、目がチカチカしますね。

面積はクリアしましたが色が濃すぎるので、透明度を下げました。これで背景を埋めつつ、キャラクターにも目がいくようになりました。

8 背景のパターン・7 アイテムでイメージを変えてみよう

アイテムは言語です。白鳥の湖を踊っているのはどの子でしょうか？ ……右上ですね。

9 組み合わせた背景

オーラ2＋隙間

グラデーションの項目で登場した「オーラ2」の範囲に花を配しました。大きく配した花束の周りに小さな花を散らすと、空いている面積を弱めることができます。

点＋動き

シンプルにイチゴをシルエットで描きました。単純な形や色でも、大きさや向きを変えるとリズムがついて、賑やかなイメージになります。

パターン＋グラデ

グラデーションに合わせて、イチゴのサイズを変化。地色が濃くなるほどイチゴを小さくして、形を赤い色に溶け込ませました。手前のイチゴのように、地色と柄のコントラストが高くなるほど主張が強くなります。

PART5-4

世界をまるごとデザインしてみよう

キャラクターデザインと切り離せないのが「世界観」づくり。イラストや漫画を描くときに、キャラクターを配する場所について考えることも大切です。日常世界と、きのこのモチーフに置き換えられた非日常世界を描きました。キャラクターだけではないデザインの幅広さ、面白さに触れてみましょう。

自然が広がるロッジで過ごす日常世界

世界観を考えるために、キャラクターがいる背景をとりあえずテキトウに描きました。避暑地風です。

まるごと「きのこ」でデザインされた世界

背景や部屋のアイテムを、きのこと合体させました！インパクトのある背景になりました。モチーフの使い方や取り入れ方次第で、個性のある世界観が作れます。合体させた内容を次のページで紹介します。

登場した「きのこ」を用途と一緒に紹介！

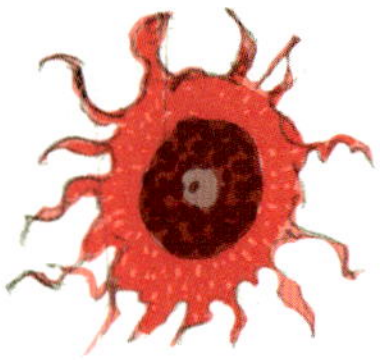

【アカイカタケ】
壁のくぼみに。

【テングノメシガイ】
こけしのフォルムを変形。

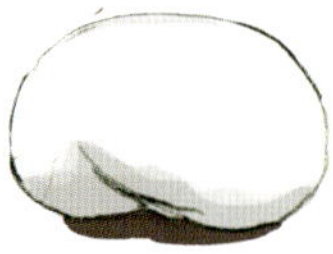

【オニフスベ】
ライトに
入れ替えました。

【ハナイグチ】
天井と壁の
質感と模様。

【ソライロタケ】
カーテンへ
入れ替え。

【テングタケ】
置き物がかぶる帽子に
素材感と色を合わせて
登場させました。

【コガネタケ】
熊が持つバナナ
と置き換えます。

【キツネノエフデ・
キツネノロウソク】
柱の入れ替え。

【スジオチバタケ】
カーテンへ入れ替え。

【ズキンタケ】
植物の形に模倣して
カサのモコモコを葉
にします。

【ガンタケ】
机のシルエットと
天板の模様に。

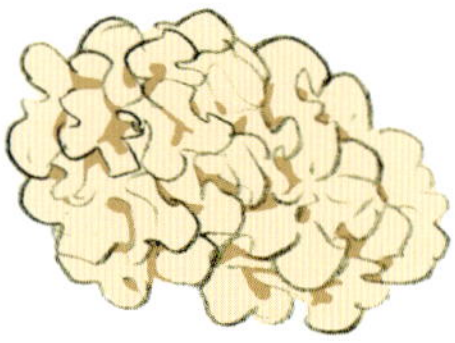

【ハナビラタケ】
絨毯のフォルムを
変形しました。

【ムキタケ】
重なった形を四角い
カーペットのように
整列させます。
書いた文字は適当。

【ズキンタケ】
カサと柄の配色で
床の模様に。

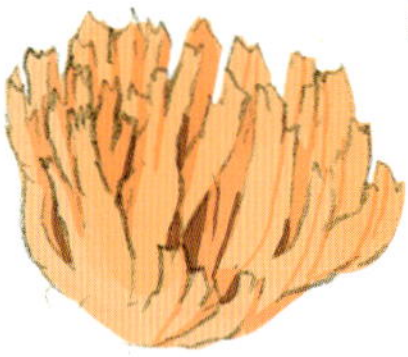

【ホウキタケ】
カーテンのシワに
沿わせました。

【シロオニタケ】
ヘッドフォンに
置き換え。

【ベニテングタケ】
椅子の機能に沿って
きのこを変形。

【イヌセンボンタケ】
灰皿をカサのフォルムと
置き換えます。

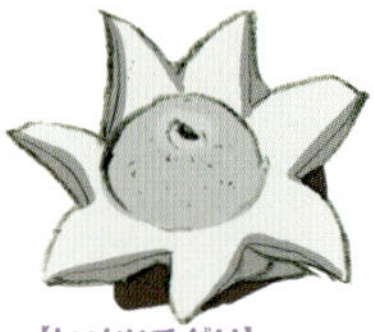

【ヒメツチグリ】
ギザギザの外皮を
ベストの襟に見立てます。

【スジオチバタケ】
上から見た
カサの形を壁の
パターンに使用。

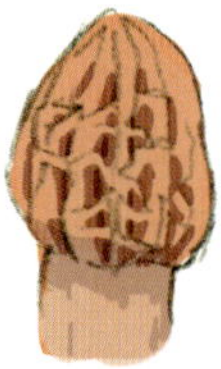

【アミガサタケ】
パンツの模様。

【ウスベニコップタケ】
コップと置き換えます。
元々の形がコップみたい。

【マンネンタケ】
服やスカートのすそや
スリッパの先端など
きのこと形が似ている
ものと置き換えます。

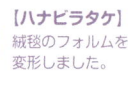

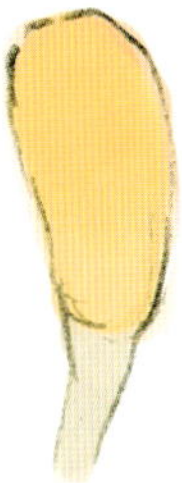

【カンムリタケ】
樹木の配色を模倣。

【オオウスムラサキフウセンタケ】
丘に穴をあけて
内側の模様に。

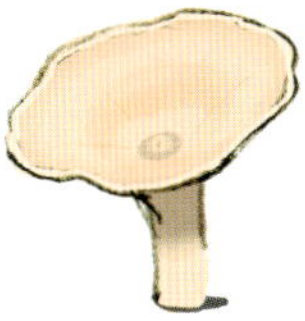

【モリノカレバタケ】
樹をきのこの形に変形。

【タマゴタケ】
きのこの断面を
橋の手すりに。

【タケハリカビ付きチシオタケ】
樹と置き換えました。

【スギタケモドキ】
カサの形をした
連なる柵を
描き足します。

【ワカクサタケ】
樹をキノコの
フォルムに
合わせました。

【ウラムラサキ】
複数の樹と置き換えました。
(右から)
・木目をきのこ模様に変更。
・カサの形を繰り返す。
・幹からたくさん生やす。
・そのまま置き換える。

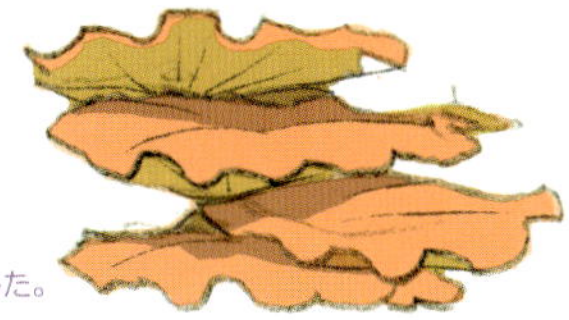

【マスタケ】
樹のシルエットに
沿わせて生やしました。

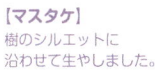

【モリノカレバタケ】
お地蔵さんの
形と色を変更。

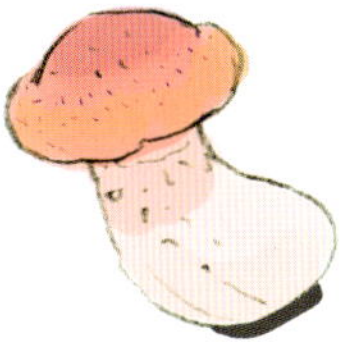

【ナラタケ】
イヌの部位と置き換え。
でっぱり部分と上向き
の部分にカサを使って、
下向きのところは柄と
置き換え。

【ハタケチャダイゴケ】
茂みをこのきのこで
埋めました。

【シイタケ】
カサを帯状にのばして
つなぎ合わせたような
模様の手すりに。

【ベニテングタケ】
カサの色と
模様を床に
敷きました。

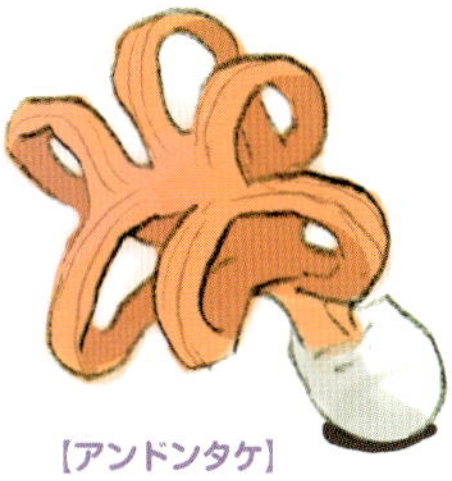

【アンドンタケ】
くねったカサの形を
奥のスロープに。

【ツリガネタケ】
シャツのボーダー。

【キンチャヤマイグチ】
ポストと置き換え。
柄についた模様を見て
機械的だと感じました。

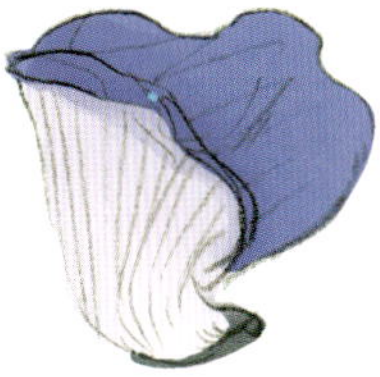

【ヒラタケ】
セーラー服の襟と
袖口に見立てました。

【キヌガサタケ】
レースのスカートに
置き換え。

【カラカサタケ】
スカート、タイツ、
くつ下と置き換え。

【マツタケ】
手に持った
タブレットPCに
なりました。

happy character making by okama

part

6

サイコロを振って新たなキャラクターデザインをつくろう!

PART6

サイコロを使ってキャラづくり

本のカバーに描かれた３人のキャラクター。どの子も特徴のあるデザインで、面白いアイテムを身につけているのも個性的だと感じたのではないでしょうか。この3人はサイコロを振って出た目から作っているのです！　どのようにokamaさんがキャラクターをデザインしていくのか、遊びの要素を取り入れながら楽しく試せる実践編として完成までの工程を紹介します。

【表紙についてokamaさんからのコメント】表紙がなければ本がでません。描かなければなりません。キャラクターを考えるための本なので、本の内容を利用して描いてみようと思います。役に立つのか、検証になりますね。そのために本を読み返してみました。…ヒドイ文章…彼は何を言いたかったのか……。ワケがわからないです、昔の僕。とりあえず、3キャラクターを描き起こします。サイコロに従ってデザインしましょう。気に入らなくても無理やり頑張って、なんとかしてやろうと思っています。僕はそんなプロフェッショナルです。メールの返信以外なら頑張れます！

1 サイコロを振るための表を考えよう

シルエットで特徴を出したい

シルエットに差をつけるポイントは、分割してシルエットを出す場所を明確にすること。

目のデザインを変えてみたい

目とまぶたのパーツをそれぞれ別々に決めてみよう。okamaさんが作ったリストを使って実践！

髪型のバリエーションを知りたい

前髪とボリュームを出す位置をそれぞれ別に考えてみよう。どんな印象を与えたいのかも意識してみよう。

色んな素材や質感を描きたい

質感を描き分けられると装飾の幅が広がります。絵の密度をあげることも可能に！

衣装デザインにこだわってみたい

普段は描かない衣装に挑戦してみたいときは、少しずつ異なる形やアレンジの種類を知って活用しよう。

配色で迷ってしまった

好みの色に偏ってしまう、色塗りに迷う場合はメインカラーを決めると配色を進めやすくなります。

描くときに迷いがちな工程や、デザインで苦手だと感じるところを
解消する考え方や作例をこの本で紹介してきました。

—

読んですぐにその全てを実践してみるのは大変かもしれません。
そこで、この本の内容を使ってokamaさんがゼロからキャラクターデザインをします。
その方法が「サイコロを使って作るキャラクターデザイン」です。
ゲーム感覚でどんな結果が出るのか楽しみながら、気軽に挑戦してみましょう。

３体のキャラクターを作ったサイコロ表を次のページから紹介していきます。
190ページにはokamaさんが作ったサイコロ表を再現した、
『okamaの楽しいキャラづくり』版オリジナルサイコロ調合表を収録しました。
デジタル版も季刊エスのサイト（https://www.s-ss-s.com）で配布しますので、
いろんなキャラクターをデザインしてみましょう。
さらに、巻末特典としてokamaさんの絵柄をあしらったサイコロも作りました。
ぜひ切り取って一緒に使ってみてください。
もちろん、サイコロのアプリなどもあるので、サイコロは何でも自由に使っていただいてOKです。

完成したキャラクターデザインは、ぜひ発表いただけたら嬉しいです。
Twitterのハッシュタグ「#okamaキャラづくり」でツイートください！

A子のデザインを振っていきましょう

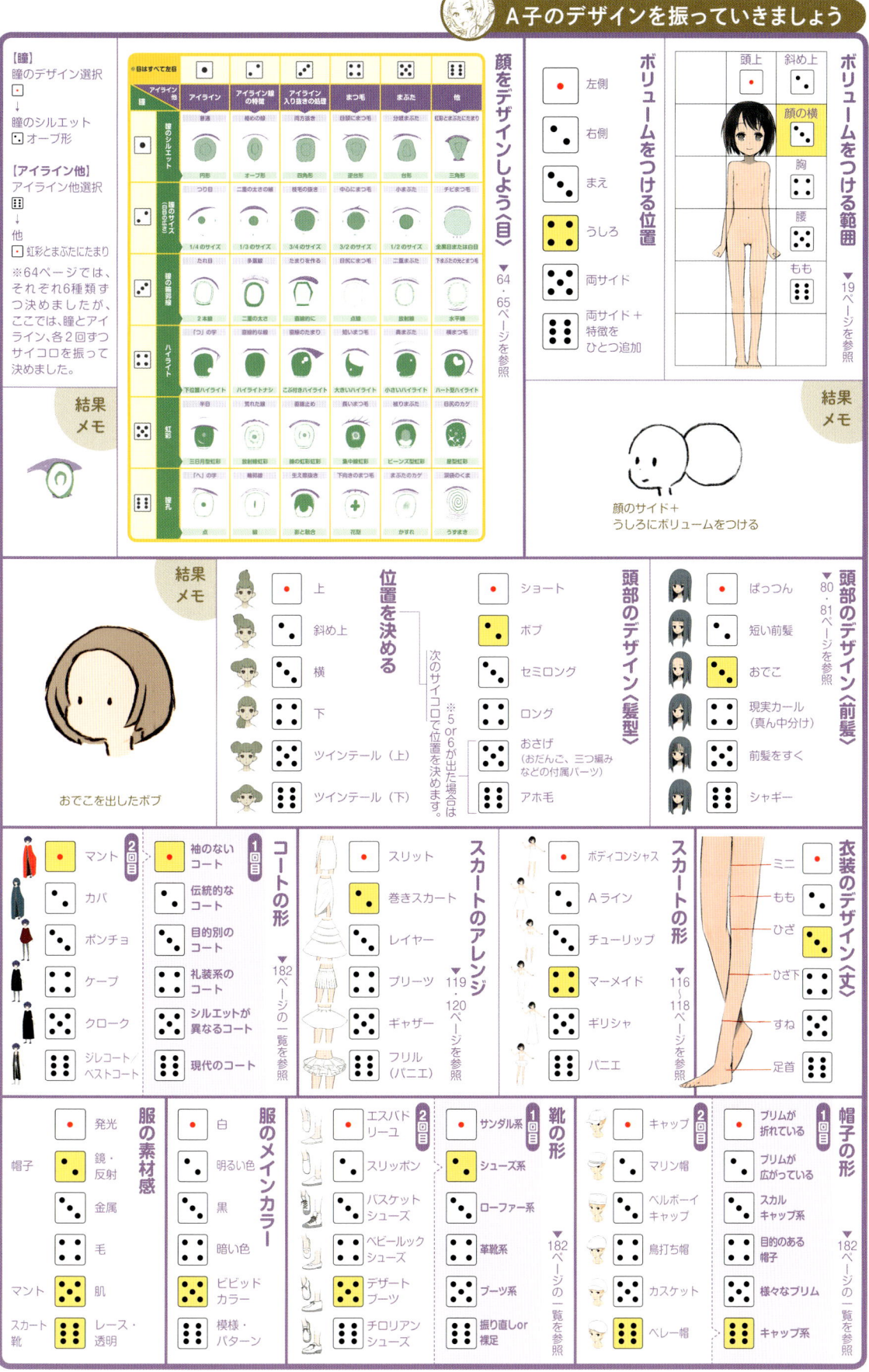

顔をデザインしよう〈目〉

▼64・65ページを参照

【瞳】
瞳のデザイン選択 1
↓
瞳のシルエット
2 オーブ形

【アイライン他】
アイライン他選択 6
↓
他
1 虹彩とまぶたにたまり

※64ページでは、それぞれ6種類ずつ決めましたが、ここでは、瞳とアイライン、各2回ずつサイコロを振って決めました。

結果メモ

※目はすべて左目

各セルは「アイライン他の項目 / 瞳の項目」

瞳＼アイライン他	1 アイライン	2 アイライン線の特徴	3 アイライン入り抜きの処理	4 まつ毛	5 まぶた	6 他
1 瞳のシルエット	普通 / 円形	細めの線 / オーブ形	両方抜き / 四角形	目頭にまつ毛 / 逆台形	分岐まぶた / 台形	虹彩とまぶたにたまり / 三角形
2 瞳のサイズ(白目の広さ)	つり目 / 1/4のサイズ	二重の太さの線 / 1/3のサイズ	枝毛の抜き / 3/4のサイズ	中心にまつ毛 / 3/2のサイズ	小まぶた / 1/2のサイズ	チビまつ毛 / 全黒目または白目
3 瞳の輪郭線	たれ目 / 2本線	多重線 / 二重の太さ	たまりを作る / 直線的に	目尻にまつ毛 / 点線	二重まぶた / 放射線	下まぶたの光とまつ毛 / 水平線
4 ハイライト	「つ」の字 / 下位置ハイライト	直線的な線 / ハイライトナシ	直線のたまり / こぶ付きハイライト	短いまつ毛 / 大きいハイライト	奥まぶた / 小さいハイライト	横まつ毛 / ハート型ハイライト
5 虹彩	半目 / 三日月型虹彩	荒れた線 / 放射線虹彩	直線止め / 線の虹彩虹彩	長いまつ毛 / 集中線虹彩	被りまぶた / ビーンズ型虹彩	目尻のカゲ / 星型虹彩
6 瞳孔	「へ」の字 / 点	輪郭線 / 線	生え際抜き / 影と融合	下向きのまつ毛 / 花型	まぶたのカゲ / かすれ	涙袋のくま / うずまき

ボリュームをつける位置

1 左側
2 右側
3 まえ
4 うしろ
5 両サイド
6 両サイド＋特徴をひとつ追加

ボリュームをつける範囲

▼19ページを参照

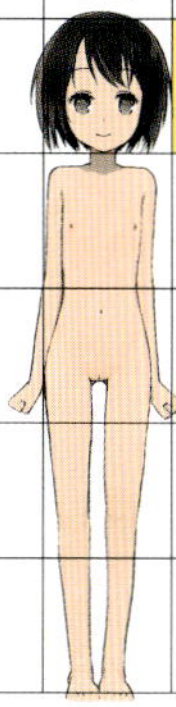

頭上 1	斜め上 2
	顔の横 3
	胸 4
	腰 5
	もも 6

結果メモ

顔のサイド＋うしろにボリュームをつける

頭部のデザイン〈前髪〉

▼80・81ページを参照

1 ぱっつん
2 短い前髪
3 おでこ
4 現実カール(真ん中分け)
5 前髪をすく
6 シャギー

頭部のデザイン〈髪型〉

1 ショート
2 ボブ
3 セミロング
4 ロング
5 おさげ(おだんご、三つ編みなどの付属パーツ)
6 アホ毛

※5 or 6が出た場合は次のサイコロで位置を決めます。

位置を決める

1 上
2 斜め上
3 横
4 下
5 ツインテール(上)
6 ツインテール(下)

結果メモ

おでこを出したボブ

衣装のデザイン〈丈〉

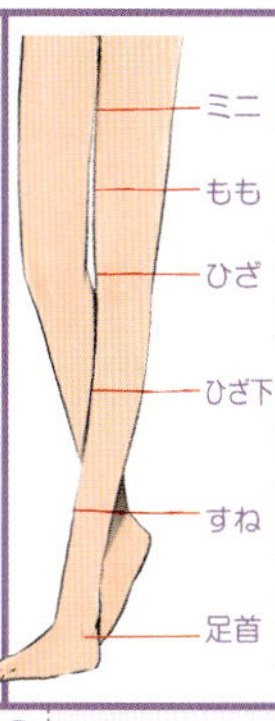

1 ミニ
2 もも
3 ひざ
4 ひざ下
5 すね
6 足首

スカートの形

▼116〜118ページを参照

1 ボディコンシャス
2 Aライン
3 チューリップ
4 マーメイド
5 ギリシャ
6 パニエ

スカートのアレンジ

▼119・120ページを参照

1 スリット
2 巻きスカート
3 レイヤー
4 プリーツ
5 ギャザー
6 フリル(パニエ)

コートの形

▼182ページの一覧を参照

1回目
1 袖のないコート
2 伝統的なコート
3 目的別のコート
4 礼装系のコート
5 シルエットが異なるコート
6 現代のコート

2回目
1 マント
2 カパ
3 ポンチョ
4 ケープ
5 クローク
6 ジレコート／ベストコート

帽子の形

▼182ページの一覧を参照

1回目
1 ブリムが折れている
2 ブリムが広がっている
3 スカルキャップ系
4 目的のある帽子
5 様々なブリム
6 キャップ系

2回目
1 キャップ
2 マリン帽
3 ベルボーイキャップ
4 鳥打ち帽
5 カスケット
6 ベレー帽

靴の形

▼182ページの一覧を参照

1回目
1 サンダル系
2 シューズ系
3 ローファー系
4 革靴系
5 ブーツ系
6 振り直しor裸足

2回目
1 エスパドリーユ
2 スリッポン
3 バスケットシューズ
4 ベビールックシューズ
5 デザートブーツ
6 チロリアンシューズ

服のメインカラー

1 白
2 明るい色
3 黒
4 暗い色
5 ビビッドカラー
6 模様・パターン

服の素材感

1 発光
2 鏡・反射（帽子）
3 金属
4 毛
5 肌（マント）
6 レース・透明（スカート、靴）

←組み合わせたデザインは183ページで発表!

B子のデザインを振っていきましょう

顔をデザインしよう〈目〉

▼64・65ページを参照

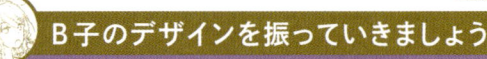

【瞳】
瞳のデザイン選択
⚂
↓
瞳の輪郭線
⚅ 水平線

【アイライン他】
アイライン他選択
⚂
↓
アイライン線の特徴
⚂ 多重線

※64ページでは、それぞれ6種類ずつ決めましたが、ここでは、瞳とアイライン、各2回ずつサイコロを振って決めました。

結果メモ

※目はすべて左目

瞳 ＼ アイライン他	⚀ アイライン	⚁ アイライン線の特徴	⚂ アイライン入り抜きの処理	⚃ まつ毛	⚄ まぶた	⚅ 他
⚀ 瞳のシルエット	普通 / 円形	細めの線 / オーブ形	両方抜き / 四角形	目頭にまつ毛 / 逆台形	分岐まぶた / 台形	虹彩とまぶたにたまり / 三角形
⚁ 瞳のサイズ（白目の広さ）	つり目 / 1/4のサイズ	二重の太さの線 / 1/3のサイズ	枝毛の抜き / 3/4のサイズ	中心にまつ毛 / 3/2のサイズ	小まぶた / 1/2のサイズ	チビまつ毛 / 全黒目または白目
⚂ 瞳の輪郭線	たれ目 / 2本線	多重線 / 二重の太さ	たまりを作る / 直線的に	目尻にまつ毛 / 点線	二重まぶた / 放射線	下まぶたの光とまつ毛 / 水平線
⚃ ハイライト	「つ」の字 / 下位置ハイライト	直線的な線 / ハイライトナシ	直線のたまり / こぶ付きハイライト	短いまつ毛 / 大きいハイライト	奥まぶた / 小さいハイライト	横まつ毛 / ハート型ハイライト
⚄ 虹彩	半目 / 三日月型虹彩	荒れた線 / 放射線虹彩	直線止め / 線の虹彩	長いまつ毛 / 集中線虹彩	被りまぶた / ビーンズ型虹彩	目尻のカゲ / 星型虹彩
⚅ 瞳孔	「へ」の字 / 点	輪郭線 / 線	生え際抜き / 影と融合	下向きのまつ毛 / 花型	まぶたのカゲ / かすれ	涙袋のくま / うずまき

ボリュームをつける範囲

▼19ページを参照

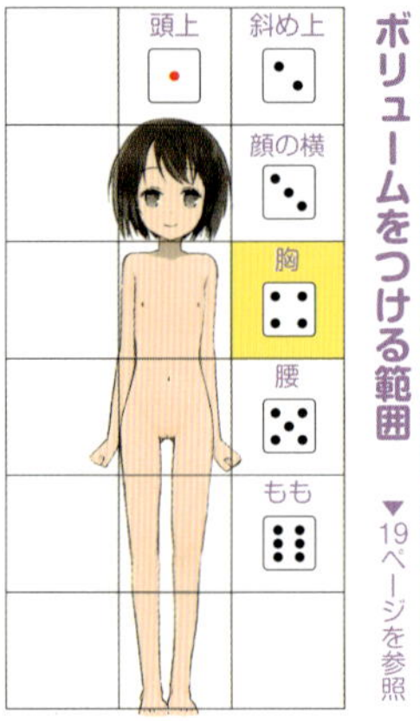

範囲	サイコロ
頭上	⚀
斜め上	⚁
顔の横	⚁
胸	⚃
腰	⚄
もも	⚅

ボリュームをつける位置

サイコロ	位置
⚀	左側
⚁	右側
⚂	まえ
⚃	うしろ
⚄	両サイド
⚅	両サイド＋特徴をひとつ追加

結果メモ

上半身のサイド＋
右側にボリュームをつける

頭部のデザイン〈前髪〉

▼80・81ページを参照

サイコロ	前髪
⚀	ぱっつん
⚁	短い前髪
⚂	おでこ
⚃	現実カール（真ん中分け）
⚄	前髪をすく
⚅	シャギー

頭部のデザイン〈髪型〉

サイコロ	髪型
⚀	ショート
⚁	ボブ
⚂	セミロング
⚃	ロング
⚄	おさげ（おだんご、三つ編みなどの付属パーツ）
⚅	アホ毛

※5 or 6が出た場合は次のサイコロで位置を決めます。

位置を決める

サイコロ	位置
⚀	上
⚁	斜め上
⚂	横
⚃	下
⚄	ツインテール（上）
⚅	ツインテール（下）

結果メモ

分け目のある前髪の
ツインテール

衣装のデザイン〈丈〉

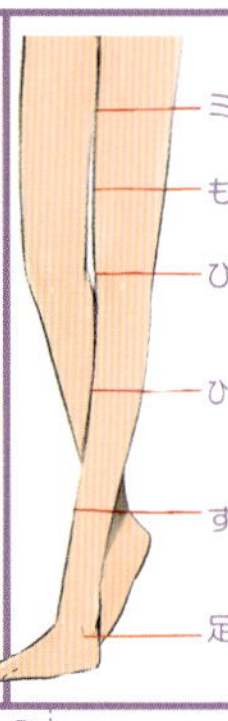

サイコロ	丈
⚀	ミニ
⚁	もも
⚂	ひざ
⚃	ひざ下
⚄	すね
⚅	足首

パンツの股上

▼124ページを参照

サイコロ	股上
⚀	腰パン
⚁	ローライズ
⚂	グルカショーツ
⚃	ハイウエスト
⚄	オーバーオール
⚅	クラウンパンツ

パンツのアレンジ

▼123ページを参照

サイコロ	アレンジ
⚀	ラップパンツ
⚁	ペーパーバック
⚂	チャップス
⚃	ボンデージ
⚄	作業着
⚅	パラッツォパンツ

コートの形

▼182ページの一覧を参照

サイコロ	1回目	2回目
⚀	袖のないコート	トレンチコート
⚁	伝統的なコート	ステンカラーコート
⚂	目的別のコート	バルマカン
⚃	礼装系のコート	ピーコート
⚄	シルエットが異なるコート	ダッフルコート
⚅	現代のコート	カナディアンコート

帽子の形

▼182ページの一覧を参照

サイコロ	1回目	2回目
⚀	ブリムが折れている	カプリーヌ
⚁	ブリムが広がっている	フロッピーハット
⚂	スカルキャップ系	チューリップハット
⚃	目的のある帽子	スカラハット
⚄	様々なブリム	ベルジュールハット
⚅	キャップ系	カートホイールハット

靴の形

▼182ページの一覧を参照

サイコロ	1回目	2回目
⚀	サンダル系	オックスフォード
⚁	シューズ系	キルティタン
⚂	ローファー系	コンビネーション
⚃	革靴系	おでこ靴
⚄	ブーツ系	グッドイヤーウェルト
⚅	振り直しor裸足	モカシン

服のメインカラー

サイコロ	カラー
⚀	白
⚁	明るい色
⚂	黒
⚃	暗い色
⚄	ビビッドカラー
⚅	模様・パターン

服の素材感

対象	サイコロ	素材感
	⚀	発光
靴	⚁	鏡・反射
パンツ	⚂	金属
	⚃	毛
帽子	⚄	肌
コート	⚅	レース・透明

←組み合わせたデザインは183ページで発表！

C子のデザインを振っていきましょう

顔をデザインしよう〈目〉

▼64・65ページを参照

※目はすべて左目

瞳 ＼ アイライン他	1 アイライン	2 アイライン線の特徴	3 アイライン入り抜きの処理	4 まつ毛	5 まぶた	6 他
1 瞳のシルエット	普通 / 円形	細めの線 / オーブ形	両方抜き / 四角形	目頭にまつ毛 / 逆台形	分岐まぶた / 台形	虹彩とまぶたにたまり / 三角形
2 瞳のサイズ(白目の広さ)	つり目 / 1/4のサイズ	二重の太さの線 / 1/3のサイズ	枝毛の抜き / 3/4のサイズ	中心にまつ毛 / 3/2のサイズ	小まぶた / 1/2のサイズ	チビまつ毛 / 全黒目または白目
3 瞳の輪郭線	たれ目 / 2本線	多重線 / 二重の太さ	たまりを作る / 直線的に	目尻にまつ毛 / 点線	二重まぶた / 放射線	下まぶたの光とまつ毛 / 水平線
4 ハイライト	「つ」の字 / 下位置ハイライト	直線的な線 / ハイライトナシ	直線のたまり / こぶ付きハイライト	短いまつ毛 / 大きいハイライト	奥まぶた / 小さいハイライト	横まつ毛 / ハート型ハイライト
5 虹彩	半目 / 三日月型虹彩	荒れた線 / 放射線虹彩	直線止め / 線の虹彩虹彩	長いまつ毛 / 集中線虹彩	被りまぶた / ビーンズ型虹彩	目尻のカゲ / 星型虹彩
6 瞳孔	「へ」の字 / 点	輪郭線 / 線	生え際抜き / 影と融合	下向きのまつ毛 / 花型	まぶたのカゲ / かすれ	涙袋のくま / うずまき

【瞳】
瞳のデザイン選択
6
↓
瞳孔
6 うずまき

【アイライン他】
アイライン他選択
1
↓
アイライン
3 たれ目

※64ページでは、それぞれ6種類ずつ決めましたが、ここでは、瞳とアイライン、各2回ずつサイコロを振って決めました。

結果メモ

ボリュームをつける範囲

▼19ページを参照

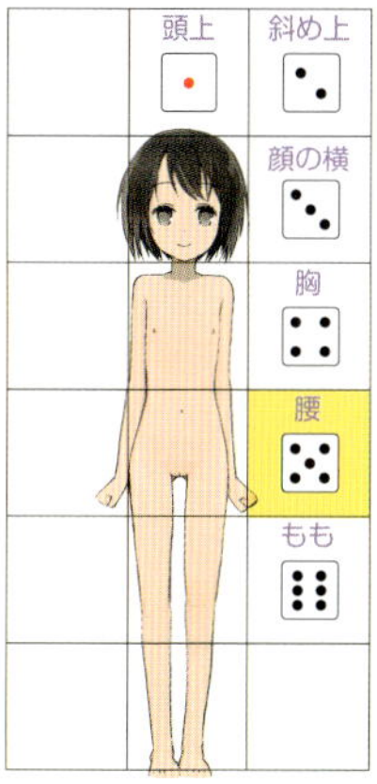

ボリュームをつける位置

1 左側
2 右側
3 まえ
4 うしろ
5 両サイド
6 両サイド＋特徴をひとつ追加

結果メモ

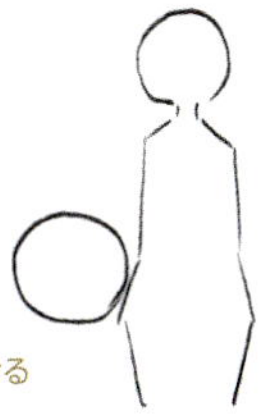

腰のサイド＋
左側にボリュームをつける

頭部のデザイン〈前髪〉

▼80・81ページを参照

1 ぱっつん
2 短い前髪
3 おでこ
4 現実カール(真ん中分け)
5 前髪をすく
6 シャギー

頭部のデザイン〈髪型〉

1 ショート
2 ボブ
3 セミロング
4 ロング
5 おさげ(おだんご、三つ編みなどの付属パーツ)
6 アホ毛

※5 or 6が出た場合は次のサイコロで位置を決めます。

位置を決める

1 上
2 斜め上
3 横
4 下
5 ツインテール(上)
6 ツインテール(下)

結果メモ

ギザギザ前髪の
ポニーテール

衣装のデザイン〈丈〉

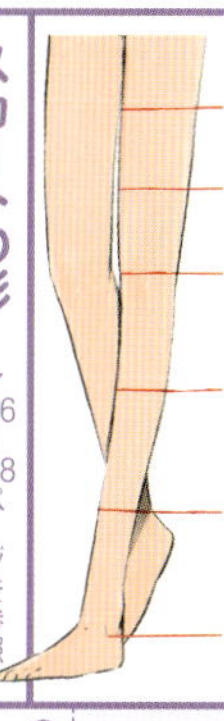

1 ミニ
2 もも
3 ひざ
4 ひざ下
5 すね
6 足首

スカートの形

▼116〜118ページを参照

1 ボディコンシャス
2 Aライン
3 チューリップ
4 マーメイド
5 ギリシャ
6 パニエ

スカートのアレンジ

▼119・120ページを参照

1 スリット
2 巻きスカート
3 レイヤー
4 プリーツ
5 ギャザー
6 フリル(パニエ)

コートの形

▼182ページの一覧を参照

1回目
1 袖のないコート
2 伝統的なコート
3 目的別のコート
4 礼装系のコート
5 シルエットが異なるコート
6 現代のコート

2回目
1 マント
2 カパ
3 ポンチョ
4 ケープ
5 クローク
6 ジレコート/ベストコート

帽子の形

▼182ページの一覧を参照

1回目
1 ブリムが折れている
2 ブリムが広がっている
3 スカルキャップ系
4 目的のある帽子
5 様々なブリム
6 キャップ系

2回目
1 カプリーヌ
2 フロッピーハット
3 チューリップハット
4 スカラハット
5 ベルジュールハット
6 カートホイールハット

靴の形

▼182ページの一覧を参照

1回目
1 サンダル系
2 シューズ系
3 ローファー系
4 革靴系
5 ブーツ系
6 振り直しor裸足

2回目
1 オックスフォード
2 キルティタン
3 コンビネーション
4 おでこ靴
5 グッドイヤーウェルト
6 モカシン

服のメインカラー

1 白
2 明るい色
3 黒
4 暗い色
5 ビビッドカラー
6 模様・パターン

服の素材感

1 発光
帽子 2 鏡・反射
スカート 3 金属
4 毛
コート 5 肌
靴 6 レース・透明

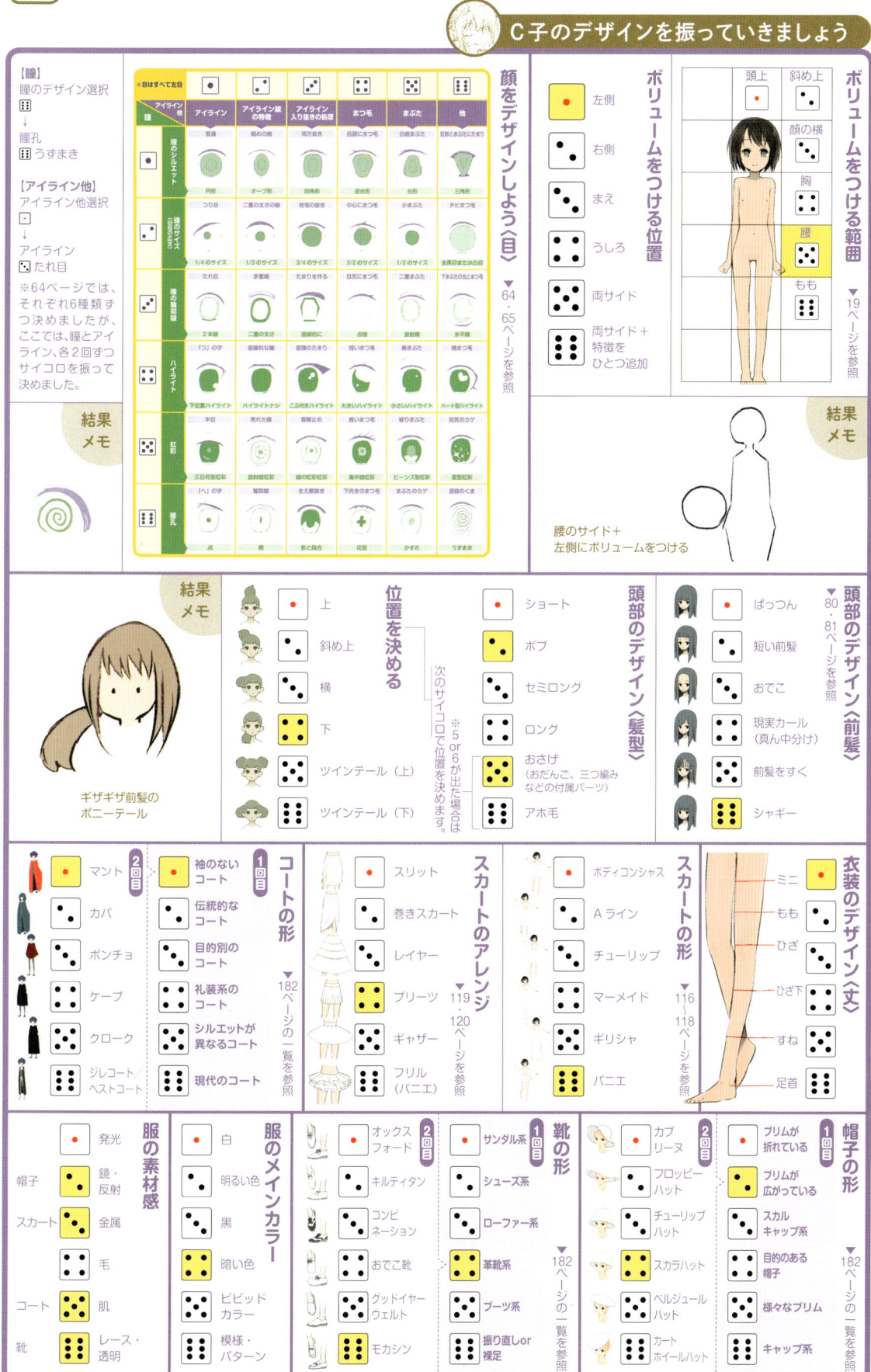

←組み合わせたデザインは183ページで発表!

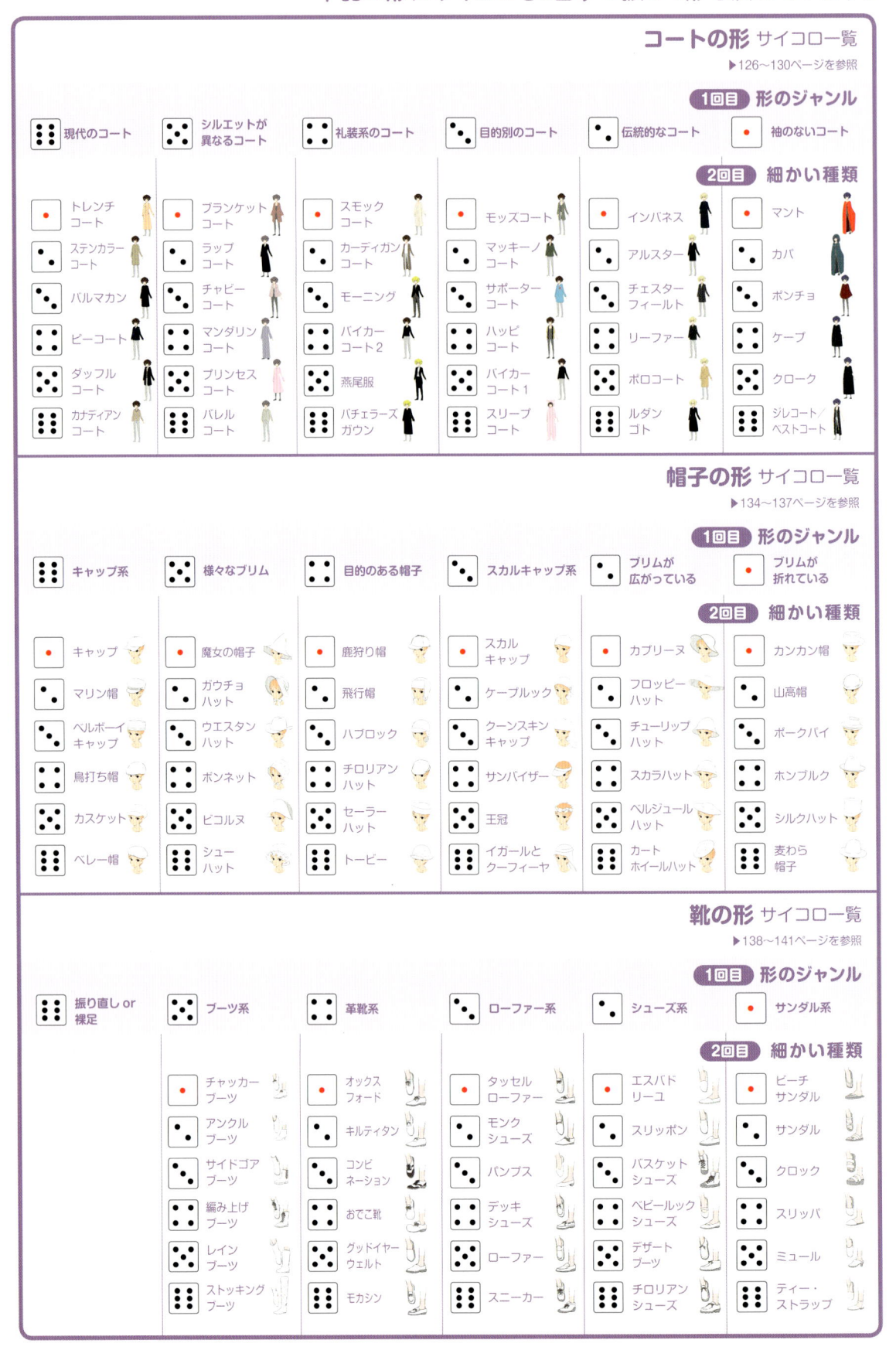

下記の形はサイコロを2回ずつ振って形を決めています。

コートの形 サイコロ一覧

▶126～130ページを参照

1回目 形のジャンル / 2回目 細かい種類

2回目 ＼ 1回目	6 現代のコート	5 シルエットが異なるコート	4 礼装系のコート	3 目的別のコート	2 伝統的なコート	1 袖のないコート
1	トレンチコート	ブランケットコート	スモックコート	モッズコート	インバネス	マント
2	ステンカラーコート	ラップコート	カーディガンコート	マッキーノコート	アルスター	カパ
3	バルマカン	チャビーコート	モーニング	サポーターコート	チェスターフィールド	ポンチョ
4	ピーコート	マンダリンコート	バイカーコート2	ハッピコート	リーファー	ケープ
5	ダッフルコート	プリンセスコート	燕尾服	バイカーコート1	ポロコート	クローク
6	カナディアンコート	バレルコート	バチェラーズガウン	スリーブコート	ルダンゴト	ジレコート/ベストコート

帽子の形 サイコロ一覧

▶134～137ページを参照

1回目 形のジャンル / 2回目 細かい種類

2回目 ＼ 1回目	6 キャップ系	5 様々なブリム	4 目的のある帽子	3 スカルキャップ系	2 ブリムが広がっている	1 ブリムが折れている
1	キャップ	魔女の帽子	鹿狩り帽	スカルキャップ	カプリーヌ	カンカン帽
2	マリン帽	ガウチョハット	飛行帽	ケーブルック	フロッピーハット	山高帽
3	ベルボーイキャップ	ウエスタンハット	ハブロック	クーンスキンキャップ	チューリップハット	ポークパイ
4	鳥打ち帽	ボンネット	チロリアンハット	サンバイザー	スカラハット	ホンブルク
5	カスケット	ピコルヌ	セーラーハット	王冠	ベルジュールハット	シルクハット
6	ベレー帽	シューハット	トービー	イガールとクーフィーヤ	カートホイールハット	麦わら帽子

靴の形 サイコロ一覧

▶138～141ページを参照

1回目 形のジャンル / 2回目 細かい種類

2回目 ＼ 1回目	6 振り直し or 裸足	5 ブーツ系	4 革靴系	3 ローファー系	2 シューズ系	1 サンダル系
1		チャッカーブーツ	オックスフォード	タッセルローファー	エスパドリーユ	ビーチサンダル
2		アンクルブーツ	キルティタン	モンクシューズ	スリッポン	サンダル
3		サイドゴアブーツ	コンビネーション	パンプス	バスケットシューズ	クロック
4		編み上げブーツ	おでこ靴	デッキシューズ	ベビールックシューズ	スリッパ
5		レインブーツ	グッドイヤーウェルト	ローファー	デザートブーツ	ミュール
6		ストッキングブーツ	モカシン	スニーカー	チロリアンシューズ	ティー・ストラップ

2 パーツを描き出してみよう

スカートorパンツ、コート、帽子、靴……などは一通り、P116〜P141で紹介しています。他にも、ファッション誌や写真を見ながらサイコロで出たパーツの形をメモしてみましょう。

C子

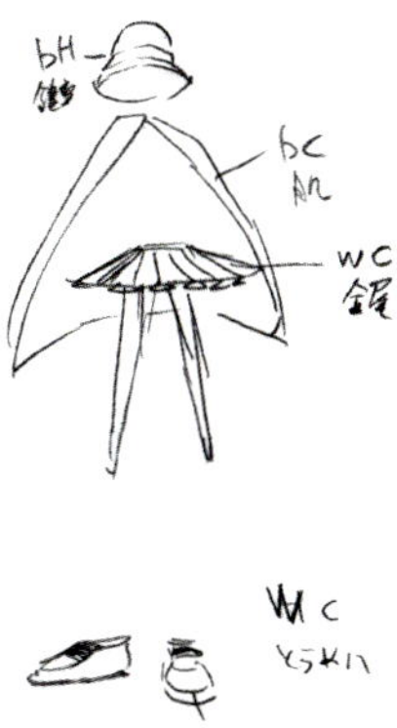

- メインカラー：暗色
- スカート丈：ミニ
- 形：パニエ（素材：金属）／アレンジ：プリーツ
- 帽子：スカラハット（鏡面）
- コート：マント（肌）
- 靴：モカシン（透明）

B子

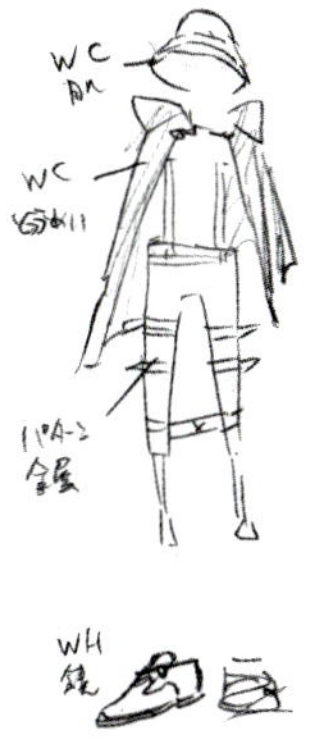

- メインカラー：模様・パターン
- パンツ丈：すね
- 股上：クラウンパンツ（素材：金属）／アレンジ：ボンデージ
- 帽子：スカラハット（肌）
- コート：ダッフルコート（透明）
- 靴：オックスフォード（鏡面）

A子

- メインカラー：ビビッドカラー
- スカート丈：ひざ
- 形：マーメイド（素材：透明）／アレンジ：巻きスカート
- 帽子：ベレー帽（素材：鏡面）
- コート：マント（肌）
- 靴：デザートブーツ（透明）

3 サイコロで組み合わせた衣装を描こう

C子

B子

A子

なんでマントが二回も出るんだ!?　マントは嫌だ！　スカラハットも！　透明も多すぎる……。このチャートは出来が悪いですよ。パニエでロング丈の組み合わせになると、富士山の状態に……。このやりかたを試されるとき、ダメになりそうならば、他の選択肢とチェンジしてネ！　あ！　インナーの選択肢がなかった。……いいか、みんな水着にしましょう。

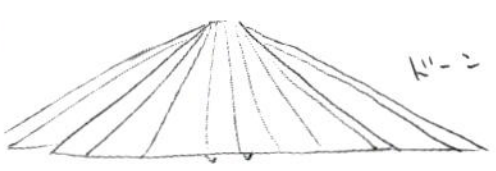

4 モチーフを足して変化させよう

ふつうは読者の求めることや、いま流行っている単語を利用して変化させますよね。今回は、ランダムな単語が欲しかったので、スマホのアプリ「意味不明文」を利用しました。意味不明な文章から名詞を拾ってみます。各キャラクターに4つずつ用意して、ひとつはボツにしても良いことにします。

C子

彫り物

寝台特急ブルートレイン

シリアスなスピーカー

貧乏くさい画用紙

B子

触覚

サメ

辛い焼きそばパン

網タイツ

A子

蒸し魚

青臭いデザート

バグ

水着姿のメガホン

5 変形させた衣装を見てみましょう

【彫り物】
彫り物はスカートのフリルの装飾に。木のスカートにしようかな。
【寝台特急ブルートレイン】
マントの柄に。エンブレムを胸につけます。
【シリアスなスピーカー】
スピーカーをリボンに。
【貧乏くさい画用紙】
画用紙は持ちましょう。パピルスかな。子供用の画用紙かな。季刊エスのために狙ったようなアイテム。彼女が主役ですね。

【触覚】
アホ毛があったので触覚にしました。唐辛子が生っている感じです。
【サメ】
肩のボリュームにサメのマフラーをつけました。
【辛い焼きそばパン】
焼きそばパンを持っています。髪型も焼きそば風ソバージュに。
【網タイツ】
網タイツもちゃんと履かせました。

【蒸し魚】
蒸し魚は最初にイメージしたマナガツオの蒸し焼きにしました。ネックレスとして取り入れます。
【青臭いデザート】
ドリアンは後頭部のボリュームを出すことに利用しました。
【バグ】
スカートにバグのシルエットを混ぜました。
【水着姿のメガホン】
水着姿でメガホンを持つことにします。

6 好きなバランスに調整しよう

B子

サメ、いらないですね。
帽子も小さくしました。

透明です。ギリギリ、ダッフルコートの感じです。

網タイツとボンデージ・パンツ、サスペンダーのついたクラウン・パンツ。リズムのある引きでしたね。

A子

鏡面のベレー帽って……勘弁して！

マナガツオの中華蒸し。ネギとショウガと醤油カラーのチェック模様にしました。

マントとマーメイドの組み合わせ。マントがどっしり長ければ映画で見るような豪華なコスチュームですね。

C子

ブルートレインのマントと帽子です。電車が東北を通りそうなイメージだったので、伊達政宗っぽいマークになりました。

スピーカーをリボンの形にしてつけました。

スカートの凹凸はブルートレインの側面にある換気口をイメージして配しました。

バランスをとっていきます。個々のアイテムのサイズ感や、パイピングの太さの塩梅ですね。大小の強弱をつけてリズムを起こすか、変化を抑えて和ませるか。テーマの強調と全体のハーモニーとのやりくりです。心地よい絵になるようにデザインしていきます。

B子完成

帽子
サメのモチーフが背びれのデザインや文字として残っています。

髪型
辛い焼きそばパンに合わせて、赤い髪に。唐辛子の装飾はツインテールの名残です。

水着
網タイツとボンデージの組み合わせ。色や柄でボーイッシュなデザインに。

靴
反射素材でツルツルに。ここにもサメのモチーフが柄やシルエットとして入っています。

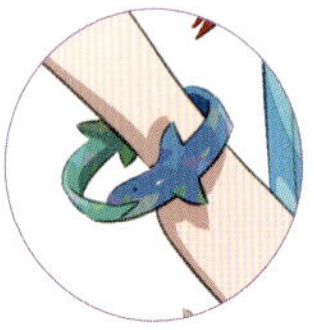

ブレスレット
こちらにもサメのモチーフが生きています。よく見るとホログラムのような光沢感です。首元のタトゥはサメの骨の柄。サメそのものを描かなくても、デザインとして溶け込ませることができます。

伏し目がちで独特のデザインになったB子は、大きく口を開けて「辛い焼きそばパン」を食べているという、不思議なキャラクターになりました。

A子完成

ドリアンメガホンで応援している感じに。腕を大きく上げて、動きをつけています。マーメイドの巻きスカートも相まって大人っぽい印象です。

帽子
鏡面素材なのでメガホンやオレンジの髪が写り込んでいます。

マント
不思議なバグ素材なので、文字が所々ギザギザに入っています。

水着
上下あわせてネギの緑色がメインカラーになっています。

靴
透明素材のデザイン的な靴。一部のみを透明にした面白いデザイン。布素材と組み合わせたコンビネーション・シューズになっています。奇抜なだけでなく、履き心地も良さそうな印象です。

ネックレス
向かい合わせに配されたマナガツオが可愛い。ネギやショウガから配色を決めたというのも面白いところ。

ウィンクした表情が可愛い、スケッチブックを持つC子。主人公っぽい感じですね。月と星のモチーフの帽子は存在感があります。

C子完成

帽子
A子と同じ鏡面素材でも金属感が強いC子の帽子。黒と金の重厚な配色や光沢感のある三日月のモチーフから、兜のようにも見えます。和の印象が強いデザインです。

ペン
木彫りの熊が「S」を持った可愛いペン。カバーのイラストは特別カラーにして、スケッチブックには幻獣を入れました。

髪
ピンクの中に紫や黄色が入って綺麗。髪留めに「SS」マークが入っています。

水着
大きなフリルが特徴的。胸のエンブレムも青と金の配色にして、マントと揃えました。

タイツ
デザインされている過程では足を出したコスチュームでしたが、最終的にカラータイツになりました。白い服に目がいく配色バランスです。

スカート
金属素材のミニ丈パニエ。鉄道用架線につく「がいし」で繋がっています。細部までブルートレインと関連する素材や形が取り入れられています。

おわりに

僕は日本語が苦手なので、“これを読めば文章を書けるようになる！”
そんな手引書をよく買います。
書いてある内容に大差はなくて、“1つの文章にメッセージはひとつ”
言いたいことをまとめて余分な意味を減らす。そういった感じです。
僕のデザインとは真逆ですね。僕のデザインは、意味を盛って盛って結合させて
グチャグチャにして……そこから少し整えますけど、
カオスなほうが面白いと思っているので完全に逆です。
そんな脳味噌だから文章も変になるんでしょうね。
出版するにあたり、以前の文章を見直してみてゾッとしました。
コメントの意味が理解できない！
一週間かけて読み解いて修正しました。頑張って超訳しました。
なので、スルッと読めるモノになっていたらいいなぁ。そう願っています。

僕にとって文章の手引書がありがたかったように、
デザインするコトを苦手に思っている人たちに向けて、
デザインの考え方を紹介したら、少しは役立つかもしれない。
そう思って連載を続けてきました。
だけど、この本。手引書としてはあまり役には立ちませんね。
ひとりの作家の独り言を検証も確認もナシに書き連ねた、曖昧で不正確な歪んだ本です。
好意的に考えてもウンチクの多い画集ってところだと思います。申し訳ありません！
……でも絵は、好きな絵を真似て学ぶものなので、表紙でオッケーだった人にとっては、
ソコソコ役立つモノになってるかもしれません。
デザインが得意な人にとっては、意味不明で笑えたり共感できる部分があると思います。
デザインが不得手な人に向けても、本の最後に
デザインを提案してくれるサイコロ表を作りました。
あんまり想像力が働かないときのセーフティーネットに使っていただけたら幸いです。
ゲーム感覚で楽しむこともできるので、暇つぶしに最高の一人遊びになると思います。

こんな本ですが、何かひとつでも
プラスになるコトを拾ってもらえたら幸いです。
“ちょっと変なキャラクターをデザインしてみよう”
そんなキッカケになれたらと思います。

キャラクター作りをしているとき。創作に集中しているとき。
それは、好きなキャラクターと一緒に、新しい世界の誕生に
期待を膨らませる、最高に自由な夢の瞬間です。
絵は見るよりも描くほうが楽しいのです。

最後にこの本の出版にあたりご尽力いただいた皆さま。
エス編集部のみなさま。ありがとうございました。
「月刊ニュータイプ」のコラムでお世話になった編集部のみなさんと
当時担当してくれた丸田さん。
記事の再録ありがとうございます。
いつもギュウギュウのコラムのレイアウトに苦労された小嶋さん。
担当編集の佐々木さん、お疲れさまでした！
そして応援くださった読者のみなさま。感謝申し上げます！

いつか、あなたが素敵なキャラクターを
生み出してくれることを願っています。
楽しんで！

okama

オリジナルサイコロ調合表

① ボリュームをつける範囲

▼19ページを参照

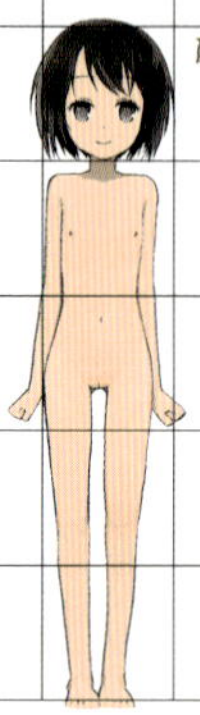

サイコロ	範囲
1	頭上
2	斜め上
3	顔の横
4	胸
5	腰
6	もも

② ボリュームをつける位置

サイコロ	位置
1	左側
2	右側
3	まえ
4	うしろ
5	両サイド
6	両サイド＋特徴をひとつ追加

ボリュームの結果メモ

③ 顔をデザインしよう〈目〉

▼64・65ページを参照

【瞳】

- 瞳のシルエット □
- 瞳のサイズ（白目の広さ） □
- 瞳の輪郭線 □
- ハイライト □
- 虹彩 □
- 瞳孔 □

【アイライン他】

- アイライン □
- アイラインの線の特徴 □
- アイライン入り抜きの処理 □
- まつ毛 □
- まぶた □
- 他 □

※目はすべて左目

瞳 ＼ アイライン他	1 アイライン	2 アイライン線の特徴	3 アイライン入り抜きの処理	4 まつ毛	5 まぶた	6 他
1 瞳のシルエット	普通 / 円形	細めの線 / オーブ形	両方抜き / 四角形	目頭にまつ毛 / 逆台形	分岐まぶた / 台形	虹彩とまぶたにたまり / 三角形
2 瞳のサイズ（白目の広さ）	つり目 / 1/4のサイズ	二重の太さの線 / 1/3のサイズ	枝毛の抜き / 3/4のサイズ	中心にまつ毛 / 3/2のサイズ	小まぶた / 1/2のサイズ	チビまつ毛 / 全黒目または白目
3 瞳の輪郭線	たれ目 / 2本線	多重線 / 二重の太さ	たまりを作る / 直線的に	目尻にまつ毛 / 点線	二重まぶた / 放射線	下まぶたの光とまつ毛 / 水平線
4 ハイライト	「つ」の字 / 下位置ハイライト	直線的な線 / ハイライトナシ	直線のたまり / こぶ付きハイライト	短いまつ毛 / 大きいハイライト	奥まぶた / 小さいハイライト	横まつ毛 / ハート型ハイライト
5 虹彩	半目 / 三日月型虹彩	荒れた線 / 放射線虹彩	直線止め / 線の虹彩虹彩	長いまつ毛 / 集中線虹彩	被りまぶた / ビーンズ型虹彩	目尻のカゲ / 星型虹彩
6 瞳孔	「へ」の字 / 点	輪郭線 / 線	生え際抜き / 影と融合	下向きのまつ毛 / 花型	まぶたのカゲ / かすれ	涙袋のくま / うずまき

目の結果メモ

④ 頭部のデザイン〈前髪〉

▼80・81ページを参照

サイコロ	前髪
1	ぱっつん
2	おでこキャラ
3	カール
4	櫛状の毛先
5	ギザギザ
6	シャギー

⑤ 頭部のデザイン〈髪型〉

サイコロ	髪型
1	ショート
2	ボブ
3	セミロング
4	ロング
5	おさげ
6	おさげ2

⑥ 位置を決める

髪型に特徴をつける位置を決めましょう。

サイコロ	位置
1	上
2	斜め上
3	横
4	斜め下
5	うしろ
6	なし

髪型の結果メモ

←こちらでデータ版を配布中
描いてみたらTwitterハッシュタグ
「#okamaキャラづくり」で
デザインしたキャラクターを発表してみよう！

▼巻末特典・サイコロ調合表の使い方

1. 巻末のサイコロを組み立てます。 ※サイコロは何を使ってもOKです。
2. サイコロを振って15項目あるキャラクターのパーツを決めましょう。
3. 15個の要素を合わせてキャラクターを完成させます。
4. 組み合わせを調整したり、清書して色をつけてもOKです！

□ 偶数▶スカート ／ 奇数▶パンツ

⑦スカートの形
▼116〜118ページを参照

1	ボディコンシャス
2	Aライン
3	チューリップ
4	マーメイド
5	ギリシャ
6	パニエ

⑧スカートのアレンジ
▼119・120ページを参照

1	スリット
2	巻きスカート
3	レイヤー
4	プリーツ
5	ギャザー
6	フリル（パニエ）

⑦パンツの股上
▼124ページを参照

1	腰パン
2	ローライズ
3	グルカショーツ
4	ハイウエスト
5	オーバーオール
6	クラウンパンツ

⑧パンツのアレンジ
▼123ページを参照

1	ラップパンツ
2	ペーパーバック
3	チャップス
4	ボンデージ
5	作業着
6	パラッツォパンツ

⑨インナーの形
掲載していないので記入しました。

1	水着・下着
2	ブラウス・シャツ
3	Tシャツ（カットソー）
4	セーター（プルオーバー）
5	パーカー
6	全裸or振り直し

⑩スカート・パンツの丈

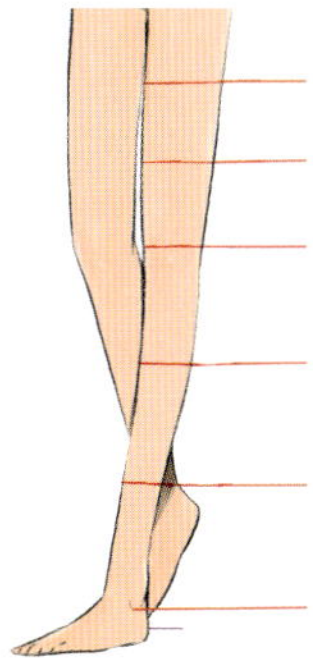

1	ミニ
2	もも
3	ひざ
4	ひざ下
5	すね
6	足首

⑪メインカラー
服のサブ要素

1	白
2	明るい色
3	黒
4	暗い色
5	ビビッドカラー
6	模様・パターン

⑫素材感

1	発光
2	鏡・反射
3	金属
4	毛
5	普通
6	レース・透明

すべてを合わせたキャラクターデザイン

▼182ページの一覧表を参照してサイコロを振りましょう。

⑬コートの形
一覧を参照してサイコロを２回振り、出た目を書き込もう

1回目 □ ＿＿＿＿　2回目 □ ＿＿＿＿

⑭帽子の形
一覧を参照してサイコロを２回振り、出た目を書き込もう

1回目 □ ＿＿＿＿　2回目 □ ＿＿＿＿

⑮靴の形
一覧を参照してサイコロを２回振り、出た目を書き込もう

1回目 □ ＿＿＿＿　2回目 □ ＿＿＿＿

服の結果メモ

okama（おかま）

漫画家、イラストレーター。主な漫画作品に『華札』（ワニマガジン　刊）『CLOTH ROAD』（全11巻）『TAIL STAR』（全4巻）（ともに集英社　刊）などがある。現在は「ヤングアニマル」（白泉社）にて『キミと僕の最後の戦場、あるいは世界が始まる聖戦』（原作＝細音　啓／キャラクター原案＝猫鍋蒼）を連載中。アニメ作品にも関わることが多く、『ヱヴァンゲリヲン新劇場版』のデザインワークス、『かみちゅ！』プロダクションデザイン、『プリティーリズム・レインボーライブ』キャラクター原案などがある。「ハローキティといっしょ!」猫村いろはのキャラクターデザイン&イラストも担当。イラスト挿画では『笑い猫の5分間怪談』シリーズ、角川つばさ文庫「100年後も読まれる名作」シリーズの『ふしぎの国のアリス』『オズの魔法使い』など、児童書も数多く手がけている。2018年には台湾で作品展が開催されるなど、国内外で活動中。

Twitter　【@okamarble】
HP　　【okama.nicomi.com】

参考：「ファッション辞典」（文化出版局）・
コトバンク・モダリーナ・ウィキペディア・
風俗博物館HP

ISBN 978-4-8354-5653-9　C0076
printed in japan

本書は、雑誌「季刊エス」の連載「okamaの楽しいキャラ作り」をメインに、一部「月刊ニュータイプ」（KADOKAWA）に掲載された「CGイラスト講座」を再構成し、大幅な加筆修正を加えました。

〈初出一覧〉

はじめに	百合：季刊エス 27号（2009年 7月号）vol.1
PART 1	ケーキ：季刊エス 28号（2009年 10月号）vol.2
	シルエット：季刊 エス35号（2011年 7月号）vol.9
	●▲■：季刊エス 37号（2012年 1月号）vol.11
	カップル：季刊エス 42号（2013年 4月号）vol.16
	天使と悪魔：季刊エス 47号（2014年 7月号）vol.20
	幻獣：季刊エス 44号（2013年 10月号）vol.17
special lesson	食べ物をキャラクター化しよう！：月刊ニュータイプ 2008年10月号
PART 2	頭身：季刊エス 36号（2011年 10月号）vol.10
	顔の修正：季刊エス 30号（2010年 4月号）vol.4
	目：季刊エス 31号（2010年 7月号）vol.5
	表情：季刊エス 32号（2010年 10月号）vol.6
	メイク：季刊エス 46号（2014年 4月号）vol.19
	髪型：季刊エス 39号（2012年 7月号）vol.13
	髪型の比較：季刊エス 41号（2013年 1月号）vol.15
	髪のハイライト：季刊エス 40号（2012年 10月号）vol.14
	頭部の装飾：季刊エス 38号（2012年 4月号）vol.12
special lesson	人物のカゲ：月刊ニュータイプ 2008年 11月号～2009年 1月号
special lesson	絵に光を足してみよう！：アニメNewtypeチャンネル
PART 3	下着：季刊エス 29号（2010年 1月号）vol.3
	ファー：季刊エス 60号（2018年 1月号）vol.31
special lesson	色んな線を描く：月刊ニュータイプ 2008年 4月号
special lesson	テーマを決めてデザインしよう：月刊ニュータイプ 2008年 5月号～6月号
special lesson	洋服をデザインしよう：月刊ニュータイプ 2008年 7月号～9月号
special lesson	テクスチャを使おう！：月刊ニュータイプ 2009年 2月号
PART 4	スカート：季刊エス 51号（2015年 10月号）vol.23
	パンツ：季刊エス 58号（2017年 7月号）vol.29
	コート：季刊エス 57号（2017年 4月号）vol.28
	和服：季刊エス 59号（2017年 10月号）vol.30
	帽子：季刊エス 56号（2017年 1月号）vol.27
	靴：季刊エス 54号（2016年 7月号）vol.26
	装飾：季刊エス 52号（2016年 1月号）vol.24
	装飾：季刊エス 53号（2016年 4月号）vol.25
PART 5	色について：季刊エス 33号（2011年 1月号）vol.7
	配色について：季刊エス 34号（2011年 4月号）vol.8
	背景のパターン：季刊エス 48号（2014年 10月号）vol.21
	イメージ背景：季刊エス 49号（2015 年1月号）vol.22
	きのこ：季刊エス 45号（2014年 1月号）vol.18
PART 6	サイコロ：描き下ろし

okamaの楽しいキャラづくり

2019年2月28日　初版第1刷発行

著者	okama 季刊エス編集部・編
表紙・本文デザイン	小嶋香織（oflo）
編集	佐々木弥生
発行人	岩本利明
発行所	株式会社　復刊ドットコム 〒141-8204 東京都品川区上大崎3-1-1 目黒セントラルスクエア 営業部　電話 03-6800-4460 編集部　電話 03-6868-8580
印刷・製本	株式会社 廣済堂